Annett
Mosk

ANNETT GRÖSCHNER wurde 1964 in Magdeburg geboren und lebt seit 1983 in Berlin. Sie veröffentlichte Gedichte, Essays, Reportagen, Dokumentarliteratur und Radiofeatures. Seit 1997 arbeitet sie freiberuflich als Schriftstellerin und Journalistin, u.a. für die FAZ, den Freitag, die taz, Theater der Zeit, Literaturen u.v.a. Von 2005–2008 war sie wissenschaftliche Mitarbeiterin des Sachbuchforschungsprojektes der Universität Hildesheim und der Humboldt-Universität Berlin.

Die 26-jährige Annja Kobe wird im Winter 1991 in ihre Heimatstadt Magdeburg gerufen, weil ihre Großmutter im Sterben liegt. Ihr Vater, der sich um seine Mutter kümmern sollte, ist verschwunden. Als Annja in die Wohnung ihres Vaters in einem Hochhaus auf einer Insel mitten in der Elbe geht, findet sie ihn tiefgefroren in seiner eigenen Kühltruhe. Als Mitglied einer Familie von manischen Gefrierforschern – schon ihr Großvater war Kälteingenieur – ist sie zwar erschrocken, ihren Vater in gefrorenem Zustand zu finden, aber eigentlich nicht besonders verwundert darüber. Das Überraschende aber ist, dass die Truhe an keine Steckdose angeschlossen ist. Bis zum Tod ihrer geistig verwirrten Großmutter sucht Annja nach den Hintergründen dieses Gefriervorganges, den sie sich wissenschaftlich nicht erklären kann. Die einzige mögliche Zeugin, die Kollegin des Vaters, Luise Gladbeck, ist wenige Tage zuvor gestorben. Die Suche wird zu einer Reise in die Geschichte der Familie Kobe, in der die Begeisterung rund um den Gefrierpunkt über drei Generationen vererbt worden ist. – Ein in ironischem Ton geschriebenes Buch über eine Insel in der Elbe voller skurriler Leute, einen zurückgezogenen Nationalpreis, die Hauptsätze der Thermodynamik, Alpträume, Gefrierfleischverluste, Sportfanatiker, Sekretärinnen, eine Kühltruhe, die auch nach 30 Jahren noch funktioniert, und mehr als zehn Kugeln Eiskrem.

Annett Gröschner

Moskauer Eis

Roman

aufbau taschenbuch 

ISBN 978-3-7466-2580-5

Aufbau Taschenbuch ist eine Marke der Aufbau Verlag GmbH & Co. KG

1. Auflage 2009

Umschlaggestaltung capa, Anke Fesel
unter Verwendung eines Fotos von Chris Keller/bobsairport
Druck und Binden CPI – Clausen & Bosse, Leck
Printed in Germany

www.aufbau-verlag.de

Für meinen Vater, dem es nicht gelang zu erfrieren

Erster Teil

Prolog im eiskalten Arbeitszimmer

Eines Tages sind wir aufgewacht, und es hatte sich nichts verändert. Wir waren im Wartestand. Wir warteten seit unserer Geburt. Auf den Bus, auf ein Auto, auf ein Kind. Wir warteten auf eine Wohnung, einen Brief, auf eine Aufforderung, uns um sieben im Polizeipräsidium einzufinden. Einige warteten auf einen Zettel, der sie berechtigte, das Land auf Dauer zu verlassen. Andere warteten auf eine winzige Veränderung, auf einen Bombenanschlag, auf den Tod eines Generalsekretärs. Auf ein Westpaket. Auf ein Substantiv, das Liebe hieß, oder ein anderes Surrogat, das sie für Momente den Wartestand vergessen ließ. Mein Vater wartete auf die Zuteilung eines Stückes Kupfer, um damit seine Erfindung zu vollenden. Wir warteten auf ein gutes Buch, auf ein Studium, einen Vorwand, die Stadt zu wechseln. Wir warteten auf einen Paß, der nie ankam, auf eine Freundin, die überm Warten gestorben war. Wir warteten, daß auch wir eines Tages sterben würden. Die Tage vergingen langsam darüber. Godot kam nicht um neun, nicht um zehn. Auch um elf war er noch nicht da. Wir schlugen die Zeit mit Lesen tot. Wir lasen alles, was uns unter die Augen kam. Fahrpläne von Schnellzügen, die nicht länger als zehn Stunden brauchten, um von Nord nach Süd das Land zu durchfahren. Pläne von Flugzeugen, die in Länder flogen, für die wir kein Visum bekamen, auf die Druckgenehmigungsnummer des Schulzeichenblocks, den neuesten Artikel über die Bedeutung der Vakuum-Gefriertrocknung. Wir warteten auf eine winzige Wendung, einen leichten Tanzschritt vielleicht oder einen Sprung, der den Weltrekord bringen würde. Mit uns warteten die Bäume, die wuchsen oder die Luft nicht vertrugen und ihre Blätter vorzeitig verloren. Mit uns warteten die Vögel, die im Herbst im Lande blieben, aber auch die Raubtiere in ihren Käfigen warteten, daß einer der Wärter das Tor öffnen würde. Mit uns warteten die Utopien, die Sessel und die Maschinen. Ein Stillstand in Raum und Zeit. Wir konnten schwer nachprüfen, ob die Erde wirklich rund ist, nur wenn wir tagelang an unserem Meer saßen, sahen wir bei klarem Wetter, daß am Horizont zuerst die Aufbauten der Schiffe zu sehen waren, ehe der Rumpf langsam über der Wasserlinie auftauchte. Das war, so sagte man uns im Geographieunterricht, der Beweis für die Kugelform der Erde. Wir hielten uns nie bei einzelnen Ländern unbekannter Form und Farbe auf, wir wanderten schnell weiter im Buch, um keine Sehnsucht entstehen zu lassen, kein Verbleiben auf Seite 20 bei den Geysiren oder in der Savanne, wir kamen, weil die Erde eben rund war, im Laufe des Jahres wieder zur glazialen Serie zurück, die man bei Exkursionen auf ihre Vollständigkeit untersuchen konnte. Die Horizonte waren abgesteckt. Die Sonne ging im Osten auf und im Westen unter, und die Prinzessin des Sonnenuntergangs sollte so schön sein, daß die Augen blind werden würden im Augenblick des Betrachtens. Aber sie zeigte sich uns nie. Uns konnte nichts passieren, wir waren sicher. Wir kannten alle Schritte auswendig. Wir kannten unsere Gesichter auswendig. Wir konnten uns nicht aus dem Weg gehen, weil er immer einen Kreis beschrieb, an irgendeiner Stelle trafen wir wieder aufeinander. Die Uhren gingen langsam und in abgesteckten Bahnen. Wir waren Seiltänzer, und unter uns spannte sich ein Netz von Sicherheiten, das undurchlässig schien, aber manchmal stürzte jemand vor oder hinter uns, verschwand zwischen den Maschen und tauchte erst nach Tagen wieder auf, mit verschlossenem Gesicht. Wir träumten manchmal von Ausbrüchen, von einem vermauerten U-Bahn-Eingang, der plötzlich offen war und bereit, uns aufzunehmen für eine Reise ins Unbekannte, von einer S-Bahn, die ein anderes Gleis wählte und geradeaus fuhr, statt am Prellbock zu halten. Und mittendrin wachten wir auf, weil es nur ein Traum sein konnte, denn wir hatten nichts vorzuweisen an der Grenze, kein Papier unserer Identität. Im Traum war uns unser Name nicht eingefallen.

Aber plötzlich war da wirklich ein Ausgang. Ein winziges Loch in einem Stacheldrahtzaun, das wie ein Sog wirkte. Erst fiel es kaum auf, daß jemand von uns fehlte. Daß die Straßenbahn ihren Fahrplan nicht einhielt. Daß eine Gaststätte länger wegen Urlaub geschlossen blieb. Daß man länger nach Dokumenten anstand. Verabredungen wurden nicht eingehalten, und manchmal ertappte man sich dabei, daß man verwundert war, daß jemand, den man schon gar nicht mehr erwartet hatte, plötzlich wieder in der Tür stand. Züge wurden angehalten, weil es die Angst gab, auf den letzten nicht mehr aufspringen zu können. Irgendwann müßte doch Schluß sein mit dieser Unordnung. Die würden doch diesen Zug nicht so lange fahren lassen, bis auch der letzte gegangen war ins Offene, das wir nur über Wellen kannten, die nicht aufzuhalten waren, nicht durch Störsender und nicht durch abgebrochene Antennen. Aber auch die Züge waren nicht aufzuhalten, es war plötzlich gar nichts mehr aufzuhalten, eine Talsperre war gebrochen, und es war nicht abzusehen, ob wir auf der Seite standen, die durch die Wassermassen überflutet werden würde, oder auf der trockenen. Plötzlich gingen die Uhren schneller. Der verzweifelte Versuch der Zeitverwalter, sie anzuhalten, scheiterte kläglich. Die Zeiger rasten fortan und zogen den Raum mit, der sich zunehmend erweiterte. Plötzlich war alles nach allen Seiten offen. Der gerade Weg von der Geburt zum Tod verzweigte sich. Es war, als hätte jemand einen Filmprojektor auf Schnelldurchlauf gestellt, als wäre die Erde aus ihrer Bahn geraten und würde sich schneller um die Sonne drehen. In einem Jahr lebten wir zehn, vielleicht dreißig Jahre, die Spuren hinterließen auf unseren Gesichtern. Der Macht fiel die Maske vom Gesicht, ein Mosaik aus Sicherheiten, Zäunen und leichten Gewehren, Brieföffnern und großen Schlüsselbunden. Und es zeigte sich, was wir in unseren Witzen schon formuliert hatten, ohne es wirklich zu wissen, unter den Masken saß ein Häufchen Elend. Aber wer sollte nun Macht werden? Die in der Küche laut Revolution gesagt hatten, waren sich uneinig. Sie waren sich schon vorher uneinig gewesen, es gab ja so viele Küchen, in denen das Wörtchen Revolution gefallen war, und jede Küche hatte etwas anderes darunter verstanden. Wir hatten uns so wunderbar im Warten eingerichtet, ohne jemals einen Gedanken daran zu verschwenden, daß man etwas tun müsse, irgendwann.

Aber die plötzlich rasende Zeit hatte etwas Lebendiges, nur daß wir ständig in Konflikt kamen mit Leuten, deren Uhren nach den alten abendländischen Gesetzen gingen. Sie verstanden nicht, daß drei Wochen bei uns drei Jahre bei ihnen waren. Wir nahmen die Veränderung nicht so ernst, als daß wir neue Kalender einführten, und vielleicht war das ein erstes Zeichen dafür, daß es gar keine Revolution gewesen war, nicht mal ein Aufstand, eigentlich nur eine Arrestierung für 26 Stunden, in der die Inquisition kurz ihre Instrumente gezeigt hatte, die wenig später als Ausstellungsstücke in den Museen präsentiert wurden.

Der letzte verzweifelte Versuch der Macht, von sich abzulenken, war ein Geschenk an uns. Wir durften gehen, wohin wir wollten. Wir gingen und schauten Schaufenster an. Und aus den Türen der Läden traten die Berater und machten Offerten an die Zögernden: Kommt, werft eure Geschichte ab. Und die, die immer gewartet hatten, konnten jetzt keine Minute länger verweilen. Sie wollten leben, wie sie sich Leben immer vorgestellt hatten, und das hieß, das richtige Geld haben, feste Scheine, schwere Münzen, die unsere alten Portemonnaies kaputtmachten. Über Nacht wechselten die Schaufenster unserer Straßen die Dekoration, und in dieser Nacht gingen wir schweigend von Laden zu Laden und staunten. Dieser Überfluß hier? In unserer Straße? Und nicht warten müssen? Es war eine so große Stille über den Städten, daß die Hellseher sagten: Es kann nur Sturm geben. Wir tauschten das Geld gegen unsere Geschichte, mehr hatten wir nicht. Sie nahmen sie und machten große Scheiterhaufen. Wir durften sie selbst anzünden mit unseren neuen Feuerzeugen. Einige ganz Eifrige fielen hinein und wurden nicht mehr gesehen …

1. Kapitel

Aal

Wegen des hohen Fettgehaltes ist eine Lagerung über sechs Monate Dauer nur bei Temperaturen unter –20 °C möglich.
Gefrierpunkt des Blutes: –0,57 °C

Ich vertreibe mir die Zeit mit Großmutters Schreibmaschine. Die ist so schwer, daß sie mir beinahe auf die Füße gefallen wäre, als ich sie im Schlafzimmer vom Kleiderschrank geholt habe. Ich mußte sie erst einmal abstauben. In die Rolle war ein Briefbogen des Institutes eingespannt. Großmutter hatte nichts weiter als das Datum 7. 10. 71 getippt. Zwanzig Jahre hat sie die Maschine nicht benutzt.

Kein Wunder, daß mir nur Sätze über das Warten einfallen. Ich sitze seit drei Tagen in Großmutters Wohnung herum. Und warte, daß irgend etwas passiert. Daß Großmutter stirbt. Oder daß Vater ins Zimmer tritt und sagt: »Entschuldige meine Verspätung, ich bin aufgehalten worden.« Im Krankenhaus wollten sie Großmutter nicht mehr behalten. »Das ist ein Pflegefall, dafür sind wir nicht zuständig. Und benehmen kann sie sich auch nicht. Zieht sich immer nackt aus. Schreit herum. Singt mitten in der Nacht Weihnachtslieder. Wir können nicht jeden Tag eine andere Patientin neben Ihre Großmutter legen.« Großmutter hat nie herumgeschrien. Sie schämte sich immer, ihren Körper zu zeigen. Seit ich mich erinnern kann, ging sie ins Bad, um sich auszuziehen, und schloß ab. Ich war mißtrauisch. Ich kannte dieses Krankenhaus. Es war ein Grund dafür, daß ich diese Stadt verlassen hatte. Ich suchte immer nach dem Gesicht einer Ärztin, die mich bis in meine Träume verfolgte. Aber sie war nicht mehr dort. Oder ich fand sie nicht. An der Tür, hinter der sie damals saß, war ein anderes Schild. Der Chefarzt übte sich in der neuen unverbindlichen Freundlichkeit. »Sehen Sie mal, Frau Kobe, unsere Betten sind knapp. Ihre Großmutter gehört in ein Pflegeheim.«

»Wieviel Zeit geben Sie ihr?« fragte ich.

»Unbestimmt. Sie hat das Herz einer Sechzigjährigen. Vielleicht erlebt sie das Frühjahr noch. Solange sie ißt. Nicht stürzt. Der Verdacht auf Thrombose hat sich nicht bestätigt. Es gibt keinen Grund mehr, sie hierzubehalten. Mittwoch schreibe ich die Entlassungspapiere. Hat mich gefreut. Auf Wiedersehen.«

Ich verhielt mich, wie ich mich immer verhalten hatte. Ich fragte nicht weiter. Bat ihn nicht um Hilfe. Sagte nicht: »Hören Sie mal, mich verbindet mit dieser Stadt kein Stein mehr, was kann ich dafür, daß es meine Großmutter hierherverschlagen hat und mein Vater nicht die Kraft hatte, woanders hinzugehen. Wollen Sie mich zwingen, bis zum Frühjahr hierzubleiben?« Als hätte er es geahnt, gab er mir noch die Liste der Pflegeheime mit. Ich wollte nicht, daß Großmutter in ein Pflegeheim kommt. Das konnte ich ihr nicht antun. Sie hatte sich jahrelang um mich gekümmert. Sie haßte alte Leute.

Ich habe es mir zwei Tage überlegt und sie dann nach Hause geholt. Vorher habe ich Vaters Kühltruhe in Großmutters Wohnung fahren lassen. Die Transportarbeiter waren ein bißchen erstaunt, daß die Truhe so schwer ist. Aber ich merkte an der Art, wie sie sich ausdrückten, daß sie nicht von hier waren, und ich konnte ihnen überzeugend erklären, daß die DDR ein rückständiges Land war, das seine Ressourcen nicht optimal zu nutzen wußte. Sie haben mir angeboten, das Ding gleich auf den Schrottplatz fahren zu lassen, gegen einen kleinen Aufpreis, versteht sich. Aber das konnte ich meinem Vater nicht antun. Diese Truhe war das Fortschrittlichste, was die DDR um 1960 zu bieten hatte. Und sie läuft immer noch. Ich habe sie in die Küche tragen lassen und den Männern ein Trinkgeld gegeben. Als sie schon am Weggehen waren, hat sich einer von ihnen noch einmal umgedreht und den Stecker in die Steckdose gesteckt. Ich sah wohl so aus, als ob ich das nicht selber könnte. Ich habe den Stecker wieder herausgezogen. Ob das gut ist, weiß ich nicht. Mein Gefühl sagt ja, mein Verstand ist entschieden dagegen.

Großmutter schlief, als sie nach oben getragen wurde. Als die Krankenpfleger sie in ihr Bett legten, fragte sie mit geschlossenen Augen: »Bin ich wieder in Erfurt?«

»Nein«, sagte ich, »wir sind in Magdeburg in deiner Wohnung. Es ist alles in Ordnung, schlaf weiter.« Großmutter faltete die Hände und rief mit zahnlosem Mund: »Paul, mein Paul, daß ich das noch erleben darf, bist du wieder zu Hause. Wo warst du denn so lange, ich habe dich überall gesucht. Na, da steckt wohl wieder eine Sekretärin dahinter? Das kennen wir ja schon. Ist es die zweiundzwanzigste oder dreiundzwanzigste, mein Gott, ich habe vergessen, wie viele es waren, ich habe doch immer mitgezählt. Aber diesmal ist Schluß, das kann ich dir sagen. Ich habe dein Bruchband schon vor zehn Jahren weggeschmissen, damit du es weißt. Gibs doch zu, dich hat keine mehr gewollt, und jetzt kommst du wieder, weil du denkst, ich tröste dich. Nee, nee. Aber so lange wegbleiben.« Ihr Ausbruch irritierte mich, denn offensichtlich hat sie vergessen, wer ich bin. Über Großvaters Ausflüge hatte Großmutter früher selten ein Wort verloren. Sie mußte erst verrückt werden, um sich einzugestehen, daß ihr Ehemann ein Frauenheld war. Ich weiß nicht, ob es gut ist, daß sie mich für Paul hält. Vielleicht kommt sie auf den Gedanken, mich mit ihrem schärfsten Küchenmesser zu tranchieren und in der Kühltruhe nach allen Regeln von Pauls Kunst einzufrieren: Erst ein bißchen blanchieren, damit sich das Aroma besser entfaltet nach dem Auftauen, und dann fein säuberlich in Hausfrauenportionen geteilt in der Truhe plazieren. Dann hat sie noch Essen für zehn Jahre, bei den kleinen Portionen, die sie noch braucht. Aber Großmutter macht nicht den Eindruck, als könnte sie sich noch selbst ein Essen zubereiten. Seit zwei Tagen dämmert sie nur noch vor sich hin.

2. Kapitel

Absolute Temperatur
Nullpunkt. 0 °K = –273,1575+/–0,0005 °C

Das Telefon, das an seinem alten Platz im Arbeitszimmer meines Großvaters steht, ist tot. Auf dem Schreibtisch liegt ein Brief, in dem meinem Großvater mitgeteilt wird, daß sein Telefonanschluß zum 1. Dezember 1991 gekündigt werde, da er als ehemaliger Inhaber eines Einzelvertrages mit der DDR-Regierung aus heutiger Sicht unrechtmäßig in den Genuß eines Telefons gekommen sei. Er solle Verständnis dafür haben, daß man es ihm wegnehmen müsse. Die Anschlüsse der Stadt reichten nicht aus, um alle neuen Repräsentanten mit Telefon zu versorgen.

Großvater ist seit zwölf Jahren tot.

Jeden Abend rief Großmutter bei Vater an, weil sie seit Großvaters Tod niemanden hatte, mit dem sie reden konnte. Vater sagte nicht mehr als »Ja« oder »Nein«, denn Großmutter wollte eigentlich nur wissen, ob wir noch lebten.

Ich war ganz froh, daß ich in Berlin kein Telefon besaß, sonst hätte sie auch mich mit ihren Anrufen verfolgt. Einmal in der Woche klemmte ich mich in eine Telefonzelle und wählte ihre Nummer. Großmutter fragte, wie es mir ginge, ich antwortete einsilbig wie Vater, und sie redete von den Hauptdarstellerinnen der Fernsehserien, als wäre sie mit ihnen befreundet.

Das letzte Mal, es muß Mitte November gewesen sein, waren fast alle öffentlichen Fernsprecher im Umkreis meiner Wohnung kaputt. Die einen hatten Unbekannte offensichtlich mutwillig zerstört, die anderen konnten die Umstellung auf das schwerere Geld nicht vertragen, und ich mußte lange herumlaufen, bis ich ein funktionierendes Telefon fand, vor dem eine lange Schlange stand.

»Weißt du«, sagte Großmutter, als ich endlich an der Reihe war, »ich finde mich nicht mehr zurecht. Ich habe nun wirklich alles hinter mich gebracht, die Kaiserzeit, die zwanziger Jahre mit ihrem Durcheinander, die Hitlerzeit, die DDR, und jetzt das. Und das einzige, was mir gefällt, ist, daß die Kaffeepreise gesunken sind. Die

Mauer hätte ruhig stehenbleiben können, man weiß ja nie, wo ihr euch gerade herumtreibt.«

»Wieso, ich bin doch in Berlin.«

»Berlin, Berlin, das gefällt mir erst recht nicht. Wird man da nicht mittlerweile am hellichten Tage überfallen?«

»Ist mir noch nicht aufgefallen, Omi.«

»Den ganzen Tag muß ich mir Sorgen machen. Manchmal kann ich bis morgens nicht einschlafen. Und dein Vater erzählt mir gar nichts.«

»Das hat er früher auch nicht gemacht.«

»Aber irgendwas ist mit dem Institut, das spüre ich. Sie machen doch jetzt alles kaputt. Hier im Haus sind schon fünf arbeitslos.«

Ich warf mein letztes Geld in den Schlitz des Apparates. Von außen wurde wütend gegen die Tür geklopft. Die Schlange war inzwischen noch länger geworden. Ich sagte Großmutter, daß ich Schluß machen müsse und ganz bestimmt zu Weihnachten käme, aber sie sagte: »Wer weiß, ob ich da noch lebe. Irgendwie ist es jetzt auch genug.« Ich wollte noch sagen, daß sie Vater und mich bestimmt noch überleben würde, aber in dem Moment, als Großmutter ihren Satz beendet hatte, wurde das Gespräch unterbrochen, und es war nur noch ein Besetztzeichen in der Leitung.

Zwei Tage später erreichte mich ein Brief meines Vaters. Er war schwerer als üblich, und ich hatte ihn in der Post gegen die Zahlung eines Nachportos auslösen müssen. Darin lag in Pappe gewickelt der Schlüssel zu seiner Wohnung und eine kurze Notiz. »Liebe Annja, hiermit schicke ich Dir den Wohnungsschlüssel. Damit Du, wenn Du mal nach Magdeburg kommst, nicht vor verschlossener Tür stehst. Dein Papa.« Ich war überrascht, denn Vater hatte ihn mir, als ich auszog, abgenommen, aus Angst, ich könnte ihn verlieren. Als ich noch bei ihm wohnte, kontrollierte er an jedem Abend vor dem Schlafengehen, ob auch alle Schlüssel am Brett hingen. Manchmal wachte ich nachts von einem Geräusch im Flur auf, und immer war es Vater, der die Klinke der Wohnungstür herunterdrückte, weil er sich nicht sicher war, ob er nicht vergessen hatte, die Tür abzuschließen. Eines Tages konnte ich meinen Schlüssel nicht finden. Bis zum Arbeitsschluß meines Vaters lief ich ziellos über die Insel, bis ich sah, wie er das Institut verließ und nach Hause ging. Am Abend kam er in mein Zimmer und sagte: »Annja, du hast vergessen, den Schlüssel ans Brett zu hängen. Gib ihn mir.« Es hatte keinen Sinn, sich eine Ausrede einfallen zu lassen. Ich mußte meinen ganzen Tagesablauf herbeten, alle Taschen auskippen, die Wohnung glich nach dem Suchen einem Schlachtfeld, wir liefen meinen Schulweg hin und zurück, suchten in Rinnsteinen, in Heuhaufen und zwischen Straßenbahnschienen. Vater ließ sich am nächsten Tag im Fundbüro alle Schlüssel zeigen, aber meiner war nicht dabei. Es war ungewöhnlich, daß er ihn nicht wiederfand, schließlich fand er auch Sachen, die er gar nicht gesucht hatte, aber dieser Schlüssel blieb verschwunden. Vater lief zwei Wochen lang nachts wie ein Tiger durch den Flur und wartete auf den Einbrecher, der nicht kam. Der auch gar nicht kommen konnte. Mir war eingefallen, daß der Schlüssel nur im Turnbeutel gewesen sein konnte, und der war beim Balancieren auf dem Geländer der Anna-Ebert-Brücke ins Wasser gefallen.

Ich bekam nur unter der Bedingung einen neuen, daß ich ihn fortan jeden Abend bei Vater abgab. Er legte ihn in die kleine Schatulle, in der er auch seinen Ehering aufbewahrte, und händigte ihn mir morgens wieder aus. Manchmal fand er auch Ausflüchte, ihn mir zu verweigern: »Ich bin auf jeden Fall um drei wieder zu Hause.« Oder: »Heute kommt Fußball, kannst auch spät kommen, ich bin noch wach«, bis es mir reichte und ich heimlich einen nachmachen ließ, den ich auch nach stundenlangen Diskussionen nicht herausgab.

Ich fragte mich, was Vater mit dem Brief bezweckt haben konnte, und war beunruhigt, als mir bei meinem Telefonat mit dem Krankenhaus gesagt wurde, mein Vater wäre nicht erreichbar gewesen.

3. Kapitel

Ammoniak
Schmelzpunkt.
Der Schmelzpunkt liegt zwischen –77,3 und –77,73 °C.

Am 30. November hatte ich das Telegramm des Krankenhauses in meinem Briefkasten gefunden. Nach dem Telefonat mit dem Arzt war ich ins Auto gestiegen und in Richtung Magdeburg losgefahren. Lange würde die Reise nicht dauern. Mein Vater würde sich wieder anfinden, wahrscheinlich war er nur auf einer Dienstreise und hatte vergessen, Großmutter Bescheid zu sagen. Ich würde alles Notwendige regeln, die Sache nach Vaters Rückkehr in seine Hände legen und wieder nach Berlin zurückfahren. Ich hatte niemandem erzählt, wo ich hinfuhr, es lohnte sich einfach nicht. Am 16. Dezember war ich um 9 Uhr ins Arbeitsamt bestellt. Bis dahin würde ich längst wieder zurück sein.

Hinter Michendorf geriet ich in dichten Nebel und konnte nur noch Schritt fahren. Über Verkehrsfunk wurde gewarnt, daß kurz hinter der Abfahrt Burg-Ost ein Kühlschrank auf der Autobahn liege. Als ich nach vier Stunden Ziesar erreichte, stand der Verkehr still. Man konnte die Hand nicht mehr vor Augen sehen, und es dauerte ewig, bis das Blaulicht, das gespenstisch durch den Nebel flimmerte, an mir vorbei war. Ich verbrachte den Rest der Nacht in der Autobahnraststätte zwischen lauter Gestrandeten; eine bunte Mischung aus Familien, Truck-Fahrern und alleinreisenden Männern, bis die drei bei dem Auffahrunfall Getöteten samt ihren Wracks weggeschafft waren.

Die Raststätte leerte sich. Ich drückte die Kippe aus und folgte den anderen. Über den Unfall sprach niemand. Die letzten zwei Jahre hatten bewiesen, daß man sich an alles gewöhnen konnte. An anderes Geld, einen anderen Staat, an eine gehäufte Anzahl von Toten im Straßenverkehr. Kurz vor Burg-Ost mußte ich an den Kühlschrank auf der Straße denken. Aber der Verkehr floß ohne weitere Unterbrechung an der Autobahnabfahrt vorbei. Daß ich schließlich die Elbe überquerte, konnte ich nur am Geräusch der Räder erkennen, die über eine lange Brücke fuhren. Der Fluß war nicht zu sehen, aber ich roch ihn durch die geschlossenen Fenster und erinnerte mich an eine Gewißheit aus meiner Kindheit – wenn der Zug über den Fluß fährt, bist du gleich zu Hause.

Es dämmerte schon, als ich im Krankenhaus ankam. Der Arzt hatte seinen Dienst längst beendet und würde an diesem Tag nicht mehr kommen. Ich sollte mich bis morgen gedulden. Großmutter schlief, die Decke hatte sie aus dem Bett geworfen. Vor mir lag ein Bündel aus Knochen, das ich fast nicht erkannte. Ihr Nachthemd hatte sie sich ausgezogen und die Windel war ihr bis in die Kniekehlen gerutscht. Ihre Brüste waren nur noch zwei winzige schrumplige Hautsäcke. Ich deckte Großmutter vorsichtig zu, weil es mir unangenehm war, sie so sehen zu müssen.

Dann verließ ich das Zimmer und fuhr auf die Insel in Vaters Wohnung. Vielleicht hatte er eine Nachricht hinterlassen. Ich weiß nicht, warum ich so ein klammes Gefühl hatte, als ich in den Fahrstuhl stieg und auf die 18 drückte.

Die Wohnung war aufgeräumt, nirgendwo lag ein Zettel, aber ich suchte nicht lange, weil mich eine bleierne Müdigkeit überfiel. Ich schlief sofort ein.

Ich träumte, ich sei Medizinstudentin und solle einen Schädel sezieren. Es war obligatorischer Teil des Studiums, dem man sich nicht entziehen konnte, wollte man eines Tages den Abschluß machen. Vor der Tür des Anatomischen Institutes stand ein alter Wachmann. Er gab mir den Schädel und sagte scherzhaft: »Nicht fallen lassen.« Ich ging einen langen Weg nach Hause und hatte plötzlich das Bedürfnis, ihn noch auf der Straße auszupacken.

Ich hatte noch nie einen Toten gesehen. Ich wickelte während des Gehens den Schädel aus dem Zeitungspapier. Als ich in Höhe meines Hauses war, hatte ich endlich alle Zeitungspapierschichten entfernt. Und hielt den Kopf meines Vaters in der Hand.

Voller Panik wickelte ich das Papier wieder um den Schädel, aber es kam mir vor, als wäre der Bogen zu kurz, um den Kopf vollständig zu bedecken – mal fehlte ein Stück am Haaransatz, mal schaute die Nase unter dem Papier hervor. Ich wollte den Schädel fallen lassen, aber er klebte wie ein tiefgefrorener Eisblock an meinen Händen. Ich schaute mich ängstlich um, ob mich jemand gesehen haben könnte, aber die Straße war menschenleer, und auch die Gardinen bewegten sich nicht.

Ich war in einem fürchterlichen Zwiespalt: Sezierte ich den Schädel nicht, wäre mein Studium vorbei, sezierte ich ihn, tat ich etwas,

was ich mit meinem Gewissen nicht vereinbaren konnte. Ich fand einen Kompromiß; ich schaute das Gesicht nicht an, ich sezierte den Kopf meines Vaters von hinten und mit einem Tränenschleier vor den Augen. Wenn ich einen Schnitt ansetzte, kam kein Blut, sondern eine graue Flüssigkeit, die mich an das Wasser der Elbe erinnerte. Als ich den Schädel schließlich doch umdrehte, weil ich mir nicht mehr sicher war, daß er zu meinem Vater gehörte, war das Gesicht ausgelöscht.

Ich stand auf und ging zum Fenster. Es begann schon wieder dunkel zu werden. Nebliger Dunst hing über den beiden Elbarmen, die sich an der Spitze der Insel zu einem Strom vereinigten, der zu dieser Jahreszeit in träger Gelassenheit Richtung Hamburg floß. Im Winterhafen lagen die Schiffe und warteten auf das Frühjahr. In dem alten grauen Haus neben dem Hafen hatten wir bis zu meinem dreizehnten Lebensjahr gewohnt. Neben Fräulein Gries. Wegen ihres Hundes Kalif hatte ich schon als Kind schlechte Träume.

Mein erster, immer wiederkehrender Traum war der, daß ich auf der Uferseite der Elbstraße entlangging und Kalif mir entgegenkam. Beim ersten Mal fraß er mich nur auf, und ich erwachte. Beim zweiten Mal lag ich unzerkaut in seinem Bauch und gruselte mich, weil es so dunkel war. Nachdem dieser zweite Traum so oft wiedergekehrt war, daß ich nicht mehr einschlafen konnte, faßte ich, während ich im Bauch Kalifs lag, den Entschluß, mit aller Kraft durch den Arsch des Hundes wieder ins Freie zu gelangen. Es war ein wunderbares Glücksgefühl, als ich beim Herauskriechen die Johanniskirche am Westufer erkannte.

Die Kosmetikerin Gries betrieb in ihrer Wohnung eine kleine Praxis, die meine Mutter einmal im Monat aufsuchte. Fräulein Gries schwor auf Gurkenmasken, um die Gesichtshaut meiner Mutter straffer und jünger erscheinen zu lassen. Wenn im Winter keine Gurken zu bekommen waren, brachte Vater manchmal Mutter zuliebe eine aus der Versuchsanordnung zur Kältelagerung von Gemüse mit. Den Quark rührte Fräulein Gries selbst an. Quark gab es schließlich immer. Ich durfte zusehen, wie das Gesicht meiner Mutter unter Gurkenscheiben verschwand, und hatte die Aufgabe, nach 20 Minuten Scheibe um Scheibe aufzuessen, denn nach Meinung von Fräulein Gries hatten sie noch ausreichend Vitamine. Dabei wurde ich argwöhnisch von Kalif bewacht, der nur durch gutes Zureden von Fräulein Gries davon abgehalten werden konnte, es mir nachzutun. Denn Kalif leckte mit Inbrunst Gesichter ab, am liebsten meins, weil ich noch so klein, der Hund aber so groß war, daß wir uns Auge in Auge gegenüberstanden, wenn wir uns begegneten. Dabei verströmte er einen üblen Geruch und stieß einen wohligen Schmatzlaut aus. Ich mußte stocksteif verharren, bis er fertig war. Fräulein Gries war der Meinung, daß es eine große Ehre sei, von ihrem Kalifen abgeleckt zu werden. »Das macht er nicht mal mit mir«, sagte sie. Dafür schenkte sie mir Ketten, aus dem Westen, wie sie betonte, die mir aber gar nicht gefielen. Ich bekam schnell heraus, daß diese Ketten aus Papierschnipseln gebastelt waren, die man auseinanderfalten konnte. Einmal hatte ich drei Tage zu tun, bis ich eine Seite einer Illustrierten zusammengepuzzelt hatte, auf die zwei Reportagen gedruckt waren. Eine über die Gattin des Schahs von Persien, besser gesagt über die 197 Paar Schuhe, die sie besaß, und eine über einen Mann aus Gelsenkirchen, der so arm war, daß er sich keinen Dynamo für sein Fahrrad leisten konnte und deshalb in der Nacht von einem Auto überfahren wurde und noch am Unfallort starb. Ich schaute erst einmal in meinem Atlas nach, wo der Iran und wo Gelsenkirchen lagen. Gelsenkirchen fand ich nicht, den Iran unter der Sowjetunion.

Fräulein Gries war ein bißchen wie Farah Diba und Kalif wie der Schah von Persien, denn auch der wurde von seiner Frau über alles geliebt. Fräulein Gries betonte immer, daß sie die Arbeit als selbständige Kosmetikerin nur für Kalif und ihre alte Mutter tun würde, die in der weitläufigen Wohnung im hintersten Zimmer hauste, währenddessen Kalif auf alte Art den Herrn im Hause mimte. Er hatte Mutter Gries einmal gebissen, so daß sie sich nur in der Wohnung bewegte, wenn der Hund mit Fräulein Gries auf Spaziergang war.

Eines Tages mußte Fräulein Gries ihre Praxis schließen, weil sie nicht Mitglied der Produktionsgenossenschaft Handwerk werden wollte. Sie konnte auch nicht mehr dorthin, wo die Perlenketten herkamen, und so schraubte sie das Schild »Gertrud Gries, staatl. gepr. Kosmetikerin, Termine nach Vereinbarung« ab und machte gar nichts mehr. Manchmal traf ich sie noch auf der Treppe, und jedesmal, wenn ich sie sah, sagte sie: »Deine Akne, mein Kind, wäre ein großes Geschäft für mich geworden. Aber wenn dieser Staat mich nicht will, dann mußt du eben alleine damit fertigwerden. Aber drück ja mit deinen dreckigen Fingernägeln die Pickel nicht aus.«

Kalif lief ihr zu dieser Zeit nur noch schwerfällig hinterher.

Bald darauf starb Mutter Gries. Die Kondolenzbezeugungen nahm Fräulein Gries mit stoischer Ruhe entgegen, nach einer Woche in Schwarz war es so, als habe es Mutter Gries nie gegeben. Ein Jahr später aber kam der Tag, an dem das Haus zu frühester Stunde mit Klagelauten geweckt wurde. Kalif war gestorben, und das Fräulein stand im Morgenmantel an unserer Tür.

»Herr Kobe, Herr Kobe, ich gebe Ihnen alles was ich hab, wenn Sie meinen Kalifen einfrieren.«

Vater wußte gar nicht, wie ihm geschah, er sah nur den toten Hund, unter dessen Last das Fräulein fast zusammenbrach, aber er wies das Ansinnen kühl zurück.

»Meine Kühleinrichtung, Fräulein Gries, ist für Lebensmittelversuchsanordnungen, nicht für tote Hunde.«

»Aber woher soll ich denn so schnell eine Kühltruhe bekommen, es gibt doch nur diese kleinen Gefrierschränke. Wenn ich meinen Kalifen nicht jeden Tag sehen kann, dann sterbe ich.«

»Versuchen Sie es doch mal in Moskau, die haben Erfahrungen mit dem Einbalsamieren«, sagte Vater und schloß die Tür.

»Jetzt ist sie verrückt geworden«, stöhnte er und mußte erst einmal die Flasche mit dem Doppelkorn aus der Kühltruhe holen, »ich glaube, wir müssen einen Arzt anrufen.«

Wir ließen es aber vorerst bleiben, denn wer wollte schon einen Menschen der Psychiatrie ausliefern, und vielleicht würde sich das Fräulein ja schon nach ein paar Stunden beruhigt haben. Aber nach drei Tagen konnte niemand im Haus mehr das Brüllen, Klagen, Wimmern und Schreien ertragen, und Vater benachrichtigte einen Arzt, der das Fräulein aus der Umklammerung mit der aufgebahrten, schon leicht riechenden Hundeleiche löste und zur Beobachtung in die Bezirksirrenanstalt einlieferte. Der Hund wurde der Kreistierverwertungsanstalt übergeben, wovon wir Fräulein Gries nichts sagen sollten. Sie kam nach drei Tagen mit glasigen Augen zurück und war stumm. Eine Woche später sah jemand, wie sie auf der Elbe trieb, das weiße Kleid wie einen Ballon gebläht, bis sie von einem Strudel nach unten gezogen wurde. Die Feuerwehr holte sie aus dem Fluß, das Kleid war jetzt grau und fleckig, Fräulein Gries allerdings lebte. Sie hatte wie alle Inselbewohner ausreichend schwimmen gelernt und war nicht intelligent genug, trotzdem zu ertrinken. Nachdem sie etwas länger in der Anstalt zugebracht hatte, zog sie aus Scham von der Insel weg, aber manchmal sah ich sie von weitem im Stadtpark mit einem jungen Boxer, den sie Pascha rief und der sogleich kam und ihr das Gesicht ableckte, bis sie kleine spitze Schreie ausstieß.

Rechts unter mir stand das Kälteinstitut, ein schmuckloser Neubau aus zwei mit einem korridorartigen Übergang verbundenen Flügeln. Hinter keinem der Fenster brannte Licht. In diesem Jahr waren es dreißig Jahre, die Vater Tag für Tag dort hinging. Sogar am Sonntag ließ er sich häufiger als seine Kollegen zum Kontrollgang einteilen. Manchmal nahm er mich mit, und dann wandelten wir durch die verlassenen und nach Ammoniak riechenden Gänge. In den Vitrinen lagen die gefriergetrockneten Erdbeeren und verpulverten von Woche zu Woche mehr, auch die Verpackungen der Feinfrosterzeugnisse verloren mit den Jahren ihre Farbe. Wir gingen in Vaters Zimmer, und ich durfte die Fische im Aquarium füttern, während Vater aus seinem Schreibtischfach einen Schlüssel holte, um die Kühlzellen auf ihre Temperatur zu kontrollieren. Es faszinierte mich, wenn Vater an dem großen Schwungrad mit den Eisenzähnen drehte, bis die Tür sich lautlos öffnete und ein trockener Kältenebel ihn einhüllte. In den Kühlzellen standen hohe Regale, in denen Gemüse in kleinen Beuteln lagerte. Die Erbsen und Möhren sahen aus, als würden sie schlafen. Ich mußte immer die Tür festhalten, damit sie nicht zuschlug, während Vater das Thermometer ablas. Ich tat das gewissenhaft, bis mir der Arm erlahmte und ich mir vorstellte, was passieren würde, wenn ich losließ und die Tür zuschlug und niemand meinen Hilferuf hörte, während Vater in der Kühlzelle langsam gefror. Aber jedesmal kam er rechtzeitig wieder zurück, schloß die Tür und drehte am Rad. Zu Hause wartete Mutter mit dem Essen auf uns.

Von meinem Zimmer aus konnte ich gut erkennen, ob Vater noch im Institut war. Oft ging das Licht dort unten erst kurz vor Mitternacht aus, und manchmal dachte ich, wenn es mich nicht gäbe, hätte er längst keine Wohnung mehr. An diesem Tag war kein Licht, ich wäre sonst runtergegangen und hätte mich durch die Büsche geschlagen und von außen ans Fenster geklopft. Er hätte aufgemacht, und ich hätte mit meiner Kleinmädchenstimme gefragt, ob er Stieleis für mich und meine Freunde habe, und er hätte geantwortet, Stieleis gebe es schon lange nicht mehr, aber vielleicht würden wir ja auch ein Halbgefrorenes nehmen.

Ich bekam Hunger und ging in die Küche. Ich drückte auf den Lichtschalter, aber nichts passierte. Ich hoffte noch einen Moment, daß im ganzen Haus der Strom ausgefallen wäre. Als ich die Wohnungstür öffnete, sah ich, daß im Flur Licht brannte. In diesem Moment wurde mir mulmig. Ich tastete nach dem Sicherungskasten und drehte die Hauptsicherung wieder rein. Das Licht in der Küche ging von alleine an, und ich sah zuerst den abgetauten Kühlschrank, dessen Tür offenstand. Vater hatte immer sehr viel Wert auf das exakte Abtauen von Kühlschränken gelegt, und wenn er in einem anderen Haushalt war, prüfte er jedesmal heimlich, ob sich am Verdampfer keine Eisschicht gebildet hatte. Die meisten sahen ihren Kühlschrank als Selbstverständlichkeit an. Man steckte den Stecker in die Dose und fertig. Vater versuchte ihnen so beiläufig wie möglich beizubringen, daß mehr als fünf Millimeter Eis am Verdampfer kein Nachweis für das ordnungsgemäße Funktionieren des Kühlschrankes seien. Im Gegenteil, das Eis sei nicht dazu da, die Speisen zu kühlen, sondern ein sicheres Zeichen dafür, daß sich zuviel Feuchtigkeit im Schrank befinde. Er hielt dann immer noch einen kleinen Vortrag, daß die Speisen erst abkühlen müßten, bevor man sie mit einem Deckel verschlossen in den Kühlschrank stellt. Manchmal erklärte er noch die Funktion von Kompressionskälteanlagen, bei denen bei Kältebedarf der Motor immer angehe und eine Weile brumme, bis das vibrierende Brummen in ein belegtes Röcheln übergehe, das abrupt abbreche.

»Und wenn der Motor des Kühlschranks immer brummt, was bei diesem hier der Fall sein müßte, dann zeigt das an, daß viel zuviel Energie verbraucht wird, um die erforderliche Temperatur zu halten. Dann kann man theoretisch auch gleich die Tür auflassen.« Die meisten so Zurechtgewiesenen sagten: »Aha« oder »Schön, daß uns das mal einer erklärt« oder zuckten nur mit den Schultern, denn die Energiepreise fielen ohnehin kaum ins Gewicht.

Ich schaute nach, ob Vater überall die Stecker herausgezogen hatte. Selbst der der Stehlampe war einen Meter von der Steckdose entfernt, so als hätte Vater Angst gehabt, er könnte von alleine wieder in die Dose springen. Das war nichts, was mich hätte stutzig machen müssen. Es war ein Zeichen dafür, daß Vater länger als drei Tage verreist war. Mich beunruhigte nur, daß er die Hauptsicherung herausgedreht hatte. Das hatte er nie gemacht, denn die Kühltruhe brauchte auch in seiner Abwesenheit Strom. Sie stand in einem Abstellraum, in den man nur über den Hausflur gelangte. Vater hatte, als wir einzogen, die Gefriergemeinschaft der Hochhausetage gegründet. Alle unsere Nachbarn konnten nach einer kleinen Belehrung über das Gefrieren im Haushalt, die im Hausflur stattgefunden hatte, ihre Kleingartenernte in unserer Kühltruhe einfrieren, wobei sie kleine Schildchen an den Verschlußbändchen ihrer Plastetüten befestigten, auf denen Dräger, Erdbeeren 4/80, oder Deutschmann, Grünkohl, 12/81, stand. Ab und an überprüfte Vater, ob die

Nachbarn auch die Lagerzeit ihrer Feinfrosterzeugnisse einhielten. Wenn sie abgelaufen war, klingelte er an der jeweiligen Wohnungstür und bat, die Lebensmittel aus der Kühltruhe zu entfernen und zu verzehren, da er sonst für den guten Geschmack nicht mehr garantieren könne. Nach und nach überzeugte er die Hausbewohner von den Vorzügen der Gefriertechnologie gegenüber anderen Arten der Konservierung, bis sich einer nach dem anderen einen Gefrierschrank kaufte und wir die Kühltruhe wieder für uns alleine hatten.

Bei meinem letzten Besuch hatte ich Vater gefragt, warum er die Truhe nicht endlich verschrotten lasse. Die Strompreise waren erheblich gestiegen. Er meinte, er mache einen Langzeitversuch. Die Truhe sei jetzt bald dreißig Jahre alt und noch nicht einmal kaputt gewesen. Er würde gerne wissen, wie lange sie noch halte. Damit wolle er beweisen, daß man in der DDR sorgsamer mit bestimmten Ressourcen der Erde umgegangen sei, währenddessen das Wesen der kapitalistischen Marktwirtschaft die Hersteller dazu zwinge, Sollbruchstellen in die Kühlgeräte einzubauen, um den Warenfluß in Gang zu halten. Ich hatte damals gefragt, ob er als letzter Revolutionär in den Anhang der Annalen des Sozialismus eingehen wolle, aber er hatte geantwortet, er bringe nur seine Arbeit zu Ende.

Ich fand den Schlüssel an der gewohnten Stelle und ging über den Flur zum Abstellraum. Ich schloß die Tür auf – und da stand sie. Ich atmete auf.

Beim zweiten Blick merkte ich, daß etwas nicht stimmte. Der Deckel war geschlossen, und der Stecker lag darauf. Das paßte nicht zusammen. Vater würde bei diesem Anblick sofort den Finger heben und sagen: »Wenn keine Luft an ein abgetautes Kühlgerät kommt, dann können sich im Inneren Mikroben ausbreiten, die unangenehme Gerüche erzeugen. Deshalb beim Abtauvorgang nie Deckel oder Tür schließen.« Es mußte jemand im Abstellraum gewesen sein, der nichts von Kältetechnik verstand. Vielleicht hatte jemand eine tote Katze in der Truhe deponiert, die mich, wenn ich den Deckel öffnete, mit aufgerissenem Maul aus ihren toten Augen anstarren würde.

Trotzdem war meine Neugier stärker. Ich öffnete den Deckel – und schrie auf.

In der Truhe lag mein Vater.

Ich schmiß den Deckel sofort wieder zu. Vielleicht war es eine Einbildung, vielleicht hatte ich mich getäuscht, weil außer dem

Licht des Flurs, das schwach durch den Türspalt fiel, der ganze Raum dunkel war. Ich schloß die Tür, machte das Licht an und öffnete den Deckel erneut. Das erste, was ich wahrnahm, war, daß es nach Ammoniak und nicht nach verdorbenem Fleisch roch. Das zweite, daß es wirklich mein Vater war, das dritte, daß er ganz friedlich aussah, das vierte war meine Hand, die sein Gesicht berührte – es war steinhart und eiskalt. Als seine Tochter wußte ich, daß das, was ich sah, ein Schnellgefriervorgang gewesen sein mußte, denn die Eiskristalle waren fein und kaum sichtbar. Das fünfte war eine Mischung aus Entsetzen und vorschriftsmäßigem Verhalten. Ich warf die Truhe wieder zu, zum einen, weil man Tiefgefrorenes nicht zu lange normalen Temperaturen aussetzen sollte, zum anderen, weil ich nicht glauben wollte, was ich da sah. Mein erster Gedanke war: Warum? Der zweite: Wer hat das gemacht?

Ich löschte das Licht und schloß die Tür ab. Meine Hände zitterten. Im selben Augenblick trat Frau Deutschmann aus ihrer Wohnungstür.

»Ach, das Fräulein Kobe, daß man Sie auch mal wieder sieht.«

Ich muß sie angesehen haben wie eine, die gerade eine Leiche versteckt hat.

»Ist alles in Ordnung«, fragte Frau Deutschmann besorgt, »ich habe Ihren Vater schon ein paar Tage nicht mehr gesehen.«

Ich nahm mich zusammen und versuchte so beiläufig wie möglich zu sagen: »Hat er Ihnen nicht erzählt, daß er auf Grönland ist? Eine wissenschaftliche Expedition, das hat er sich schon sein ganzes Leben gewünscht, aber Sie wissen ja, wie das zu DDR-Zeiten war – man hat ihn nicht fahren lassen. Und ich sehe jetzt nach dem Rechten.«

»Ach nein, das freut mich ja für Ihren Vater. Und wann kommt er wieder?«

»Sein Vertrag läuft erst mal ein halbes Jahr, kann aber wohl verlängert werden.«

»Ach Gott, da ist doch so eine Kälte. Das wär' mir nichts. Da fliege ich doch lieber nach Spanien.«

»Wem sagen Sie das. Aber mein Vater ist eben Kälte gewöhnt. Der hält es in der Hitze keine Stunde aus.«

Ich verabschiedete mich schnell und warf die Wohnungstür etwas zu heftig hinter mir zu.

Ich nahm meine Sachen und verließ die Wohnung. Am Fahrstuhl trat ich von einem Bein aufs andere, aber er kam nicht. Bei jedem Geräusch aus Richtung Flur drehte ich mich ängstlich um, als sei

Vater dabei, mir seine gefrorene Hand auf die Schulter zu legen, oder als käme Frau Deutschmann aus ihrer Tür, um mir mit einem triumphierenden Unterton in der Stimme zu sagen: »Übrigens, die Polizei wartet unten schon auf Sie.« Ich rannte die achtzehn Treppen hinunter, als sei ich auf der Flucht vor etwas, das ich nicht in meinem Kosmos unterbringen konnte.

Im Auto legte ich den Kopf auf das Lenkrad und heulte. Es gab nur eine rationale Erklärung: In Wirklichkeit träumte ich immer noch auf meinem Bett in Vaters Wohnung.

4. Kapitel

Anstrich im Kühlraum und der Kühlmöbel
Geruchsbildung
Farbe auf Leinöl- und Firnisbasis darf für Innenanstrich nicht verwendet werden, da diese Stoffe einen Nährboden für Kulturen abgeben und damit zu Geruchsbildung führen. Am besten eignen sich Farben auf Kautschukbasis.

Im Prinzip konnte man alles einfrieren, Muttermilch, Tote, Erbsen, Bohnen, Spargel, die ganze DDR-Landwirtschaft, Fleischwirtschaft, Marmor, Stahl und Eisen, Akten, überhaupt hätte man die ganze ehemalige DDR mit einer Kühlzelle überbauen und sie konservieren können. Aber daß ein Mensch in seiner eigenen Kühltruhe einfror und sich ohne Zuführung äußerer Energie gefrierlagerte, das hatte ich noch nie gehört.

Am nächsten Morgen fuhr ich ins Krankenhaus, um mit dem Arzt zu reden. Danach wußte ich, daß es mit dem Termin auf dem Arbeitsamt nichts werden würde. Auf meinem Konto waren noch 300 Mark. Ich hob sie ab. Dann suchte ich im Telefonbuch die Nummer einer Transportfirma heraus und bestellte einen Lieferwagen mit vier Männern zur Wohnung meines Vaters. Bevor sie kamen, schlich ich mich zum Abstellraum und schloß vorsichtig die Tür hinter mir. Auf dem Flur blieb es still. Der Karton mit der Aufschrift »Alles fürs Fahrrad« stand an seinem alten Platz auf dem Regal neben der Truhe. Das Verfallsdatum der Gummilösung war schon um fünf Jahre überschritten, aber ich hoffte, daß sie wenigstens noch zwei Stunden kleben würde.

Ich fürchtete mich, den Deckel der Truhe zu öffnen. Ich schloß die Augen und stellte mir vor, ich säße im Kino und schaute einen Thriller.

Neben mir sitzen Leute, die an ihrem Popcorn knabbern. Einer hat gerade mit dem Fuß seine abgestellte halbvolle Bierflasche umgestoßen. Vor mir auf der Leinwand steht die Heldin des Films (wahrscheinlich wird sie am Ende als einzige überleben) in einem kleinen fensterlosen Raum und hält eine Tube Gummilösung in der linken Hand. (Ein paar Geigen fiedeln bedrohlich.) Der Raum ist stockdunkel, nur ihr Gesicht hebt sich ab. Es sieht ängstlich aus und wirkt gehetzt, als werde die Frau verfolgt. (Es kommen noch ein paar Geigentöne mehr hinzu.) Man sieht, wie ein Schlüssel von innen ins Schloß gesteckt wird. Die Hände zittern, die Heldin muß die Gummilösung auf dem Truhenrand ablegen und den Schaft des Schlüssels mit beiden Händen in das Loch führen. (Ein kurzer schriller Trompetenton kommt zu den wimmernden Geigen hinzu.) Die Tür ist nun verschlossen, und die Heldin greift etwas fahrig in die Hosentasche, um das Tatwerkzeug hervorzuholen. (Ein kurzer Aufschrei einer Geige.) Dabei läßt sie die Tube fallen, hebt sie auf und lauscht. (Generalpause der Instrumente, das Geräusch eines etwas zu schnell klopfenden Herzens.) Ich sehe, wie die Frau mit der linken Hand vorsichtig den Deckel einer riesigen Truhe öffnet. (Die Geigen schreien auf, und das restliche Orchester folgt ihnen mit ohrenbetäubendem Lärm.) Die Musik ist das Zeichen für mich, die Augen zu Schlitzen zu verengen, um sie schneller schließen zu können, falls sich etwas Grauenerregendes unter dem Deckel verbergen sollte. Ich sehe durch die Wimpern die Gestalt eines Mannes in der Truhe, und es kommt mir vor, als lächle er. (Die Hälfte des Orchesters legt eine Pause ein.) Die Heldin konzentriert sich auf das Dichtungsgummi des Truhendeckels, den sie rundherum mit Gummilösung einstreicht, wobei sie sich, am äußersten Winkel angelangt, weit über die Truhe strecken muß und dabei die Gestalt in der Truhe für die Kamera fast unsichtbar macht. Aber jetzt, was passiert jetzt? (Ein Cello unterbricht mit einem schneidenden Ton die leise vor sich hinsäuselnden Geigen.) Die Heldin rutscht ab und muß sich mit einer Hand auf dem leblosen Körper abstützen, um das Gleichgewicht nicht zu verlieren. Schnell lege ich beide Hände auf die Augen. Ich habe genug.

Vaters Arm war eklig kalt und hart und schnellte nach dem Zusammenstoß nach oben, so daß er über den Rand der Truhe ragte. Ich mußte an das Märchen vom eigensinnigen Kind denken, das Mutter gern auf einen Satz verkürzte: »Wenn du nicht hörst, dann wächst dir die Hand aus dem Grab, und ich muß mit der Rute draufschlagen, damit du Ruhe unter der Erde hast.« Ich nahm das Rohr des Staubsaugers, das neben der Truhe in der Ecke stand, und schlug damit auf Vaters Arm. Es gab ein knackendes Geräusch, der Arm fiel in die Truhe zurück, und ich klappte den Deckel zu. Dann setzte ich mich auf die Truhe und wartete, daß die Gummilösung klebte. Noch eine halbe Stunde später, in der Wohnung, zitterten mir die Knie. Ich schaffte es gerade noch bis zur Hausbar in der Schrankwand und holte mir die erstbeste Flasche heraus. Es war Boonekamp, aber das merkte ich erst, als sich etwas in mir weigerte, den Schluck die Kehle herunterzubefördern. Ich verschluckte mich und wäre fast erstickt. Ich stellte mir, nach Luft ringend, vor, wie die Nachbarn nach einiger Zeit unsere Leichen finden würden. Mich im Wohnzimmer, völlig zerfallen, vielleicht schon skelettiert neben der geöffneten Hausbar, und Vater, rosig wie am ersten Tag, in seiner Truhe.

Als ich mich einigermaßen erholt hatte, nahm ich noch einen Schluck. Er schmeckte schon viel besser. Nach dem sechsten Schluck fing ich an, in den Schränken zu wühlen. Ich suchte nach Schriftstücken, die etwas mit Vaters Gefriervorgang zu tun haben könnten, aber ich blieb bei den Fotoalben hängen. Ich suchte nach diesem seltsam entspannten Gesichtsausdruck, den ich auf Vaters tiefgefrorenem Gesicht gesehen zu haben glaubte. Das erste Foto war aus den fünfziger Jahren. Vater hatte in Schönschrift »Die Jugend von Klaus Kobe« auf das Vorsatzpapier geschrieben. Vater mit seinem Bruder vor Trümmern, Vater mit dem Fahrrad in Thüringen, Vater im Fußballtor. Er wirkte in seiner Torwartkluft sehr lang und dünn, und ich hatte beim Anblick der Fotos den Eindruck, er sei in den letzten Jahren kleiner geworden.

Es gab ein paar Fotos aus der Studienzeit. Vater auf dem Bahnhof in Halle, Vater mit Blumen und einer Mappe in der Hand. Unter das Foto hatte er »Studienabschluß 1961« geschrieben. Auf allen Fotos schaute Vater ernst. Kurz darauf hatte er meiner Mutter unter recht ungünstigen Bedingungen einen Heiratsantrag gemacht.

5. Kapitel

Apfel
Frischlagerung. Eine kritiklose Lagerung der Äpfel bei einer Temperatur in der Nähe von 0 °C ist nicht ratsam.

Seit einer halben Stunde stand Barbara in der Schlange vor dem Fahrkartenschalter in der großen Halle des Hauptbahnhofes. Der Reichsbahnbeamte ließ sich Zeit und schob bedächtig den Wagen seines Fahrkartenautomaten hin und her, als wolle er für den Druck jeder einzelnen kleinen Pappkarte seine Hand ins Feuer legen. Für Barbara zählte nur, daß in ihrem Fall Berlin und das heutige Datum darauf stünde. Im Hintergrund marschierte eine Hundertschaft russischer Soldaten durch die Halle, und die Frau hinter ihr sagte: »Ich habe das Gefühl, irgend etwas braut sich zusammen, sonst kommen die nie tagsüber hier rein.« Wie jeden Samstag war Barbara auch heute morgen Schwimmen gegangen. Danach hatte sie sich das Haar auf große Wickler gedreht, das Kopftuch umgebunden und war mit dem Fahrrad die sechs Kilometer bis zum Labor gefahren. Vor ein paar Wochen noch war sie auf diesem Weg von fünf anderen kichernden Frauen durch die immer noch an vielen Ecken zertrümmerte Stadt zur Arbeit begleitet worden. Aber zwei hatten geheiratet und aufgehört zu arbeiten und drei auf die Annonce eines führenden westdeutschen Chemieunternehmens in der Frankfurter Allgemeinen Zeitung geantwortet, die Barbara bei ihrem letzten Besuch in Westberlin über die Sektorengrenze geschmuggelt hatte. Nach dem Besuch in einem der Grenzkinos, in denen man nur den östlichen Personalausweis vorzeigen mußte und gegen Ostgeld hineinkam, war sie zum Kudamm gefahren und hatte eines der Schuhgeschäfte aufgesucht. Die neuen Schuhe behielt sie gleich an, die alten warf sie in den Papierkorb vor dem Café Kranzler, denn sie hatte Angst, an der Grenze mit zwei Paar Schuhen erwischt zu werden. Dann setzte sie sich in das Café und nahm bei einer Tasse Bohnenkaffee Abschied von ihren alten Schuhen. Als Kriegskind konnte sie sich nur schwer von irgendeinem Gegenstand trennen, denn sie hatte an einem Januartag 1945 ihre Puppe, ihr Bett und drei Paar Schuhe dem Feuer überlassen müssen, und die waren mit der Zeit in ihrer Erinnerung immer wertvoller geworden.

Die Freundinnen hatten nach ihrer Flucht eine Postkarte aus Leverkusen geschrieben, auf der sie mitteilten, daß sie gut angekommen seien. So oft Barbara die Karte auch las, sie konnte keine versteckte Botschaft zwischen den Zeilen finden, die sie zum Nachkommen ermunterte.

Der Ort schien sauber, obwohl ihm auf den ersten Blick jeder Reiz fehlte. Aber man sah wenigstens keine Trümmer. Vor zwei Wochen noch war sie sich sicher gewesen, daß sie ihre Mutter mit den vielen Geschwistern nicht alleinlassen konnte. Aber Tag für Tag wurden es weniger Leute im Labor, und manchmal saß Barbara abends weinend in der Küche, weil sie nach der Arbeit völlig erschöpft war, denn die Arbeit, die vor ein paar Wochen noch vier Frauen gemacht hatten, blieb nun an ihr hängen. Sie wußte, daß sie, wenn es sein mußte, auch für zehn arbeiten konnte, aber sie wollte wenigstens wissen, warum sie das tat. Die Rohstoffe für die Farbherstellung wurden immer schlechter oder blieben tagelang aus. Manchmal konnte sie Indigo nicht mehr von Taubenblau unterscheiden, alles wurde zu einem schmutzigen Pastell.

Vor einer Woche hatte sie in der Küche gesessen und die Strümpfe ihrer kleineren Geschwister gestopft, als ihre Mutter fast beiläufig sagte: »Wegen uns brauchst du nicht zu bleiben, wir kommen schon klar.« Zuerst würde sie nach Ostberlin zu Tante Hedwig fahren. Die würde die wichtigen Papiere unter ihren Hängebrüsten in den Westen transportieren, wie sie es immer mit dem Geld machte, wenn sie gemeinsam einkaufen gingen. Barbara hatte nur Sommerkleider eingepackt, die bei einer Kontrolle nicht auffallen würden. Bis zum Herbst würde sie sich längst einen Wintermantel verdient haben. In den Tagen vor ihrer Abreise war sie nach der Arbeit ziellos durch die Stadt gelaufen. Jedesmal hatte sie sich am Ufer der Elbe wiedergefunden. Auch dort, wo sie hinging, würde es Flüsse geben, an denen sie spazierengehen könnte. Hinter ihr hatte die Stadt gelegen, ein riesiges enttrümmertes Feld, von ein paar Kränen durchschnitten.

Barbara trat von einem Fuß auf den anderen. In zehn Minuten fuhr ihr Zug. Der Mann vor ihr war unschlüssig, wohin er eigentlich wollte. »Mein Herr«, sagte der Reichsbahnbeamte, »Sie können von hier, wie Sie sicherlich wissen, in drei Himmelsrichtungen fahren. Für die vierte bin ich nicht zuständig.«

»Käs dich aus«, sagte Barbara, »du mußt doch wissen, wo du hinwillst.«

»Welcher Zug fährt denn als nächster?« fragte der Mann den Schalterbeamten.

»Wenn Sie sich beeilen, schaffen Sie noch den D 647 nach Berlin.«

»Eine einfache Fahrt bitte.«

Der Fahrkartenverkäufer schob bedächtig den Wagen seiner Maschine auf Berlin. Es war ein Glück für Klaus, daß es zu diesem Zwischenfall gekommen war. Er hatte am Morgen einen Bekannten aus einem der Gewächshäuser am Rande der Stadt bekniet, ihm 25 Rosen zu verkaufen. Nur gegen das Versprechen, ihm am Montag einen Karton gefrorenes Mischgemüse mitzubringen, hatte der sich schließlich breitschlagen lassen und ihm einen Hochzeitsstrauß verkauft. Klaus wußte, daß nicht mehr viel Zeit blieb, er kannte den Reichsbahnfahrplan auswendig. Barbara hatte ihm gestern fast beiläufig beim Tanz im Kristallpalast mitgeteilt, daß sie nach Berlin fahre und es sein könne, daß sie sich so schnell nicht wiedersähen. Sie kannten sich erst seit zwei Wochen. Klaus hatte sich noch nicht getraut, sie zu küssen, aber er wußte, daß er diese Frau wollte und keine andere.

Er hatte vor dem Bahnhof zehn Minuten verloren, weil die Eingangstür von Militärpolizei versperrt war. Sie ließ eine Hundertschaft russischer Soldaten hinein, die geschlossen in den für Zivilisten gesperrten Wartesaal marschierte. Klaus rannte unter den Brücken hindurch bis zum Seiteneingang und stand außer Atem in der Wartehalle, als Barbara sich gegen den Schalter lehnte. Der Reichsbahnangestellte starrte wie gebannt rechts an ihr vorbei auf den Fußboden der Halle. Sie folgte seinem Blick und sah Klaus, wie er mit einem riesigen Rosenstrauß vor ihr kniete und sie mit Augen ansah, die Barbara an die eines treuen Hundes erinnerten.

»Bitte bleib«, sagte er, »ich will dich heiraten. Ich liebe dich. Ich verspreche dir eine angenehme Zukunft. Ich habe mein Studium beendet und arbeite in einer Forschungseinrichtung. Nebenbei arbeite ich an einer Doktorarbeit.«

»Hier«, sagte er noch und überreichte ihr etwas unbeholfen die Rosen. Barbara schaute sich um, ob noch jemand außer dem Schalterangestellten die Szene gesehen hatte. Um sich herum sah sie staunende Gesichter, selbst ein paar russische Soldaten waren stehengeblieben und wurden von einem Offizier in Richtung Militärwartehalle abgedrängt.

Über Lautsprecher wurde bekanntgegeben, daß der Zug nach Berlin auf Bahnsteig 6 einfahre, und ein paar Leute stießen Barbara zur Seite, weil sie noch eine Fahrkarte haben wollten. Der nächste Zug fuhr erst gegen Abend. Barbara ließ sich von Klaus den Koffer abnehmen, legte sich den Rosenstrauß wie einen Säugling über den linken Arm und verließ den Bahnhof.

»Ich habe den Antrag noch nicht angenommen«, sagte Barbara, als sie auf den Bahnhofsvorplatz traten, »es war mir nur zu peinlich, von den Leuten angestarrt zu werden. Ich werde es mir überlegen.«

»Bis wann?«

»Bis nächsten Sonnabend.«

Sie nahm den Rosenstrauß und ihren Koffer und fuhr nach Hause.

Am anderen Morgen bekam Klaus unerwartet Hilfe vom Staat. Die Mutter weckte Barbara mit der Neuigkeit, in Berlin habe man alle Sektorenübergänge geschlossen und Kampfgruppen seien dabei, entlang der Grenze zu den Westsektoren Stacheldraht zu ziehen. Barbara packte ihre Reisetasche erst einmal wieder aus. Im Haus meinten die Bewohner, daß diese Grenzschließung sicherlich eine vorübergehende Sache sei. Nach dem 17. Juni 53 hatte sich die Lage schließlich auch schnell wieder beruhigt. Am Montag kehrte Barbara in die Lackfabrik zurück. Der Betriebsfunk informierte sie über die Maßnahmen an der Staatsgrenze zur Bundesrepublik und Westberlin. Die Arbeit wurde davon nicht weniger. Klaus hingegen dankte seinem Staat aufrichtig, ihm bei seinem Kampf um die Frau behilflich gewesen zu sein. Barbara nahm den Antrag an. Trotzdem fragte sie sich noch Jahre später, was gewesen wäre, wenn sie die Zeremonie auf dem Bahnhof kühl ignoriert hätte. Sie hätte einfach an den Schalter herantreten und »Einmal Berlin, einfache Fahrt« sagen müssen. Die Welt hätte ihr zu Füßen gelegen.

Auf den Fotos, über denen Hochzeit 1962 steht, fand ich endlich das Lächeln aus der Truhe. Mutter dagegen schaut ungewohnt ernst. Als Kind stellte ich mir Bilder von Hochzeiten anders vor. Feierlicher. Die beiden sahen aus, als hätten sie eine Auszeichnungsfeier hinter sich. Vater trug zwar einen Anzug, aber er war hell und nicht schwarz, und Mutter hatte kein Hochzeitskleid mit Schleier und Schleppe, sondern ein schlichtes Kostüm an. Neben ihnen standen Großmutter und Großvater und hinter ihnen breitete sich ein See mit einem Springbrunnen aus. Es war genau ein

Jahr nach dem Mauerbau, und Vater und Mutter hatten heimlich in einer fremden Stadt geheiratet, weil mein Vater große Feiern verabscheute.

Als ich das nächste Fotoalbum öffnen wollte, fiel ein Zeitungsfoto heraus. Es zeigte Vater und Mutter, wie sie, mit mir im Sportwagen, an einem Neubaublock entlangspazieren. Vater mit Hut, leicht über den Wagen gebeugt, weil der Griff für Frauen um die Einssechzig konstruiert war. Mutter ein wenig abgedrängt vom Kinderwagen, obwohl sie den Griff noch mit einer Hand festhält. Wenn ich wollte, könnte ich in das Bild eine ganze Familiengeschichte hineininterpretieren. Auf jeden Fall sehen wir alle etwas mißmutig aus, obwohl unter dem Foto steht: »Frohe und glückliche Menschen leben in den Neubauten der Beimssiedlung. Sie haben in unserem Arbeiter-und-Bauern-Staat eine gesicherte Existenz. Es gibt keine Angst vor dem nächsten Tag.« Dabei brauchten wir gar nicht glücklich auszusehen, denn wir wohnten nicht in der Beimssiedlung. Wir wohnten auf der Insel, auf der in den Jahren nach dem Krieg nur ein neues Haus gebaut worden war. Das Kälteinstitut.

In diesem Moment klingelte es. Vier Männer standen in der Tür und fragten: »Na Mädel, wo is denn dis Teil.« Ich öffnete die Tür zum Abstellraum und malte mir aus, was passieren würde, wenn die Truhe nur hochkant um die Ecke passen und Vater beim Ankippen mit seinem seligen Gesichtsausdruck langsam aus der Truhe rutschen würde. Nach einer Minute standen die Träger aber schon vor dem Fahrstuhl, und einer der Männer hatte seinen rechten Ellenbogen lässig auf den Deckel gestützt. Hoffentlich kamen sie nicht auf den Gedanken, hineingucken zu wollen; ich vertraute der Haltbarkeit der Gummilösung nicht. Aber sie beachteten ihr Transportgut nicht weiter. In großer Eile packte ich Papiere in einen Karton, von denen ich hoffte, sie könnten mir Aufschluß darüber geben, wie Vater in diese Situation gekommen war. Dann verschloß ich sorgfältig die Wohnungstür und folgte leicht angetrunken mit meinem Auto den Männern in ihrem Lieferwagen. Als der Lieferwagen vor der Landesfrauenklinik scharf bremsen mußte, weil eine Schwangere, auf den Arm eines Mannes gestützt, die Straße überquerte, kam die Truhe ins Rutschen, und ich hoffte, Vater würde wie Schneewittchen aus seinem Kälteschlaf aufwachen.

6. Kapitel

Banane

Atmungswärme. Die Atmungsgeschwindigkeit gekühlter Bananen unterscheidet sich stark von der Atmungsgeschwindigkeit von Bananen, die nur in einem ventilierten Raum gelagert werden. Bei +12 °C ist die Atmungsgeschwindigkeit etwa 50% derjenigen bei +20 °C.

»Oh Gott, ein Jesus, wo mir die Kirche doch komplett am Arsch vorbeigeht«, soll Mutter gesagt haben, als der Gynäkologe den Geburtstermin ausgerechnet hatte. Sie wünschte sich einen Jungen, der ihre Vorliebe für Baumkronen und Seilklettern teilen würde, aber er mußte nicht unbedingt am Heiligen Abend zur Welt kommen.

Trotzdem kaufte sie für Weihnachten eine Gans, und Vater brachte eine Tüte gefrorenen Spargel aus dem Institut mit. Ich tat ihnen den Gefallen und blieb noch ein paar Tage im Bauch meiner Mutter. Ich kam zum ersten Mal zu spät. Mutter gab mir dann auch noch etwas von der Gans ab, die am zweiten Weihnachtsfeiertag gereicht wurde, das waren die restlichen Gramm, die mir zu den fünf Kilogramm Geburtsgewicht fehlten. In der Nacht bekam Mutter heftige Unterleibsschmerzen, und Vater brachte sie in die Landesfrauenklinik. Es war reger Betrieb auf der Station, man hatte schon Notbetten eingerichtet, und die Schwestern frotzelten, der Weihnachtsmann habe, nachdem die Geschenke verteilt waren, haufenweise schwangere Frauen in seinen Sack gesteckt und am Eingang abgeliefert. Mutter atmete die Wehen weg, wie sie es bei der Inselhebamme gelernt hatte, die über dem Sarggeschäft residierte. Die Abergläubischen unter den Inselschwangeren gingen deswegen lieber aufs Festland. Meine Mutter gehörte nicht dazu. Sie war der Meinung, was reingekommen ist, muß auch problemlos wieder rauskommen, schließlich hatte ihre Mutter zehn Kinder bekommen, bis ihr meine Mutter beibringen konnte, daß es fruchtbare und unfruchtbare Tage gibt. Bei der Hebamme hatte das Atmen noch prima geklappt, die Schmerzen hatte Mutter sich dazudenken müssen. Jetzt mußte sie das Atmen dazudenken, denn die Schmerzen waren höllisch und erinnerten sie mitnichten an die Menstruationsschmerzen, die die Hebamme mit denen der Wehen verglichen hatte. Zwar kamen die Wellen alle vier Minuten, aber wer sie gesandt hatte, war ein Rätsel, ich jedenfalls nicht, denn ich wollte nicht im Jahr 1963 zur Welt kommen. Ich blieb auf meiner Reise stecken und öffnete mit meinem Kopf den Muttermund nur so weit, daß meine Mutter in der Klinik bleiben konnte und nicht enttäuscht von der Welt und mit einem immer nervöser werdenden Ehemann an der Hand wieder nach Hause gehen mußte. Nach zwölf Stunden hörte mein Vater auf, auf dem Flur hin und her zu gehen und floh zu seiner Mutter. Ihm gingen die kuhäugigen Frauen mit den ausgewaschenen Bademänteln, deren Gürtel über den immer noch vorstehenden Bäuchen zu großen Knoten gebunden waren, auf die Nerven. Sie hatten ihn auf dem Flur alle vorwurfsvoll angesehen, so als habe er ihnen die Schmerzen bereitet, die jetzt nur langsam abklangen und sie nötigten, mit schmutzig weiß-roten Schwimmringen in der Hand zum Besucherraum zu schlurfen, weil sie wegen der Schnitte zwischen Vagina und After, oder wie die Schwestern sagten: zwischen Scham und Schande, nicht richtig sitzen konnten. Ich ließ mir Zeit. Nach drei Tagen Wehen schob man meine Mutter in einen Abstellraum, weil die Anzahl der Frauen, die im Begriff waren zu gebären, bedrohliche Ausmaße angenommen hatte und zu Staus in den Gängen und zu überstürzten Geburten führte, denn die Hebammen im Kreißsaal spornten die Frauen zu höheren Leistungen an, und so manche ließ sich mit der durch eine Spanische Wand getrennten Nachbarin auf einen Wettbewerb ein, wer schneller sei, währenddessen vor dem Saal schon die nächste Kandidatin wartete. Nur meine Mutter lag in der Besenkammer und hatte die Schnauze voll vom Kinderkriegen. Alle paar Stunden kam eine Schwester herein und holte, weil wieder eine Gebärende vor Aufregung gekotzt hatte, mal einen Besen, mal einen Wischeimer und mal eine Flasche Wofasept. Meine Mutter bat, doch gleich alle Flaschen mit Reinigungslösung mitzunehmen, weil ihr von dem Geruch übel sei. Aber die Schwester meinte, sie solle sich nicht so haben, und ließ sie allein. Einmal glaubte eine andere, nicht das Licht anmachen zu müssen, und stellte einen Eimer auf der Liege meiner Mutter ab. Sie heulte nur noch und wehrte sich nicht. Am fünften Tag verfluchte sie mehrere Tage in ihrem Leben: den Tag ihrer Geburt, den Tag, an dem die Männer mit den Spitzhacken sie aus dem eingestürzten Luftschutzkeller unter der Kirche befreit hatten und schließlich den Tag, an dem mein Vater auf dem Bahnhof auf Knien gerutscht war. Am Ende des fünften Tages schlief sie ein, und das erste Mal seit der Nacht, in der sie wegen der fortschreitenden Schwangerschaft nicht mehr auf dem Bauch hatte liegen können, schlief sie so fest und so lange, daß erst Schüsse sie wecken konnten. Schlaftrunken schrie Mutter: »Wir müssen in den Keller!« Das machte sie seit bald zwanzig Jahren zu Silvester so, bis auf die ersten Jahre nach dem Krieg, als die Alliierten das Knallen zum Jahreswechsel noch verboten hatten. Es war eine Kriegsmacke, von der sie niemand hatte heilen können. Meine Eltern hatten die letzten beiden Silvester in der Kellerbar des Interhotels »International« verbracht, da fühlte sich meine Mutter sicher. Der Abstellraum der Landesfrauenklinik aber war im zweiten Stock, und so sah eine verwunderte Schwester noch, wie eine aufgebrachte Schwangere in Panik zur Treppe lief. So weit kam sie aber nicht. Denn ich glaubte, meine Zeit sei gekommen, und das erste, was ich sah, als ich auf die Welt kam, war ein zerkratzter Linoleumfußboden, der immer näher kam, bis eine helfende Hand mich davor bewahrte, das Leben gleich mit einem Sturz auf dem Korridor zu beginnen. »Ein mächtiges Mädchen«, sagte die Hebamme, »kein Wunder, daß das nicht kommen wollte.« Mutter war das Geschlecht inzwischen völlig egal, sie kam sich vor wie am Tag der Befreiung, denn auch die Knallerei hatte inzwischen aufgehört, und auf dem Flur schrie man sich ein »Frohes Neues Jahr!« zu. Mutter bekam endlich ein frisch bezogenes Bett, das man in ein mit Wöchnerinnen überfülltes Zimmer schob. Die Klinikleitung war um ihren Ruf besorgt, weil ausgerechnet das Mädchen, das auf dem Flur und nicht in dem im letzten Fünfjahrplan nach modernsten Methoden eingerichteten Kreißsaal geboren war, das erste Kind des Jahres 1964 sein sollte. Denn die Zeitung, wie an jedem ersten Januar, würde über dieses Kind berichten. Man beschloß, die Zeit meiner Geburt mit der eines Jungen zu vertauschen, der fünf Minuten nach mir ganz ordentlich und mit den üblichen sieben Pfund auf die Welt gekommen war. Vielleicht hätte meine Mutter den Zeitungsleuten ja erzählt, wie und wo sie die letzten fünf Tage verbracht hatte. Und so sah man am Morgen des zweiten Januar eine glücklich lächelnde Mutter mit ihrem Torsten auf dem Arm auf der ersten Seite der »Volksstimme«. Was meine wütende Mutter mit einem Kindbettfieber beantwortete, das selbst Semmelweis zum Stirnrunzeln veranlaßt hätte. Meiner Mutter brachte es endlich ein wohlverdientes Einzelzimmer ein. Die Bürokratie der Klinik hatte mir trotz der Vertauschung der Geburtszeit mit der von Torsten die Nummer 000164 gegeben. Einen beurkundeten Vornamen bekam ich vorerst nicht, denn ungeachtet ihres Kindbettfiebers stritt sich meine Mutter einen Monat lang mit dem Standesamt herum, ob ich Annja heißen dürfe, Annja mit Doppel-N. Der Standesbeamte hielt das für etymologischen Unsinn. Anja mit einem N sei eine Ableitung von Anna mit zwei N. Und wenn sie unbedingt auf dem zweiten N bestehe, dann könne sie mich ja Anna nennen. Die Rückfrage bei der Akademie der Wissenschaften, Abteilung Namensforschung, zog sich hin, genau wie die Krankheit meiner Mutter. So blieb ich ein ungestilltes und vorerst auch unbenanntes Kind, das Vater und Großvater gemeinsam aus der Klinik holten. Endlich ein Mädchen, soll Großvater ausgerufen haben, und Mutter hat wohl gewußt, daß sie mich fortan los war. Sie konnte nicht ahnen, daß der oberste Kälteingenieur des Landes dabei war, Experimente mit mir anzustellen. Vater hatte ein paar Flaschen Muttermilch aus der Milchsammelstelle mitgenommen, um die nächsten beiden Tage zu überbrücken, und Großvater hatte zwei von ihnen in Plastebecher gefüllt und heimlich in die Kühltruhe gestellt. Am nächsten Tag erwischte ihn mein Vater, wie er gerade dabei war, die gefrorenen Muttermilchklumpen im Topf wieder aufzutauen. Mein Vater, der eher Wissenschaftler als Praktiker vom Schlage meines Großvaters war, konnte ihn erst nach stundenlangen Diskussionen, in denen er an seine moralische Verantwortung als Direktor eines renommierten wissenschaftlichen Institutes appellierte, davon überzeugen, daß man lange Versuchsanordnungen brauche, ehe man Lebensmittelkonservierungen an Menschen und noch dazu an so kleinen wie mich testen könne. Großvater meinte: »Das Luder ist zäh, das sehe ich, die wird alles essen«, aber Vater drohte: »Nur über meine Leiche.« Es war einer der wenigen Momente in seinem Leben, wo mein Vater sich gegen seinen Vater durchsetzen konnte. Aber so schnell wollte Großvater nicht aufgeben. Er zweigte noch einmal eine Flasche Milch ab und baute sie in seine Gefriertrocknungsversuchsreihe ein. Als die Versuche endlich soweit waren, daß sie in der Praxis hätten umgesetzt werden können, war ich allerdings schon zehn. Experimente brauchten in dem Land, in das ich hineingeboren war, eben ihre Zeit, bis sie in die Produktion gingen.

Da Mutter sich mit dem Wiederkommen Zeit ließ und Vater sich jede Einmischung von seiten seiner Eltern verbat, hatten wir genug Zeit, uns aneinander zu gewöhnen. Vater nannte mich manchmal zärtlich 000164, es erinnerte ihn wohl an die Versuchsanordnungen, die ähnliche Nummern hatten, manchmal sagte er auch Eskimo zu mir oder fand sich mit dem Namen Annja ab. Er fütterte mich mit Trockenmilch und nahm mich im Kinderwagen mit ins Kälteinstitut, wo er mich neben den Kühlzellen abstellte. Vorsichtshalber schrieb er noch einen Zettel: »Bitte nicht einfrieren!«, was aber unnötig war, denn seine Kolleginnen konnten Erbsen, Möhren und Schweinefleisch durchaus von einem Säugling unterscheiden.

Wenn mein Großvater einen seiner Wutanfälle bekam, schob die Sekretärin Ottilie stillschweigend den Wagen in sein Zimmer und machte die Tür zu. Nach fünf Minuten kam sie wieder herein und sah Großvater, wie er mir irgend etwas über neue Direktiven der staatlichen Plankommission referierte, die für die Praxis allesamt untauglich seien.

Inzwischen gab es aber ein Problem: Vater erwartete sehnlichst die Rückkehr meiner Mutter, denn im Fernsehen fingen die IX. Olympischen Winterspiele an. Mutter kam aber nicht, und die gesamtdeutsche Mannschaft war schon längst einmarschiert. Deshalb sah ich, zwischen linken Arm und Brustkorb meines Vaters geklemmt, meine erste Olympiade.

Vater pflegte eine erbitterte Feindschaft zum westdeutschen NOK-Präsidenten Willi Daume, der mit Kommunisten nicht hatte verhandeln wollen, weswegen die DDR-Mannschaft auch nicht unter ihrer Fahne einmarschieren durfte.

»Gesamtdeutsche Mannschaft, daß ich nicht lache. Wir haben schließlich seit 1961 eine Mauer«, sagte er. Die Bundesrepublik hatte es sich mit meinem Vater exakt im Oktober 1962 verscherzt, als die Sportführung der Bundesrepublik aus politischen Gründen den Ausschluß aller DDR-Sportler von internationalen Wettbewerben gefordert hatte, und deswegen war es ein Triumph, daß sie trotzdem bei dieser Olympiade antraten. Wenn Willi Daume auf dem Bildschirm auftauchte, wurde er von meinem Vater recht unflätig als Funktionärsarsch betitelt, ein Wort, das ich später noch öfter hören sollte, dann allerdings in Richtung der SED-Funktionäre. Ich war von einem extrem widersprüchlichen Vater gezeugt worden: Er liebte die DDR und haßte ihre führende Partei.

In diesem Winter 1964 führte er jedenfalls seine eigene Medaillenwertung ein, in der er säuberlich zwischen westdeutschen und ostdeutschen Sportlern unterschied. Die Westdeutschen tauchten in seiner Tabelle gar nicht erst auf. Jedesmal, wenn ein Sportler, den er der DDR zuordnete, auf dem Bildschirm auftauchte, sagte er: Siehst du, 000164, das ist ein DDR-Sportler, für den müssen wir sein, so daß ich mich ein paar Jahre später, als ich schon sprechen konnte, nur vor den Fernseher setzen und fragen mußte: »Für wen sind wir«, und schon tippte mein Vater mit dem Finger auf den Bildschirm, bis die Mattscheibe mit unzähligen Fingerabdrücken übersät war, so viele Sportler hatten wir.

Wir vertrugen uns ganz gut, und Vater gewöhnte sich im Laufe der Zeit seine Babystimme ab, mit der er mich ansprach, und redete mit mir wie mit einem erwachsenen Menschen. Nur einmal hat Vater in den zehn Tagen bis zur Ankunft meiner Mutter die Nerven verloren. Ich hatte Hunger und fing gerade in dem Augenblick zu schreien an, als Gaby Seifert aufs Eis trat, um ihre Kür zu laufen.

»Die fünf Minuten wirst du es doch wohl mal aushalten. Wir haben nämlich endlich mal eine Läuferin, die Weltklasse werden kann.« Das interessierte mich aber nicht im geringsten, und ich brüllte so laut, daß man die Musik, nach der sie ihre Pirouetten auf dem Eis drehte, nicht mehr verstand. Vater war stinksauer und gab sich geschlagen. Gaby Seifert verpatzte vielleicht deswegen ihre Kür und wurde nur Neunzehnte. Ich hatte eine erste Schuld auf mich geladen, sah man mal von meiner armen Mutter mit ihrem Kindbettfieber ab. Vater bekam noch schlechtere Laune, als Helmut Recknagel im Skispringen nur Siebenter wurde, aber dann kam der Triumph der Rennschlittensportler, und alles andere war vergessen.

Ortrun Enderlein und Ilse Geisler wurden mit Gold und Silber in die Annalen meines Vaters eingetragen, wenig später auch noch Thomas Köhler und Klaus Bonsack, und Vater stolzierte wie ein Hahn durch die Wohnung.

Als Thomas Köhler gefragt wurde, für wen er die Medaille gewonnen habe und darauf antwortete: »Ich lebe in der DDR, habe mich dort beruflich und sportlich entwickeln können – deshalb habe ich natürlich die Goldmedaille für die DDR gewonnen«, wurde diese Bemerkung von meinem Vater mit einem beifälligen »Richtig!« kommentiert.

»Das werden die Westärsche nicht auf sich sitzenlassen«, prophezeite er. Die westliche Presse behauptete am nächsten Tag, die Bronzekufen der DDR-Schlitten seien ölbeheizt gewesen, und Vater höhnte: »Die können eben nicht verlieren.«

Die täglichen Anrufe meiner Großmutter ließ er stoisch über sich ergehen, er sagte höchstens: »ja« oder: »Nein, es ist nicht nötig, daß du kommst«, aber Großmutter kam natürlich trotzdem, und er hatte Mühe, sie wieder loszuwerden. Er las viel über Kinderpflege in der Enzyklopädie »Das Kind«, die wir anläßlich meiner ersten Ausfahrt in der Volksbuchhandlung erworben hatten. Das

Buch legte er aufgeschlagen auf den Wickeltisch, um die Zeichnungen mit dem, was er zustandebrachte, zu vergleichen, denn er hatte wegen seiner Untersuchungen über die Gefriertauglichkeit der neuen Erbse »Bördewunder«, die sich meistens bis in den Abend hinzogen, nicht am Kurs für werdende Eltern teilnehmen können. Schließlich hängte er noch die Rückseite des Frauenkalenders 1964 über meinen Wickeltisch.

Wenn es endlich da ist – das mit Spannung erwartete erste Kind, beginnt ein neuer Abschnitt im Leben von Frau und Mann – sie sind nun eine Familie. Das kann für sie ein großes, dauerndes Glück sein, die schönste Lebenserfüllung bedeuten, wenn sie sich von vornherein der Verantwortung und Pflichten bewußt sind, die ihnen nun obliegen. Sie haben die Aufgabe, das kleine Wesen zu einem guten, gesunden, tatkräftigen und gebildeten, zu einem wertvollen Menschen zu erziehen. Diese Erziehung beginnt schon am ersten Tag daheim. Das Kleine muß von Anfang an gewöhnt werden an Ordnung und Regelmäßigkeit. Am besten ist es, wenn das Kind gleich einen festen, möglichst ruhigen Platz in der Wohnung hat, wo sein Bettchen und seine Sachen stehen. Die zur Pflege, Kleidung und Ernährung notwendigen Dinge für die erste Zeit hat sich die junge Mutter schon vor der Entbindung angeschafft und bereitgestellt, so daß sie nun zu Hause die Zeiteinteilung, die das Kind von der Klinik her schon gewöhnt ist, gleich fortsetzen kann. Aber auch wenn das Kind dann älter geworden ist, sollte sie festgelegte Zeiten für Essen, Schlafen, Baden usw. konsequent einhalten. Dabei ist es sehr wichtig, daß die Eltern von vornherein ihren Willen gegenüber dem Kind durchsetzen, auch wenn es ohne besonderen Grund schreit. Das Kind wird sonst immer wieder versuchen, die Schwäche der Eltern für sich auszunützen, und das kann sich später sehr nachteilig für beide Teile auswirken. Überhaupt darf man das Kind keinesfalls zum Mittelpunkt werden lassen – diese Gefahr liegt besonders nahe, wenn es das einzige ist –, denn es verliert leicht seine Natürlichkeit, wenn es merkt, daß Eltern und Verwandte jede seiner Bewegungen mit Entzücken verfolgen. Es muß vielmehr so sein, daß das Kind Achtung für seine Eltern empfindet und bestrebt ist, ihnen nachzueifern. Und das bedeutet, daß die Eltern sich in Gegenwart des Kindes stets vorbildlich verhalten, sich nie gehenlassen oder Meinungsverschiedenheiten vor ihm austragen, denn Kinder haben, auch wenn sie noch so klein sind und vieles noch nicht richtig verstehen, doch eine sehr gute Beobachtungsgabe. Das Elternhaus ist für das Kind eine Schule fürs Leben. Daß es eine gute Schule wird, sollten die Eltern schon bei seiner Geburt bedenken. Wenn eine verantwortungsbe-

wußte und konsequente Erziehung von ihnen auch manchen Verzicht verlangt, so wird ihnen das Ergebnis – ein glücklicher, tüchtiger und liebenswerter Mensch – schönster Lohn sein.

Als Mutter nach Hause kam, nahm sie als erstes das Blatt von der Wand und benutzte es zum Anheizen. »So einen Blödsinn brauchen wir nicht, ich mach das nicht anders als meine Mutter, fehlte ja nur noch, daß ich einen Tagesablauf in der Mütterberatung abgeben muß.« Vater meinte, das sei aber sicherlich alles wissenschaftlich erwiesen, und Mutter antwortete: »Ich scheiß auf die Wissenschaft.« Diese erste Meinungsverschiedenheit trugen sie neben meinem Bett aus. Ich antwortete mit Brüllen, und sogleich nahm mein Vater mich aus dem Bett, um mich zu trösten, während meine Mutter eifersüchtig danebenstand. Letztlich hat er sich dann doch selten an verordnete Vorsätze gehalten.

7. Kapitel

Bier

Gärtankkühlung. Gewöhnlich wird Wasser von einer Anfangstemperatur von +2 °C durch die Kühlschlangen geleitet. Die Schlangenoberfläche ist mit einer Wärmedurchgangszahl von 75 kcal/m^2, h, °C zu berechnen. Die Temperaturerhöhung des Kühlwassers soll 2 bis 3 °C nicht überschreiten.

Mein Großvater Paul Kobe, ausgezeichnet mit dem Titel »Verdienter Techniker des Volkes«, klebte zu Hause alles, was kaputtging, mit Pflaster wieder zusammen. Mittlerweile gab es das Volk, dessen Regierung ihm den Orden verliehen hatte, nicht mehr. Nur die Pflaster klebten noch überall. Sie hielten das Gehäuse der Kaffeemaschine zusammen, verdeckten den Sprung des Klodeckels und arretierten das Magnetband des Kühlschrankgriffes. Inzwischen waren sie schwarz geworden von den vielen Berührungen und fransten an den Rändern aus. Großmutter hatte seit dem Tod meines Großvaters nichts an der Wohnung verändert. Auch das Arbeitszimmer sah aus, als hätte er es gestern verlassen. Ich machte es mir in dem Ohrensessel bequem, in dem Großvater immer seine Kriegsromane gelesen hatte, bis er über dem ganzen Grauen eingeschlafen war und das Gebiß ihm aus dem Mund fiel. Ich steckte mir eine seiner alten Pfeifen zwischen die Lippen, weil ich mir einbildete, ich könnte so besser nachdenken, und machte Pläne für die nächste Zukunft. Ich mußte Vorräte für mindestens vierzehn Tage einkaufen, und ich mußte heizen, denn es war kalt. Im Wohnzimmer fand ich einen Ölradiator. Als ich ihn anstellte, knackte es bedrohlich im Sicherungskasten. Ich nahm den Kellerschlüssel und ging hinunter in den Keller. Großmutter hatte keine Kohlen mehr gekauft. Früher war sie sehr gewissenhaft in diesen Dingen, aber offensichtlich hatte sie sich vorgenommen, diesen Winter nicht zu überleben. Die Kohlen reichten höchstens noch für eine Woche. Früher hatte man problemlos ohne eigene Kohlen über den Winter kommen können, denn viele Keller waren nicht abgeschlossen oder hatten Schlösser, die man mit einer Haarnadel öffnen konnte. Jetzt aber hing an jeder Kellertür ein neues Schloß. Auch die Kohlenwagen waren auf wundersame Weise über Nacht von den Straßen verschwunden. Mehrere Winter war ich in Berlin mit meinen Eimern nicht in den Keller, sondern auf die Straße gegangen, um Kohlen zu holen. Selten hatten sich Polizisten hinter den abgestellten Anhängern versteckt und die Diebe gezwungen, die gerade gefüllten Eimer wieder zurückzuschütten. Ich hatte mir schließlich angewöhnt, Männer nur noch in meine Wohnung zu lassen, wenn sie mindestens fünf Briketts mitbrachten, aber woher sollte ich hier die Männer nehmen, die mich besuchen wollten?

Ich füllte zwei Eimer mit den bröckligen Eierkohlen. Zur Not würde ich die ausrangierten Möbel im Keller zerhacken.

Großmutter hatte offensichtlich schon seit Wochen nicht mehr gekocht. Im Gefrierfach lagen ein paar Beutel mit Gemüse, auf denen 8/89 stand, nach den Untersuchungen meines Vaters über die Haltbarkeit von gefrorenen Gemüseerzeugnissen mußten sie seit mindestens einem Jahr ungenießbar sein. Im Kühlschrank standen ein paar Büchsen Bier. Großmutter hatte früher nie Bier getrunken. Alles andere war verschimmelt. Im Küchenschrank lagen drei Tüten Nudeln und eine mit Reis, den Verpackungen nach mußte Großmutter sie noch zu DDR-Zeiten gekauft haben. Kaffee und Bitterschokolade reichten für zwei Jahre. Es wunderte mich nicht, daß Großmutter nur noch aus Haut und Knochen bestand.

Ich zählte meine Barschaft zusammen, die nach der Bezahlung des Kühltruhentransportes auf ein paar kleine Scheine zusammengeschmolzen war, und machte mich mit Großmutters Wägelchen auf den Weg in die Kaufhalle. Sie hieß jetzt SUPER-Markt und war nicht wiederzuerkennen. Früher waren hier manchmal ganze Regale nur mit eingekochten Spaghetti oder Sauerkohl gefüllt, jetzt standen die Regale so eng, daß man kaum mit dem Einkaufswagen durch die Gänge kam.

Damals konnte es Großmutter überhaupt nicht leiden, wenn Großvater mit in die Kaufhalle kam. Er bewaffnete sich mit zwei Körben und steuerte sogleich das Bonbon- und Schnapsregal an, während Großmutter die ganze Zeit so tat, als kenne sie ihren Mann nicht. Für mich war es ein Fest, mit Großvater einkaufen zu gehen, denn er füllte die Körbe bis oben hin. Am Ende kamen wir an die Kühltruhen und ich brauchte nicht lange zu betteln, bis ich mir ein Eis nehmen durfte. Die Kaufhallen wurden zu dieser Zeit mit Eisbechern beliefert, zu denen winzige Plastelöffel gehörten, auf denen ein Name stand. Die Löffel hießen Gabi, Maik oder Lutz, nie aber Annja. Ich war jedesmal enttäuscht, wenn ich meinen Namen nicht fand. Der Herstellerbetrieb machte sich nie die Mühe, die Eislöffel in die Becher zu stecken. Sie lagen verstreut auf dem Boden der Truhe. Da meine Arme nicht lang genug waren, kletterte ich hinein und suchte mir den schönsten heraus. Die graumelierten mochte ich gar nicht, egal, welcher Name darauf stand, aber schließlich fand ich einen hellblauen, der Klaus hieß, und war gerade dabei, wieder aus der Truhe zu steigen, als ein erbostes Gesicht, umrahmt von einer blondierten Dauerwelle, über mir zeterte, bis es von meinem Großvater zur Seite geschoben wurde. »Hast du, was du brauchst?« fragte er mich. Ich nickte, und er hob mich aus der Truhe. Die Verkäuferin sah er nur einmal streng an, bis sie flötete: »Das Kind hätte sich doch erkälten können«, und Großvater flötete zurück: »Aber doch nicht in einer Kühltruhe.« Im Gegensatz zu meinem Vater interessierte ihn der Zustand der Gefrierlagereinrichtungen kein bißchen.

Was hatte ich später für Peinlichkeiten mit Vater erlebt, wenn wir einkaufen gingen. Wir trotteten mit unserem Einkaufswagen an den Regalen entlang, und Vater legte heimlich sein mitgebrachtes Thermometer in eine der Kühltruhen. Dann fuhren wir ein paar Runden durch die Kaufhalle, und Vater kaufte ein. Wenn ich vor dem Süßwarenregal stand und mich nicht entscheiden konnte, weil sowieso alles ähnlich schmeckte, drängelte Vater nicht, sondern sagte, daß ich mir Zeit lassen könne. Vater prüfte den Inhalt der Bierflaschen, indem er sie falsch herum hielt und nach Schmutzpartikeln in der Flasche suchte, wählte von den drei Wurstsorten am Fleischstand eine aus und ließ exakt auf 100 Gramm auswiegen. Vater hatte Zeit, denn es dauerte eine Weile, bis das Thermometer die endgültige Temperatur anzeigte. Das Ergebnis war meist katastrophal. Unter –10 Grad hatte keine Truhe. Er ließ die Verkaufsstellenleiterin kommen und hielt ihr einen Vortrag über die konsequente Einhaltung der Kühlkette vom Erzeuger bis zum Verbraucher.

»Was die Verbraucher machen, ist ihre Sache, darauf haben wir wenig Einfluß, aber Sie müßten eigentlich wissen, wie Sie mit Feinfrost umzugehen haben. Sonst rate ich Ihnen, mal auf die Packung zu sehen, da steht alles drauf.« Die Verkaufsstellenleiterin reagierte jedesmal gereizt: »Sie werden ja wohl gesehen haben, daß wir zur Zeit nur Behelfsverpackungen haben. Da steht grad mal drauf, was drin ist.«

Vater holte triumphierend eine Packung Erbsen aus der Truhe.

»Das haben Sie sich aber gedacht. Hier steht es: Bei –18 Grad neun Monate haltbar, im Gefrierfach des Kühlschranks spätestens nach einer Woche zu verzehren.«

»Dann bringen Sie mir mal anständige Truhen und nicht diesen Schrott. Und sagen Sie im Energiekombinat Bescheid, daß die den Strom nicht laufend abstellen sollen.«

»Sie haben die Waren viel zu hoch gestapelt, das hält keine Truhe aus, und wie das erst drin aussieht, wie Kraut und Rüben. Und abgetaut ist sie auch schon mindestens ein Jahr nicht.«

»Aber Sie sehen doch selbst, zwei Truhen sind schon seit drei Monaten kaputt, denken Sie, hier kommt einfach mal so aus Langeweile ein Monteur vorbeispaziert? Ich habe einen Termin in drei Wochen. Und wo soll ich solange mit den Waren hin?«

»Dann schreiben Sie nicht groß draußen dran, daß sie Kollektiv der sozialistischen Arbeit sind.«

Es war nichts zu machen. Die DDR hatte sich gegen die Kühlkette verschworen. Aber Vater gab nicht auf. Manchmal fuhren wir abends kurz vor Ladenschluß mit der Straßenbahn in eines der Neubaugebiete und kauften dort ein. Es war immer dasselbe. Einmal sagte eine Verkaufsstellenleiterin entrüstet: »Ihre Möhren und Erbsen können Se sich ans Knie nageln, wenn hier Ananas im Tiefkühlfach läge, hätte ich die Probleme nicht, die wäre sofort alle.«

»Ananas«, sagte mein Vater gedehnt, »ist ausgesprochen ungeeignet zum Gefrieren. Die schmeckt nämlich nach dem Auftauen holzig.« Mir war es unangenehm, denn Vater wurde sehr laut und die Leute drehten sich nach uns um und schüttelten den Kopf. Wahrscheinlich hielten sie ihn für einen Kontrolleur der Arbeiter-und-Bauerninspektion. Aber Vater war das egal. Selbst nach Ungarn oder in die ČSSR nahm er immer ein Thermometer mit, obwohl ihn diese Kühltruhen eigentlich nichts angingen. Aber in dieser Beziehung war er konsequenter Internationalist. Überall war es das gleiche, und der Rest der Welt, in die er sein Thermometer hätte stecken können, war ihm nicht zugänglich. Vater schrieb später eine Broschüre über den Umgang mit Kühlgut, die er persönlich in der HO und im Konsum verteilte. Bevor sie gedruckt wurde, zog er aber noch einmal durch die Kaufhallen und fotografierte ganz besonders krasse Fälle von Vernachlässigung. Truhen, in denen das Eis zentimeterdick klebte oder die Feinfrosterzeugnisse bis über die von ihm errechnete Stapelmarke gefüllt waren. Da er aber in keiner Kaufhalle ein gutes Beispiel finden konnte, fotografierte er zu Hause seine eigene.

Jetzt war das Problem wie über Nacht verschwunden. Die Kühltruhen waren sauber, kein bißchen Eis klebte an den Wänden, und die Schieber ließen sich geräuschlos und ohne großen Kraftaufwand öffnen. Im Inneren waren die Packungen ordentlich nach Größe und Inhalt gestapelt, und auf der Verpackung waren vorteilhaft arrangierte Gerichte zu sehen. Alles war so, wie es sich Vater immer gewünscht hatte. Ich legte ein paar tiefgekühlte Fertiggerichte in meinen Einkaufswagen.

8. Kapitel

Broccoli
Gefrierpunkt: –1,83 bis –1,45 °C; im Mittel –1,56 °C

Es ist mir ein Rätsel, wie Vater ohne konstante Zufuhr von Energie einfrieren konnte. Immer, wenn ich vergesse, daß ich die Küche eigentlich nicht betreten will, weil mich die Truhe daran erinnert, daß ich das alles nicht geträumt habe, verfalle ich ins Grübeln. Der Dekkel ist immer noch mit Gummilösung festgeklebt. Ich versuche mir einzubilden, daß ich auf eine meiner blöden Phantasien hineingefallen bin und sie leer ist. Als ich aus der Kaufhalle kam, war ich nahe dran, die Truhe zu öffnen. Ich habe die Lebensmittel, deren Verfallsdatum überschritten war, aus dem Gefrierfach entfernt und in den Abfalleimer geworfen. Nach zwei Stunden roch es in der Küche nach einer Mischung aus Kältemittel und verdorbenem Essen. Ich stapelte die neuen Produkte aus dem SUPER-Markt in das Gefrierfach, aber soviel ich auch umschichtete, es paßte nicht alles hinein. Entweder hielt ich die Pizza in der Hand oder die gefrorenen Broccoli. Ich überlegte, ob ich die Pizza nicht in die Truhe legen sollte. Ich holte ein Küchenmesser aus dem Kasten und fing an, die Dichtung vom Truhenrand zu lösen, aber als ich die Hälfte geschafft hatte, wurde mir mulmig. Ich wollte nicht in die Truhe sehen. Manchmal denke ich, ich hätte Vater lieber im Abstellraum lassen sollen.

Mit Drücken und Schieben habe ich Pizza und Broccoli doch noch im Gefrierfach untergebracht. Nur die Klappe ging nicht mehr zu und drückte auf die Tür des Kühlschrankes, die von alleine aufging. Ich habe sie mit Großvaters Ankerplast-Beständen verklebt, die ich in einem Karton im Schlafzimmerschrank fand.

Ich habe in diversen von meinem Großvater hinterlassenen Büchern über Kältetechnik geblättert, aber selbst in dem Buch über Gefrierkonservierung, das mein Vater 1968 verfaßt hatte, konnte ich nichts finden, was dem Gefriervorgang, dem Vater sich unterworfen hatte, auch nur nahekam. Physikalisch ist es unmöglich, daß ein Mensch sich in eine abgetaute Kühltruhe, die nicht mit dem Stromnetz verbunden ist, legt und einfriert. Gleich im ersten Kapitel las ich, daß das Erzeugen von Kälte dem Vorgang des Wärmeentzugs äquivalent ist. »Nach dem 2. Hauptsatz der Thermodynamik ist es jedoch nicht möglich, daß Wärme von selbst von einem Körper niedriger Temperatur auf einen Körper höherer Temperatur übergeht. Für einen derartigen Vorgang, die Kälteerzeugung, ist es notwendig, Energie aufzuwenden. Ein Temperaturunterschied zwischen zwei Körpern, die Grundbedingung für den Wärmetransport, wird mit Kompressionskälteanlagen und Absorptionskälteanlagen erreicht.« Diese Truhe ist eindeutig eine Kompressionskälteanlage, die aber nicht durch einen Stecker mit dem Stromkreis verbunden ist. Offensichtlich hat auch kein verfestigtes Kohlendioxid zum Gefriervorgang beigetragen, sonst hätte ich mir, als ich Vaters Gesicht berührte, sofort meine Fingerspitzen verbrannt. Der Vorgang bleibt mir schleierhaft, er ist mir hochgradig unheimlich. Ich habe das Thermometer aus dem Gefrierschrank meiner Großmutter geholt, einen Bindfaden daran befestigt und es an der Seite durch den Schlitz zwischen Deckel und Truhe geschoben. Nach einer Stunde habe ich es wieder herausgeholt. Im Truheninneren sind genau –18 Grad, genausoviel, wie die Kühlkette verlangt. Vater ist eben ein furchtbarer Pedant. Ich krame in meinem Kopf, was ich noch über Thermodynamik weiß. Vater hatte es mir hunderte Male zu erklären versucht. »Also der 1. Hauptsatz der Thermodynamik besagt, daß die Gesamtenergie eines abgeschlossenen Systems immer gleich bleibt. Im 2. Hauptsatz der Thermodynamik heißt es: Die Gesamtentropie eines geschlossenen Systems kann niemals abnehmen. Und der 3. Hauptsatz der Thermodynamik lautet: Ein System läßt sich nicht in endlich vielen kleinen Schritten auf den absoluten Nullpunkt abkühlen.« Weil ich es nicht verstand, hatte er es für mich etwas umgangssprachlicher formuliert. »Der erste heißt: Du kannst nicht gewinnen, der zweite: Die Chancen sind nicht gleich verteilt, und der dritte bedeutet: Du kannst nicht aussteigen aus dem Spiel!«

Vater will offensichtlich den dritten Hauptsatz widerlegen, denn wieso liegt er sonst so gekrümmt in der Truhe und kümmert sich um nichts mehr? Es mußte doch irgendeinen Sinn haben! Er ist schließlich Naturwissenschaftler.

Die einzige, die ich kenne und die etwas vom Thema versteht, ist Luise Gladbeck, Vaters Kollegin. Sie hat dreißig Jahre nichts anderes gemacht, als die Zusammenhänge der Kühlkette zu erforschen. Sie kann mir bestimmt sagen, ob die Hauptsätze der Thermodynamik schon widerlegt sind. Aber was soll ich ihr sagen, wenn sie nach meinem Vater fragt? Sie kann ich nun wirklich nicht mit der Lüge abspeisen, mein Vater sei auf Expedition in Grönland. Wenn ich es mir recht überlege, muß Luise Gladbeck eine der letzten gewesen sein, die Vater gesehen hat. Schließlich haben sie in einem Zimmer gearbeitet. Vielleicht weiß sie, was mit Vater passiert ist, war vielleicht sogar dabei, als er sich in die Truhe legte. Ich suche ihre Nummer aus dem Telefonbuch heraus. Als Großmutter schläft, schleiche ich mich aus der Wohnung. Aber bei Luise Gladbeck nimmt niemand ab.

Als ich zurückkomme, fällt mir auf, daß Großmutters Briefkasten überquillt. Die Stadtzeitung heißt immer noch »Volksstimme«, nur die Unterzeile »Organ der Bezirksleitung der SED« ist durch »unabhängig – überparteilich – gegründet 1890« ersetzt. Ein paar Ausgaben fehlen, wahrscheinlich hat sie jemand aus dem Briefkastenschlitz gezogen. Die letzte ist vom 9. Dezember. Das muß heute sein.

Mir sind die Namen unbekannt, die an den anderen Briefkästen stehen. Die Leute müssen hergezogen sein zu einer Zeit, als ich Großmutter nicht mehr oft besuchte. Eine Nachbarin nach der anderen war gestorben. Ihre Männer hatte ich als Kind kaum wahrgenommen. Es waren mürrisch schlurfende Gestalten, die nach unten sahen, wenn sie mit ihren alten Aktentaschen die Treppen hochkamen. Offensichtlich waren sie nur auf der Welt, um zur Arbeit zu gehen und sich danach in der Wohnung aufzuhalten, und als sie Rentner wurden, gingen sie gar nicht mehr raus, bis sie vom Schlag getroffen wurden oder ihr Herz einfach stehenblieb. Als ich auf dem Treppenabsatz angelangt bin, geht die Tür der Nebenwohnung auf und eine Frau, vielleicht Anfang 30, steckt ihren Kopf heraus. »Haben Sie eine Zuweisung?« fragt sie mich. Ich bin etwas irritiert. »Wir hatten uns für die Wohnung beworben. Mein Mann hat Anspruch auf ein Arbeitszimmer.«

Ich lasse sie ein bißchen zappeln. »Heutzutage nimmt man sich die Wohnungen, die man braucht«, sage ich und schließe die Tür auf. »Was«, sagt sie, »Sie haben die Wohnung besetzt?«

Besetzt dehnt sie, soweit das bei dem Wort überhaupt möglich ist.

»War nur ein Spaß«, sage ich, »meine Großmutter lebt übrigens noch und hat einen Mietvertrag von 1952.«

»Entschuldigung, ich habe mich schon gewundert. Da hätte ja auch jemand die Möbel herausholen müssen.« Ich will schon die Tür hinter mir schließen, als sie noch einmal den Kopf aus der Tür steckt und sagt: »Übrigens haben wir die Feuerwehr geholt, als Ihre Großmutter hier an der Tür gekratzt und gewimmert hat. Sie hätten sich auch etwas früher um die alte Frau kümmern können. Sie konnte ja noch nicht mal mehr alleine zum Briefkasten gehen.« Dann knallt sie die Tür zu.

Großmutter ist in meiner Abwesenheit zum Glück nicht aufgewacht. Ich sehe die Zeitungen durch. Ich weiß überhaupt nicht, was in den letzten Tagen passiert ist. Irgend jemand muß Großmutters Antenne geklaut haben, denn sowohl im Radio als auch im Fernsehen ist nur ein Rauschen.

Früher quoll unser Briefkasten täglich über von Zeitungen. Das »Bauernecho«, das »Sportecho«, die »Volksstimme«, das »Neue Deutschland«, die »Junge Welt«, und das Tolle war: In jeder stand das gleiche drin, nur im »Bauernecho« wurden die Ertragsrekorde der Ernteschlacht noch ein wenig detaillierter beschrieben. Vater hatte es abonniert, weil er Mitglied der Bauernpartei war. Er holte die fünf Tageszeitungen aus dem Kasten und verschwand hinter einer Wand aus Papier, hinter der er nicht gestört werden wollte. Er las immer von hinten nach vorne, weswegen er auch keine Bücher lesen konnte. Einen Krimi hinten anzufangen, hatte schließlich keinen Sinn. Ab und zu kam eine Hand hinter der Wand hervor und nahm die Tasse mit dem Kaffee. Einmal stellte ich, um ihn zu ärgern, eine Tasse mit Kräuterlikör an die Stelle des Kaffees. Aber selbst das brachte ihn nur kurz aus der Fassung.

Ich suche nach den Lottoergebnissen der letzten Ziehung. Vielleicht hat Großmutter ja einen Sechser gewonnen.

Aber nicht eine Zahl stimmt mit ihren überein. Wahrscheinlich hat sie auch zum ersten Mal in ihrem Erwachsenenleben den Tipschein nicht abgeben können.

Sie spielte seit ihrer Lehrzeit jede Woche Lotto. Und zwar alles, was es gab. Sie tippte immer dieselben Zahlen, weshalb sie auch nie aufhören konnte. »Stell dir vor, ich nehme Zahlenlotto nicht mehr. Und dann bemerke ich eine Woche später, daß 18, 13, 20, 14, 1 und 2 gezogen wurden – ich würde auf der Stelle tot umfallen.« Nach der Währungsunion hatte sie sich die Mühe gemacht, ihr Fazit aus sechzig Jahren Lottoleben zu ziehen. 70000 Mark Einsatz in verschiedenen Währungen standen 2000 Mark Gewinn gegenüber. Großmutter hatte geseufzt und gesagt: »Eigentlich sollte man solche Rechnungen nicht anstellen. Das bringt nichts. Aber vielleicht wird's ja noch was bis zu meinem Tod. Aber wenn ich es mir recht überlege, bringen Lottogewinne nur Unglück. Denk mal an Müllers, die sind auch nicht glücklich geworden.« Müllers hatten im Nebenhaus gewohnt und waren bis zu ihrem Lottogewinn nicht weiter aufgefallen. Sie war Abwäscherin und er Gefängniswärter. Sie waren die einzigen unter Großmutters Bekannten, die einen Fünfer im Telelotto gewonnen hatten. Wie gebannt hatten sie nach dem dritten Treffer vor dem Fernseher gesessen und die zu den Zahlen gehörenden Ausschnitte aus Unterhaltungssendungen des DDR-Fernsehens ansehen müssen. Einen Schlager von Hauff & Henkler, eine Tanzeinlage des Fernsehballetts, und als schließlich auch noch der Sketch von Herricht & Preil zur richtigen letzten Nummer gehörte, erhob sich Herr Müller aus dem Fernsehsessel und schrie aus dem Fenster, daß es die ganze Straße hören konnte: »Wir haben einen Fünfer. Ich kündige.« Großmutter war mal wieder leer ausgegangen. Müller blieb dann aber trotz Lottogewinn Gefängniswärter. Auch seine Frau mußte weiter abwaschen gehen. Denn an diesem Wochenende hatten sehr viele DDR-Bürger im Telelotto gewonnen. Für einen Abend stieg der Neid auf Familie Müller in der Straße ins Unermeßliche, aber nachdem die Gewinnquote in der »Volksstimme« bekanntgegeben worden war und nicht mehr heraussprang als ein gebrauchter Saporoshez, schlug der Neid in Ärger um, denn immer wenn der Gefängniswärter morgens um halb sechs zur Arbeit fuhr, hörte sich das an, als würden drei Traktoren gleichzeitig die Straße umpflügen.

Viel Neues erfahre ich nicht aus der Zeitung. Daß Honeckers Jagdautos versteigert werden, ist einen ganzen Artikel wert. *Der Range Rover aus dem Jahre 1982 hat laut Tacho nur 20500 Kilometer auf dem Buckel. Er wurde vor der Hinterachse zerschnitten und um einen halben Meter verlängert, um den ursprünglich festen Aufbau durch das elektrisch-hydraulische Rollce-Royce-Verdeck zu ersetzen. 1985 soll Honecker mit diesem Range Rover, den er selbst gefahren hat, einen Unfall gehabt haben, notierten sich die Versteigerer. Ein Mercedes-Benz 280 GE* wurde mit einem Überrollbügel, einem abnehmbaren Verdeck und einem *›Gitter zur Aufnahme von Wildbret‹ ausgestattet. Das 83er Modell mit einem Tachostand von 11000 Kilometern wurde außerdem mit Trittbrettern versehen, wohl um den Einstieg zu erleichtern. Weidmann Honecker soll noch im November 1989 mit den Wagen durch die Schorfheide gekurvt sein.* Ich erinnere mich noch an den Tag, als Großvater morgens abgeholt worden war. Zwei Männer in langen Mänteln standen vor der Tür, und Großmutter wurde abwechselnd blass und rot. Großvater sagte: »Ich gehe nicht mit, wenn Sie mir nicht sagen, worum es geht«, und die Herren hielten einen Zettel hoch. Großvater fragte: »Soll das ein Befehl sein?«, und die Männer nickten. Großvater rief: »Elschen, pack die Zahnbürste ein.« Großmutter lief zitternd ins Badezimmer, und Großvater setzte seine Baskenmütze auf und nahm den Stock von der Garderobe. Er strich mir übers Haar und sagte: »Morgen bin ich wieder da.« Als er weg war, machte Großmutter ein großes Feuer im Ofen. Sie nahm Bücher aus dem Regal und stopfte sie hinein, bis es qualmte. Dann griff sie in das unterste Schreibtischfach und verbrannte Stapel von Papier, bis das Zimmer so voller Rauch war, daß wir das Fenster öffnen mußten. Als der Rauch verflogen war, stand Großvater schon wieder in der Tür. Sie hatten ihn in einen Wald bei Berlin gefahren. Sie führten ihn auf eine Lichtung und sagten nur: »Hier baust du binnen eines Jahres ein Kühlhaus hin. Das ist ein Parteiauftrag.« Großvater fragte, was ein Kühlhaus mitten im Wald soll. Sie sagten, das sei für das erlegte Wild. Um die Baumaterialien brauche er sich keine Sorgen machen. Es sei alles vorbereitet. Großvater tat, was ihm befohlen wurde.

In der Zeitung vom 28. November finde ich endlich einen Artikel, der im Zusammenhang mit Vaters Zustand zu stehen scheint.

AUS FÜR AGRARFORSCHUNG BESIEGELT – »TOTALE ABWICKLUNG« INS BODENLOSE

Von 21 Institutionen bleiben lediglich drei – Perspektive: Arbeitslos

Am Dienstagvormittag noch druckste die Landwirtschaftsministerin vor mehreren hundert Agrarforschern herum: Sie werde dem Kabinett ein Konzept für die Zukunft der Agrarforschung vorlegen. Erläutern werde sie es erst, wenn es im Kabinett bestätigt sei.

Die Protestierenden waren längst wieder zu Haus, da wurde sie vor der Presse konkret: Es werde in Zukunft nur noch drei Agrarlehr- und Versuchsanstalten geben.

Damit folge das Land einer Empfehlung des Wissenschaftsrates, der eine Quote von 270 Wissenschaftlern in der außeruniversitären Agrarforschung des Landes empfohlen hatte. Außerdem beteilige sich das Land an zwei Mehrländerforschungseinrichtungen in Brandenburg und Berlin.

Damit wurden selbst die schlimmsten Befürchtungen der Demonstranten übertroffen. Die meisten der 5200 Mitarbeiter in 21 vorwiegend traditionsreichen Agrarforschungseinrichtungen werden zum 31. Dezember entlassen. Für die ab Januar Arbeitslosen gibt es bislang keine Sozialpläne und keine Umschulungsangebote.

Vater hat sich eingefroren, aber was haben die gemacht, die in der Schlacht- oder Genforschung beschäftigt waren? Ich schneide den

Artikel aus und suche weiter. Die meisten Ausgaben beschäftigen sich mit dem Schicksal der Sowjetunion, mit Drogentoten oder damit, daß eine Französin ihren toten Freund heiraten durfte. Ich erfahre, daß es auf das altehrwürdige Prag Kondome regnete und daß ein hochverschuldeter Bankkaufmann in Nürnberg seine Frau durch eine Briefbombe töten wollte. Zwölf deutsche Wissenschaftler sind gestern zur Erkundung der Ozonschicht in die Arktis abgeflogen. Vielleicht hätte ich statt Grönland lieber Arktis sagen sollen, dann wüßte Frau Deutschmann jetzt ganz sicher, daß ich die Wahrheit gesagt habe, schließlich wurde es in der Zeitung bestätigt.

In der Ausgabe vom 5. Dezember finde ich einen weiteren Bericht zur Abwicklung der Agrarforschung. Führende Mitarbeiter der Forschungseinrichtungen beschweren sich darüber, daß mit den Instituten jegliche DDR-Identität verschwinde. Eigentlich gehe es nur um das Ausschalten der Ostkonkurrenz. *All jene Forscher, Sekretärinnen, Assistenten und Gärtner, die zu Neujahr in die Arbeitslosigkeit rutschen, erinnern sich unter Garantie an den Trost, den der Ministerpräsident vor vier Wochen für die Agrarforscher fand: »Seid fröhlich in der Hoffnung und geduldig in der Bedrängnis. Sie empfinden ihn jetzt erst recht als zynisch.«* Vater scheint den Spruch beherzigt zu haben. Unendlich geduldig liegt er in seiner Kühltruhe. Unglücklich hat er auch nicht ausgesehen. Aber warum sollte er ausgerechnet das tun, was ein CDU-Mann ihm nahegelegt hatte? Vaters Haß auf die SED hatte sich nach der Wende nahtlos auf die CDU übertragen, die seine geliebte Bauernpartei einfach geschluckt hatte, ohne ihn zu fragen. Vater hatte seinem letzten Vorsitzenden einen geharnischten Brief geschrieben. Es war viel von Verrat die Rede gewesen und davon, daß Vater diesen Schritt nicht mitgehen könne. Er wolle sich nicht an den Hals der nächsten Regierungspartei werfen. Aber sein Vorsitzender hatte nicht einmal geantwortet. Offensichtlich hatte er von dem Parteibauern Kobe, der in der Stadt dreißig Jahre zum Wohle der Partei gewirkt hatte, nie etwas gehört. Dabei hatte Vater seine Tätigkeit immer sehr ernst genommen.

9. Kapitel

Brot, gefrorenes

Bei –24 °C nimmt das Brot einen altbackenen Geschmack an, der nach vier Tagen wieder verschwindet. Nach einer weiteren Lagerdauer von 60 bis 70 Tagen bei derselben Temperatur erscheint der frische Geschmack wieder und das Brot bleibt 20 Tage lang frisch und ist 40 Tage lang verkaufsfähig. Dieser Effekt wird bei noch tieferen Temperaturen noch besser. Bei höheren Temperaturen ist die Wirkung geringer. So bleibt das Brot, das bei –11 °C den frischen Geschmack wieder angenommen hat, nur drei Tage lang gut.

Seitdem ich denken konnte, war Vater Abgeordneter der Insel für das Stadtparlament. Bei jeder Kommunalwahl hing sein Foto, das ihn vom Kopf bis zum Revers zeigte, im Fleischladen. Mit etwas Anstrengung konnte man das kleine Parteiabzeichen erkennen, auf dem keine verschlungenen Hände, sondern Kornähren abgebildet waren. Ich fand, daß die Person auf dem Foto der, die ich kannte, nicht sehr ähnlich war. So ernst und verbissen schaute er zu Hause nur, wenn Rot Weiß Erfurt verloren hatte. Wir mußten uns für diese Zeit mit den eingefrorenen Fleischvorräten und dem immergleichen Edamerkäse aus dem Milchladen begnügen, denn keiner von uns hatte Lust, für das stundenlange Anstehen verantwortlich gemacht zu werden. Schließlich war Vater seit zwei Wahlperioden für das Ressort Handel und Versorgung zuständig, und das stand auch noch groß auf dem Plakat. Zwar war es ihm nach vier Jahren gelungen, auf der Insel ein Geschäft für Obst, Gemüse und Speisekartoffeln einzurichten, aber mehr als Kartoffeln und Sellerie, den man wegen des Drecks, der an der Knolle war, nicht von roter Beete unterscheiden konnte, gab es da nicht. Es war ihm noch nicht einmal gelungen, eine seiner geliebten Kühltruhen zu besorgen, weshalb die Kinder der Insel im Sommer immer noch das bakterienbehaftete Eis von der Bude an der Brücke essen mußten. Kam ich dann doch einmal aus Versehen an der Schlange vorm Fleischer vorbei, wurde ich gefragt, warum man einen Politiker bei der Bauernpartei auf der Insel brauche, schließlich gäbe es hier weder Schweine noch Felder. Wir tauchten also für vier Wochen ab aus dem öffentlichen Leben, bis schließlich der Wahlsonntag heran war. Dann saß Vater den ganzen Tag im Wahllokal, zu dem man die Schifferkneipe gemacht hatte, indem man eine DDR-Fahne über den Stammtisch gelegt hatte, und kochte Kaffee für die Wahlhelferinnen von der Volkssolidarität. Trudchen Richter vom Inselfrauenbund brachte russischen Zupfkuchen mit, den sie sowjetischen Zupfkuchen nannte. Der einzige, der meinem Vater aus ideologischen Gründen nicht paßte, war der dicke FDJ-Sekretär Kawutzke, der den Frieden störte, weil er die Leute, die ihren Ausweis vergessen hatten, immer anbrüllte. Dabei kannte hier jeder jeden. Selbst Trudchen Richter mußte noch mal in die Schiffstraße und den Ausweis holen, weil Kawutzke meinte, da könne ja jede kommen und sagen, daß sie Trudchen Richter heißt. Das Blauhemd, wie Vater den Dicken für sich nannte, kannte keine Gnade, und Vater hätte ihn am liebsten des demokratischen Blockes verwiesen, genauso wie den Kandidaten der SED, der sich vor jeder Arbeit drückte. Zu allem Überfluß stolperte auch noch Horst Arno wutentbrannt ins Wahllokal, das in seiner sonstigen Bestimmung als Kneipe sein zweites Zuhause war, denn Arnos lebten zu zwölft in vier Zimmern. Wenn der Hort um vier schloß, wußte Arno zu Hause nicht, wohin mit den Beinen, deshalb nannte er es auch immer Beine-ausstrecken-Gehen, wenn er die Jacke nahm und sich in die Schifferkneipe verzog.

»Kobe«, sagte er, als er hereinkam, »des hätt'n wa uns sporn könn mit die Eingabe an'n Könich. Wir sin' endvorsorcht.« Vater hatte ihm in seinem Abgeordnetenbüro eine vollendet devote Eingabe an den Staatsratsvorsitzenden formuliert, weil Arnos zu Hause keine Schreibmaschine hatten und Horst überhaupt lieber auf den Tisch haute, als Bittbriefe zu schreiben. Schließlich war er Bauarbeiter und nicht Schriftsteller. Vater schrieb überaus gerne an den Staatsratsvorsitzenden, weil er wußte, daß die Macht von oben kam und es sinnlos war, sich bei der HO über die HO zu beschweren und bei Wohnungsproblemen bei der Wohnungsverwaltung. »Sehr geehrter Genosse Staatsratsvorsitzender«, hatte er im Falle Arno geschrieben. »Nee«, hatte Arno gleich reingeredet, »des is nich mein Jenosse, und mein sehr geehrter Jenosse erst recht nich«, aber Vater hatte ihn überzeugt, daß der Staatsratsvorsitzende nur diese Anrede und keine andere gelten lassen würde.

»Und was wollen Sie ihm sagen?« fragte Vater.

»Schreib auf, wie das ist mit zehn Kindern, von denen die drei ältesten ihre Freundinnen mitbringen, und ich, wenn ich von Arbeet komme, nich mehr weiß, wo ich meine Beene hintun soll.« Und Vater schrieb: »Meine Familie ist die kinderreichste im gesamten Stadtbezirk Ost. Ich habe zehn Kinder im Alter zwischen vier und siebzehn Jahren, die alle noch zu Hause wohnen.«

»Willste nich noch die Namen uffzähl'n?« Horst Arno war stolz, daß es ihm gelungen war, allen zehn Kindern italienische Namen zu geben. Die Geschwister Arno sahen auch wirklich alle, bis auf die drittletzte, italienisch aus. Enza war blond und somit ein bißchen aus der Art geschlagen, aber Horst Arno hatte sämtliche Sticheleien seine Vaterschaft betreffend mit saftigen Schlägen beantwortet. Horst Arno war breit wie eine Schrankwand aus dem MDW-Programm, nur nicht so wackelig und aus richtigem Holz, und es gab einige krumme Nasen, die Arnos Handschrift trugen.

»Namen tun nichts zur Sache«, sagte Vater, »dem Staatsratsvorsitzenden genügt Ihr Wohnungsproblem.«

»Najut, denn lass'n wer das, schreib was von de Wohnung.« Vater kannte die Wohnung gut, weil er jedes Jahr zu Weihnachten die Gutscheine für kinderreiche Familien bei Arnos vorbeibrachte, mit denen sie sich einen Sonnabend vor Weihnachten im Kinderkaufhaus neu einkleiden konnten. Hinterher rotteten sich die Arno-Kinder zusammen, um den Kindern mit Westverwandtschaft Dreiangel in die echten Jeans zu reißen. So nämlich konnten sie beweisen, daß das West-Zeug auch nicht robuster war als ihre Hosen aus dem Kinderkaufhaus.

»Wir wohnen seit zehn Jahren in einer Vierraumwohnung, deren Standard in keiner Weise dem auf dem VIII. Parteitag beschlossenen Wohnungsbauprogramm entspricht, da sich die Toilette auf halber Treppe befindet und unsere Familie über kein Bad verfügt. Die Räume sind feucht, die Öfen verrottet, und in das Wohnzimmer regnet es hinein, weil das Dach seit Jahren undicht ist. Die Kinder erkranken deswegen häufig an Bronchitis«, schrieb Vater.

»Meine Kinder sind alle jesunt«, brauste Horst Arno auf. »Es ist besser, wenn wir das schreiben, dann hat er vielleicht Mitleid«, versuchte Vater ihn zu beruhigen.

»Nee, des schreibste nich. Ich will mir nich sag'n lass'n, daß wir unjesunt leb'n, bloß weil wa so ville sind!« Und Vater strich die Erkältungskrankheiten wieder, ängstlich bedacht, den Stolz des Patriarchen nicht zu verletzen. »Auf achtzig Quadratmetern müssen zwölf Menschen leben, deren individuelle Entfaltung in keiner Weise gegeben ist.«

»Was meinst'n mit indevideeller Entfaltung?«

»Naja, daß Sie zum Beispiel Ihre Beine nicht ausstrecken können.«

»Kannste det nich uff Deutsch schreiben?«

»Eine gewisse Form sollte das alles doch haben.«

»Is jut«, sagte Horst Arno, »Hauptsache, ich kriege 'ne neue Wohnung, aber nur auf de Insel un nich in so'n Neubaugebiet. Vielleicht erinnert sich der Herr Staatsratsvorsitzende ja noch dran, daß mein Drittjüngster sein Patenkind ist.«

»Eine gute Idee«, sagte Vater und bat auch im Namen des Patenkindes.

»Kannsten auch jerne ßu uns nach Hause inladen.« Und Vater schrieb: »Sie können sich auch gerne einmal selbst von den schwierigen Lebensumständen Ihres Patenkindes überzeugen.«

Nach vier Wochen kam eine vorgedruckte Antwort aus dem Büro des Staatsratsvorsitzenden, in der stand, daß man die Eingabe des Bürgers Arno an die zuständigen örtlichen Organe weitergeleitet habe. Und die eben hielten Arnos für endversorgt, zumal damit zu rechnen war, daß das eine oder andere ältere Kind mit Eintreten der Volljährigkeit heiraten würde.

»Die Patenonkelurkunde kann sich dein Staatsratsvorsitzender an'n Arsch kleben, kanns ihn bestellen!« schrie Arno. »Und als nästes schreibste mein' Ausreiseantrag. Und außerdem tu ich heute überhaupt nich wähl'n.«

»Herr Arno, wir haben immer noch die Möglichkeit, Beschwerde einzulegen«, beschwichtigte Vater.

»An'n lieben Jott oder was?« fragte Horst Arno und boxte in die Luft, daß Trudchen Richter erschrocken mit ihrem Stuhl zurückwich, das Gleichgewicht verlor und beinahe die Fahne vom Tisch gezogen hätte. Horst Arno beruhigte sich augenblicklich. »Na gut, wir woll'n mal nich so sein, weil de dir so 'ne Mühe jejeben hast, wähl' ich dir, aber nur dir«, sagte er zu Vater. Er borgte sich bei Trudchen Richter einen Stift, um alle Kandidaten außer Vater auszustreichen. Da die nur einen harten Bleistift und Horst Arno wenig Erfahrung im Umgang mit Schreibwerkzeugen hatte, war seine Stimme am Ende ungültig, denn die harte Spitze beschädigte den Wahlzettel an zwei Stellen. Das Wahlkomitee konnte aufatmen. Wie hätte das auch ausgesehen: Gegenstimmen auf der Insel.

Gegen Abend nahm Vater die fliegende Wahlurne und führte Kawutzke und mich zu den dunkelsten Höfen der Wasserstraße, wo Kawutzke noch nie gewesen war, der es überhaupt für ein Zeichen von Feindseligkeit ihm gegenüber hielt, daß ausgerechnet er Kandidat auf dieser verlotterten Insel werden mußte. Weil er sich schließlich weigerte, den zweiten Hinterhof zu betreten, auf dem es stank wie im Klärwerk, sagte Vater kurzerhand: »Dann bleibste eben unten und wartest, ich schaff' das auch alleine.« Wir atmeten beide auf, als Kawutzke sich unter die Laterne stellte und eine Zigarette aus der Brusttasche des Blauhemdes zog. Ich, weil Kawutzke so entsetzlich nach einer Mischung aus Bier, Florena-Rasierwasser und Schweiß stank, und Vater, weil er wußte, daß er mit einem Typen in FDJ-Hemd keine müde Stimme mehr bekommen würde.

Bei Schwenzke, dem Alkoholiker, machte niemand auf, wahrscheinlich saß er mal wieder im Knast oder gammelte in der Gegend rum, und so durfte ich in die Liste das Wort »abwesend« schreiben. Nur in der obersten Etage war Lärm. Da wohnte Elvira Kamin, für die ich persönlich die Patenschaft übernommen hatte, damit sie nicht auf die schiefe Bahn gerate. Sie war inzwischen die erfolgreichste Beitragskassiererin der Schule, aber mir war zu Ohren gekommen, daß sie unter Androhung von Schlägen den Pionierbeitrag eintrieb. Irgendwie wurde sie wohl im Moment unserer Ankunft selber gerade verprügelt, denn hinter der Tür war das Geschrei der Mutter zu hören: »Hau doch die Elvira nich so doll, was kann denn das Kind dafür, daß de de Flasche uff halbacht uffn Tisch stellst.« Elvira, flink wie immer, war als erste an der Tür, als wir klopften.

»Die Kobe mit ihr'n Ollen is da«, rief sie erleichtert, weil sie wußte, daß ihre Eltern jetzt abgelenkt werden würden. »Was woll'n die?« lallte der Vater aus der Küche.

»Ich komme vom Wahlbüro«, sagte Vater freundlich. Elviras Mutter wischte sich die Finger an der Kittelschürze ab und fragte etwas begriffsstutzig: »Von was komm' Sie?«

»Heute war Kommunalwahl, wie Sie sicher aus den Massenmedien und aus Ihrer Post ersehen konnten.«

»Was Se nich sagen, nee, ham wa nich jehört. Wissen Se, unsere Jeräte sin kaputt und Postkasten ham wa schon lange nich mehr.«

»Hat es denn mit Ihrer Wohnung nun geklappt, Frau Kamin?«

»Ich hör hier immer Wohnung. Ins letzte Schließfach wollten se uns verfrachten, da ham wa jesagt, nee.«

»Na, dann kommen Sie doch mal in meine Donnerstagssprechstunde«, säuselte Vater, »vielleicht läßt sich mit einer Eingabe noch etwas tun.« Er schob Frau Kamin den Zettel rüber.

»Schmeißen Se mal rein«, sagte Vater leutselig, obwohl ihm der hiesige Dialekt etwas schräg über die Lippen kam. Frau Kamin warf den Zettel unbesehen in die Urne. »Und Ihr Mann?« fragte Vater. »Mein Mann kann nich uffstehn, iss heute über ne kaputte Flasche jestolpert, und rinlassen möcht ich Se ooch nich, ich bin grad beim Aufräumen. Herbert«, schrie sie, »biste dafür?«

»Für was?«

»Für Politick un so was?«

»Leck mich am Arsch mit deine Politick un bring mir'n Bier.«

»Is ooch dafür«, sagte die Mutter von Elvira, »jeb'n Se mal'n Zettel, eh er'n zerreißt, is nemlich kein Bier mehr im Haus, weil de Schifferkneipe heute zu iss.« Sie steckte den Zettel in die Urne, bevor Vater Einspruch erheben konnte. »Nischt für unjut, un ich komm mal nächsten Donnerstag, aber jetz hab'ch zu tun, Sie hörn ja.« Im Hintergrund lallte Elviras Vater. »Was machst'n da so lange mit den Wahlvogel rum. Wennste nich gleich kommst, biste dran.« Elvira, die die ganze Zeit hinter der Tür gestanden hatte, grinste noch etwas verlegen und schmiß die Tür so heftig zu, daß der Kalk aus der Füllung rieselte und Vaters guten Anzug einstaubte.

»Wehe, du sagst irgend jemandem, daß der Vater deiner Mitschülerin den Zettel nicht selbst in die Urne geworfen hat. Vor allem nicht Kawutzke«, drohte Vater. Ich gab mein Ehrenwort.

»Hat ja lange gedauert«, meinte Kawutzke, als wir uns endlich wieder auf die Straße getastet hatten.

Wir gingen zum Altersheim in der Lindenstraße, wo es nicht lange dauerte, weil die Schwestern den alten Männern und Frauen die zitternden Hände festhielten, damit sie den Schlitz der Urne nicht verfehlten. Dann klapperten wir noch ein paar andere dunkle Orte ab, einer schmiß uns mit dem Wahlzettel eine Bierflasche der DIAMANT-Brauerei hinterher, eine Frau in Hausschuhen meinte, sie sei sowieso bald selbst in der Urne, aber am Ende hatte Vater alle Stimmen zusammen, bis auf die der Gammler, die Gesprächsthema in jedem Laden waren. Sie spielten bis nachts um vier Westplatten ab, und man erzählte sich, daß manchmal mehr als fünfzig Leute in der Wohnung seien, die mit freiem Oberkörper nach Negermusik tanzen würden.

»Eine lohnende Aufgabe für Sie, Herr Kawutzke«, sagte Vater, »die sind noch im FDJ-Alter, vielleicht läßt sich ja mit Ihrer Initiative ein Jugendklub auf der Insel ausbauen. Genügend leere Läden gibt es ja.« Aber Kawutzke winkte nur ab, und ich sah genau, daß er Angst hatte. Und so liefen wieder wir beide in die vierte Etage.

»Daß die Nichtwähler auch immer ganz oben wohnen müssen und immer auf dem letzten Hinterhof«, sagte Vater, »ein Glück, daß wir so gut durchtrainiert sind.« Hinter der Wohnungstür waren komische Geräusche zu hören, so als ob Schweine grunzten und quiekten. Mir fiel dabei das Wort Bauernpartei ein. Vielleicht gab es ja doch verborgene Orte auf der Insel, wo Landwirtschaft betrieben wurde. Ich sah, daß Vater einen Moment zögerte, ehe er sich doch entschied, seiner Pflicht nachzukommen und zu klopfen. Es dauerte eine Weile, ehe jemand zur Tür kam und sie mit einem Ruck aufriß. Vor uns stand ein nackter Mann, dem die Haare bis auf die Brust fielen. Da ich zu klein war, um ihm ins Gesicht zu sehen, fiel mir zuerst sein Schwanz auf, der mir riesig zu sein schien und dessen obere, bläulich schimmernde Spitze fast bis zum Bauchnabel reichte, was ich so noch nie gesehen hatte. In den Aufklärungsbüchern war nicht beschrieben, daß Schwänze aufragen und nicht, wie ich aus den Texten geschlußfolgert hatte, steif herunterhingen, wenn es zum Geschlechtsakt kam, ein Wort, das ich übrigens gar nicht mochte, weil es so technisch wie Kühlanlagenbau klang. Die weit geöffnete Wohnungstür gab rechts und links vom nackten Mann den Blick auf ein Zimmer frei, dessen Boden mit Matratzen ausgelegt war, auf denen zwei nackte Frauen lagen und sich gegenseitig die Brust abschleckten.

»Da staunste, was«, sagte der Mann zu mir, und ich merkte, wie ich sehr rot wurde. »Wir vögeln nämlich gerade. Und was wollt ihr?« Mit belegter Stimme sagte Vater: »Mein Name ist Kobe, ich komme aus dem Wahlbüro, heute war Kommunalwahl«. Ich sah, wie der Schwanz langsam in sich zusammensackte und klein und schrumpelig wurde, bis er herunterhing wie der meines Vaters, wenn er morgens aus dem Bad kam.

»Scheiße«, sagte der Mann, »hab ich ganz vergessen, daß ich heute nicht wählen gehen wollte. Mädels, schrie er in den Raum, der Olle kommt vom Wahlbüro.«

»Und wieso bringt er dann sein Balg mit?« fragte die eine.

»Vielleicht will sie ja auch mal Funktionärin werden und übt schon mal ein bißchen«, sagte der Nackte und grinste mich wieder von oben herab an.

»Danke für Ihren Besuch«, sagte er, »aber wir kaufen nichts.« Dann schmiß er die Tür zu. Vater stand etwas betreten mit der Urne im Treppenflur.

Hinter der Tür war noch ein Kichern zu vernehmen, das sich, bis wir wieder unten waren, zu einem Lachen steigerte. Kawutzke fror inzwischen sehr in seinem Hemd. Auf dem Weg bis zum Wahllokal zerbrach ich mir den Kopf darüber, wie wohl Kawutzkes Schwanz bis zum Nabel aufragen könnte, wenn bei ihm der fette Bauch dazwischen war. Als er sich von uns mit einem zackigen »Freundschaft« verabschiedet hatte, mußte ich meinem Vater das zweite Ehrenwort des Abends geben. Wenn mich jemand fragte, sollte ich sagen, daß bei den Gammlern niemand zu Hause gewesen sei.

Die Insel entschied sich zu 99,7 % für die Kandidaten der Nationalen Front, und Vater konnte die nächsten vier Jahre die Eingaben anderer Leute schreiben.

Sicherlich hatte Vater auch eine Beschwerde gegen die Abwicklung seines Institutes an den Petitionsausschuß des Bundestages gesandt und zur Antwort bekommen, daß der Bundestag für Landesbelange nicht zuständig sei.

Die Zeitung langweilt mich. Ich schaue die Todesanzeigen durch. Schließlich muß ich, wenn Großmutter stirbt, auch eine in die »Volksstimme« setzen. Die Frage ist nur, ob mein Vater in seinem Zustand als Hinterbliebener gilt oder nicht.

Es scheint jetzt Mode zu sein, die Anzeigen mit kleinen Versen einzuleiten.

Tretet her zu meinem Grabe,
stört mich nicht in meiner Ruh'.
Denkt, was ich gelitten habe,
eh' ich schloß die Augen zu.

Großmutter hat nicht gelitten, sieht man mal von den Eskapaden meines Großvaters und vom Tod meines Onkels ab.

Still und einfach war Dein Leben,
oft getrübt durch Leid und Schmerz.
Viel Gutes hast Du uns gegeben,
nun schlafe wohl, geliebtes Herz.

Zu kitschig. Als würde von Großmutter nur das Herz ins Grab gelegt.

Weinet nicht, ich hab's überwunden,
bin befreit von aller Pein
laßt mich jedoch in stillen Stunden
noch in Gedanken bei Euch sein.

Ich sollte mich für etwas Schlichtes entscheiden. Wie die Annonce rechts unten auf der Seite: Todesursache, Name, Lebensdaten, Trauernde und Beerdigungshinweis.

Es dauert eine Weile, bis ich begreife, wessen Tod angezeigt wird:

Durch einen tragischen Unglücksfall starb plötzlich und unerwartet meine liebe Tochter

Dipl. Ing. Luise Gladbeck
geb. 13. 4. 1937
gest. 28. 11. 1991

In stiller Trauer
Anna Gladbeck
Die Trauerfeier findet am 16. Dezember 1991, 14 Uhr, auf dem Westfriedhof statt.

Zweiter Teil

10. Kapitel

Champignon
Vgl. Pilz

Luise Gladbeck liebte nichts mehr als ihre Arbeit. Das Institut war ihre Familie. Ich weiß nicht, ob sie jemals einen Mann hatte. Großvater hatte Luise Gladbeck 1958 in seinem Kälteinstitut eingestellt. Die Plätze dort waren begehrt, und ihre Kommilitonen hatten nicht begreifen können, daß Großvater die einzige Frau des Studienjahres auswählte. Sie waren der Meinung, Frauen taugen nicht für die Naturwissenschaft. Luise hatte diese Einstellung oft genug zu spüren bekommen, wenn die Dozenten für die wichtigen Laborversuche nie sie herangezogen hatten, sondern lieber einen ihrer männlichen Kommilitonen, obwohl der an ihre Fähigkeiten nicht heranreichte. Wenn Luise wenigstens schön gewesen wäre! Aber ihr Gesicht sah immer etwas mißmutig aus, was an den steilen Falten zwischen Mund und Nase lag. Die Kommilitonen machten hinter dem Rükken Luises ihre Scherze, indem sie sich nach ein paar Bieren ausmalten, wie Großvater und sie es im Bett anstellten, so dick wie sie beide waren. Die Vorliebe meines unersättlichen Großvaters für Kolleginnen hatte sich bis in die Fachschule herumgesprochen. Die Leute wußten nicht, daß sich sein Appetit auf Sekretärinnen beschränkte. Später hatte Luise Gladbeck oft geträumt, daß sie das Institut verlassen müsse, um als Laborantin in einer Konservenfabrik zu arbeiten, und jedesmal war sie schweißgebadet aufgewacht.

Ein halbes Jahr vor ihrem Abschluß war sie ins Kälteinstitut gegangen, um bei Großvater vorzusprechen. Sie hatte sich auch von der Sekretärin Ottilie nicht abwimmeln lassen, die etwas aufgebracht in Großvaters Zimmer kam, um ihm mitzuteilen, daß draußen eine Naturwissenschaftlerin säße. »Immer herein mit ihr«, sagte Großvater, und Luise Gladbeck fragte fürs erste vorsichtig nach einem Diplomthema. »Untersuchen Sie die Kühlkette«, schlug ihr Großvater vor. »Und beziehen Sie sie auf die Bedingungen der DDR. Falls Sie Hilfe brauchen, können Sie jederzeit vorbeikommen.«

Luise hatte eigentlich nur ihre Abschlußarbeit über die Kühlkette schreiben wollen, aber nach dreißig Jahren beschäftigte sie sich immer noch mit dem Thema und hatte manchmal das Gefühl, sie sei seit ihrer Studienzeit nicht einen Schritt weitergekommen.

Großvater hatte Luise schließlich eingestellt, weil sie neben ausgezeichneten naturwissenschaftlichen Kenntnissen auch über eine Gabe verfügte, die in diesen Breiten selten war. Sie konnte fließend Englisch sprechen. Trotzdem dauerte es acht Jahre, ehe Großvater gegen alle Bedenken des Ministeriums durchsetzen konnte, daß sie zu einem Kältekongreß nach Italien fahren durfte, obwohl sie weder verheiratet noch Mitglied der Partei war. Wider Erwarten durfte auch mein Vater mitfahren. Großvater konnte das Ministerium davon überzeugen, daß die beiden in der Arbeit unzertrennlich seien, und da Vater mich und Mutter als Pfand in der DDR ließ und Luise Gladbeck wiederum nie einen Schritt ohne meinen Vater tat, war eine Republikflucht nahezu ausgeschlossen.

Überhaupt zeigte sich der Erste Sekretär des ZK der SED nach dem Mauerbau generös und ließ seine Experten in Sachen Wirtschaft um die Welt reisen. Allerdings mußten sie immer eine Fahne der DDR mitführen, um als Delegation des ersten sozialistischen Staates auf deutschem Boden erkennbar zu sein. Und so zogen an einem Frühlingstag des Jahres 1966 zwei Delegationen mit Fahnen in den Festsaal der Universität Bologna ein, die der DDR und die der Union der sozialistischen Sowjetrepubliken, die vor allem aus Frauen mit schlechtsitzenden Kostümen bestand und die selbst die Hinweisschilder der Toiletten auf den Gängen der Universität abschrieben, weil man ihnen den Auftrag gegeben hatte, alles zu notieren, was ihnen in den Weg kam. Da sie aber allesamt kein Italienisch verstanden, war bei der Auswertung zu Hause ein Großteil des Abgeschriebenen wertlos und konnte höchstens noch für die neuen Italienisch-Russisch-Lehrbücher verwendet werden.

Der Reise war eine aufwendige Vorbereitung vorangegangen, denn die DDR war international nicht anerkannt, und für die Einreise in ein NATO-Land brauchten Vater und Luise zwei Pässe, einen in der DDR ausgestellten und einen des amerikanischen Travel-Office, das am Kudamm in Westberlin saß und je nach Lage entschied, wer von den DDR-Bürgern ins westliche Ausland fahren durfte und wer nicht. Vater kannte das bisher nur vom Sport. Mit Unmut hatte er mit ansehen müssen, daß das Travel-Office kurz nach meiner Geburt der DDR-Juniorenfußballmannschaft die Genehmigung für die Reise zum UEFA-Turnier in die Niederlande versagte, obwohl das niederländische Außenministerium die Visa genehmigt hatte. Gegen die Reise der Kältetechniker nach Italien hatte das Travel-Office nichts, und so durfte Vater zusammen mit Luise und den anderen Auserwählten in Ostberlin in einen klapprigen Barkas steigen, dessen Türen von innen nicht zu öffnen waren. Vater interpretierte das als mangelndes Vertrauen seiner eigenen Behörden und wäre am liebsten wieder ausgestiegen, wenn es denn gegangen wäre. Am Checkpoint Charlie zeigte der schweigsame Fahrer einen Passierschein vor, und der Bus wurde durchgewunken. Sie fuhren den Kudamm entlang, Vater das erste Mal, denn er hatte seinen Staat nie hintergehen wollen, als es noch möglich gewesen war, die Sektorengrenzen mit Hilfe der U-Bahn zu überwinden. Er vermutete, der Fahrer, den er für einen zuverlässigen Mitarbeiter der Staatssicherheit hielt, hätte ihnen am liebsten die Augen verbunden, damit sie nicht sähen, was Vater dann mit Gleichmut wahrnahm – daß die Schaufenster entlang der Straße überquollen. Im Travel-Office mußten sie ihre Fingerabdrücke und ein Paßbild hinterlassen. Dann stiegen sie wieder in den Barkas. Alles ging schweigend vor sich, so als wären Luise und er in einem Film, dem der Ton abgedreht worden war. Die Schaufenster verschwanden und machten einer Trümmerlandschaft Platz, schließlich hielten sie an einer halbzerstörten Villa im Tiergarten, hinter der die unkundigen Insassen des Barkas kein Leben vermuteten. Es war das italienische Konsulat. Der Fahrer verteilte die DDR-Pässe, und der italienische Mitarbeiter drückte seinen Stempel hinein.

Die Delegation der Deutschen Demokratischen Republik bestand zur einen Hälfte aus Kälteexperten ohne Parteibuch und zur anderen aus Parteisoldaten. Letztere hatten eine eher ideologische Auffassung von Kälte. Ihrer Meinung nach war die zugegeben verführerische Kälte des Kapitalismus für Leute ohne ausreichendes Bewußtsein, das sich ohnehin nur durch ein Parteibuch beglaubigen ließ, schädlich. Ihnen selbst konnte sie nichts anhaben, denn sie waren durch ihr Bewußtsein, das sie wie ein Pelz umgab, gegen jede Art von Verführung gewappnet. Deshalb mußten Luise Gladbeck und Vater auf der Konferenz den ganzen Tag neben den Russinnen sitzen. Luise Gladbeck übersetzte, und Vater schrieb. Sie trauten sich nicht einen Schritt vor die Tür, denn die Genossen hatten ihnen bei Strafe des Paßentzuges verboten, die Konferenz zu verlassen. So hatte man die Reisespesen für die Experten einsparen können. Die Parteisoldaten genossen indessen die Kälte Roms. Abends ließen sie sich im Hotelzimmer von den beiden die Ergebnisse des Tages vorlesen.

Aber Vater konnte auf die Reisespesen gut verzichten. Großvater hatte ihm vor der Abfahrt ein paar D-Mark in die Tasche geschoben. Er hatte das Geld für seine Artikel über die Schwundverluste von Fleisch beim Gefriervorgang in der Karlsruher Zeitschrift »Die Kälte« verdient. Gegen die Vorschrift, alle Devisen dem Staat zur Verfügung zu stellen, hatte er sie selbst behalten. Großvater fuhr nicht mehr zu Konferenzen, denn er fühlte sich für die Spielchen, die bei solchen Anlässen getrieben wurden, zu alt. Ein paar Jahre früher, auf der Pariser Konferenz der Kälteassoziation, war er als einziger Ostdeutscher angereist, ohne Geld in der Tasche, aber mit einem wissenschaftlichen Vorlauf auf dem Gebiet der Fleischgefrierung. Weil er mit seinem Leibesumfang, seinem guten Anzug und ausgezeichneten Kenntnissen des Französischen eine gewisse Kompetenz ausstrahlte, hielten ihn die französischen Kollegen für den Vertreter Deutschlands und wählten ihn sofort ins Präsidium, was die später eintreffenden Westdeutschen als Ergebnis von Hochstapelei interpretierten. Großvater solle das Präsidium umgehend verlassen, schließlich sei er ein Vertreter des von der Sowjetunion okkupierten Teils Deutschlands. Großvater meinte, sie sollten sich lieber an die eigene Nase fassen und nachzählen, wie viele von ihnen sich vor nicht einmal zwanzig Jahren mit der Konservierung der Lebensmittel des okkupierten Frankreichs beschäftigt hätten, er habe sich im Gegensatz zu ihnen da nichts vorzuwerfen.

Als Großvater am folgenden Tag mit ausgestreckter Hand auf seinen Kollegen Papst aus Karlsruhe zuging, dem er bei der Abfassung des Kältelexikons wertvolle Hinweise gegeben hatte, tat der so, als sei Großvater Luft. Einen Monat später rief er Großvater aus einer Telefonzelle an und entschuldigte sich. Er habe nicht mit ihm sprechen dürfen. Es sei nun mal Kalter Krieg. »Ein guter Grund, über die Kälte zu reden«, hatte Großvater geantwortet, und schließlich hatten sie sich noch eine gute Stunde beim Stichwort »Kühlen von Eiern« aufgehalten, bis die Verbindung zusammengebrochen war.

Als Luise Gladbeck und Vater am letzten Tag schließlich doch die Erlaubnis bekamen, sich für zwei Stunden die Stadt anzuschauen, war gerade Fronleichnamsprozession. In einer Monstranz wurde die geweihte Hostie durch die Straßen getragen, und die Geschäfte hatten zur Feier des Tages geschlossen. Am Flughafen kaufte Vater für Mutter ein billiges Parfüm und für mich einen Donald Duck, der nach Vanille roch und so teuer war, daß er sich von Luise Gladbeck Geld borgen mußte, das er ihr später im Verhältnis 1:5 wiedergab, obwohl es ihm widerstrebte, schließlich war das Verhältnis der beiden Währungen offiziell 1:1.

Ein Jahr nach der Konferenz in Bologna schickte das Ministerium Luise Gladbeck mit zwei S-Bahn-Fahrkarten, einer Kühltasche, einem Paß auf ihren Namen und ein bißchen Geld nach Westberlin zur Grünen Woche. Dort lief sie durch die Messehallen und suchte die Stände mit den gefrorenen Fertiggerichten. Sie nahm von allem etwas, packte die Speisen in ihre Kühltasche, verließ die Messehallen, schaute sich noch dreimal um, ob jemand ihr folge, fuhr mit der S-Bahn zurück zur Friedrichstraße, setzte sich in den nächsten Zug und fuhr zurück nach Magdeburg. Am Bahnhof wurde sie vom Chauffeur des Institutes erwartet. Im Labor packte sie die Kühltasche aus, die Kollegen stellten sich auf wie ein Chirurgenteam, wickelten die Speisen aus, untersuchten sie – und kamen zu dem Schluß, daß die im Westen mit Wasser kochen und im Gefriertunnel einfrieren – nur die Verpackung war eine bessere. Am nächsten Tag gab Luise Gladbeck den Paß mit der Bemerkung zurück, daß sie für solche Unternehmen nicht geeignet sei. Von da an war ihre Karriere als Kader für das nichtsozialistische Wirtschaftsgebiet beendet. Und auch Vaters Paß wurde in den Panzerschrank des Institutes geschlossen und nur noch für Reisen ins sozialistische Ausland hervorgeholt.

Woran aber war Luise Gladbeck gestorben? Hinter der Todesursache »tragischer Unglücksfall« konnte sich viel verbergen. Ein unglücklicher Sturz von einer Leiter, ein Autounfall, Verbrennungen dritten Grades beim Versuch, ein Feuer zu löschen. Vielleicht hatte man Luise ebenfalls eingefroren gefunden. Aber soviel ich weiß, hatte Luise nie eine Kühltruhe zu Hause, und wenn sie nach Meinung der Pathologen eines unnatürlichen Todes gestorben wäre, hätte die Polizei längst vor der Tür gestanden, erst bei Vater und dann bei Großmutter. Die Leiche wäre nie freigegeben worden. Aber das waren alles nur Mutmaßungen, ich hatte die Zeitungen nach Unglücksfällen abgesucht, aber einige Ausgaben fehlten und in den anderen waren nur tödliche Autounfälle männlicher jugendlicher Personen gemeldet.

Ich sollte nicht länger darüber grübeln. Ich werde zur Beerdigung gehen müssen. Vielleicht weiß ich dann mehr.

Es ist starker Frost draußen, in der Küche sind nur noch zehn Grad. In der Zeitung habe ich gelesen, daß in Staßfurt zwei Menschen in ihren ungeheizten Wohnungen erfroren sind. Mich belustigt die Vorstellung, die Polizei könnte drei erfrorene Tote in Großmutters Wohnung finden. Unerklärlich wäre nur, warum der männliche Tote in einer Kühltruhe liegt.

Ich nehme mir aus dem Kleiderschrank die Jacke aus Kaninchenfell, die Großmutter vor dem Krieg zu festlichen Anlässen trug. Sie ist ein bißchen eng in den Schultern und reicht mir gerade bis zum Bauchnabel, aber sie wärmt. Ich habe den Ölradiator direkt neben Großmutters Bett gestellt, es gibt schönere Tode als den durch Erfrieren. Obwohl mich der Vorgang des Erfrierens von Körperteilen als Kind mehr fasziniert hat als das Gefrieren von Erbsen oder Möhren. Ich las heimlich alle Stalingrad-Romane aus der Bibliothek meines Großvaters. Die Stellen, in denen Soldaten bei Nacht ihre Fußlappen abwickelten und die abgefrorenen Zehen betrachteten, bevor sie in einem Lazarett abgeschnitten wurden, las ich mehrmals, bis Großmutter eins von den Büchern unter meinem Kopfkissen entdeckte, ausgerechnet die Seite mit den erfrorenen Zehen aufschlug und die Stalingrad-Romane wegschloß.

Großmutter scheint kein Kälte- und Wärmeempfinden mehr zu haben. Immer wieder deckt sie sich auf und versucht, sich die Windel vom Körper zu reißen. Als ich nach ihr sehe, ist sie wach. Ich setze mich zu ihr ans Bett. Sie streicht mit ihren gichtigen Fingern über das Kaninchenfell, ohne mich dabei anzusehen. Ihr Blick ist ausdruckslos, so als würde sie nichts mehr sehen.

»So ein Fell hatte ich auch einmal. Das hat mir Paul geschenkt. Ich saß in der Firma Ludwig an der Schreibmaschine. Da ist er hereingekommen und hat mir das Jäckchen neben die Maschine gelegt. Ohne ein Wort zu sagen. Ich habe es dann zur Betriebsweihnachtsfeier getragen. Und alle haben mich bewundert und gefragt, ob ich einen Verehrer habe. Aber ich konnte doch nichts sagen, weil Paul verheiratet war.«

Großmutter erzählt das mit einer solchen Klarheit in der Stimme, daß ich mich frage, ob sie mir die letzten Tage nicht etwas vorgespielt hat. Für Paul hält sie mich wohl nicht mehr.

»Und was hat dein Vater dazu gesagt, daß du mit einem verheirateten Mann zusammen warst?«

Eigentlich kenne ich die Geschichte schon. Aber ich will wissen, wie weit sich Großmutter noch erinnern kann. Großmutter hatte immer ein unbestechliches Gedächtnis, bis auf ein paar Dinge, an die sie sich nicht mehr erinnern wollte. Daß Großvater ein Kind mit der anderen Frau hatte, war nur dadurch herausgekommen, daß nach Großvaters Tod ein Brief von einem unbekannten Mann angekommen war, der auch Kobe hieß. Großmutter hatte den Brief sofort zerrissen, ich aber hatte die Schnipsel heimlich aus dem Mülleimer geholt und wieder zusammengesetzt. Ich verstand nicht mehr, als daß der Mann ein Sohn von Großvater war. Großmutter war allen Fragen ausgewichen, und auch Vater konnte sich nur dunkel erinnern, einmal von einem anderen Kind gehört zu haben.

»Mein Vater hat getobt. Vor allem, weil Paul mit seiner Frau in seinem Postbezirk wohnte. Es war ihm sehr unangenehm, dort die Briefe austragen zu müssen, wo alle tuschelten, wenn er um die Ecke kam. Er hat mich an den Haaren durch die Oststraße gezogen und einen Tag später einen Antrag auf Versetzung in einen anderen Postbezirk gestellt. Er hoffte wohl, daß ich es mir noch einmal anders überlegen würde. Habe ich aber nicht. Er hätte sich auch überhaupt nicht versetzen lassen müssen, denn Paul war längst ausgezogen. Er hatte sich bei einer schwerhörigen Witwe in der Steigerstraße einquartiert. Ich konnte mit der Linie 1 von Ilversgehoven direkt bis in die Steigerstraße fahren. Wenn die Südapotheke kam, mußte ich dem Schaffner Bescheid sagen. Pax intrantibus exentibus stand über den Schaufenstern.«

»Pax intrantibus exentibus«, sagt sie noch einmal, und ich frage mich, wie man so ein Detail siebzig Jahre behalten kann.

»Die Witwe war schwerhörig. Aber wir trauten ihr nicht. Ich glaube, sie hielt manchmal ihr Hörrohr gegen die Tür, um zu erfahren, ob der Untermieter auch wirklich alleine ist, denn Damenbesuch war streng verboten. Wir sind dann lieber in den Steigerwald gegangen.« Großmutter schweigt. Nach einer Weile sagt sie: »Fräulein, können Sie mir einen Kaffee bringen?«

»Und was wurde aus dem Kind aus der ersten Ehe?«

»Es gab kein Kind.«

Ich stehe vom Bettrand auf und gehe in die Küche.

Während der Kaffee durch die Maschine läuft, öffne ich die Schublade mit dem Besteck. Ich taste nach dem Messer mit der breitesten Klinge und trenne vorsichtig das Dichtungsgummi vom Deckel der Kühltruhe.

11. Kapitel

Ei

Gefrorene Eier dürfen nicht zu schnell aufgetaut werden. Das Einhängen der Kannen in Kaltwasser von etwa +2 °C ist empfehlenswert.

Ich bin so fasziniert von Vaters Anblick, daß ich seit geraumer Zeit auf dem Rand der geöffneten Truhe sitze. Er sieht aus wie einer, der eine Ganzkörperstrumpfmaske trägt. Ich warte darauf, daß er sich umdreht und sagt: »Ich habe doch nur ein bißchen Spaß gemacht.« Oder: »Stör mich nicht, siehst du denn nicht, daß ich an einem von der Europäischen Gemeinschaft finanzierten Versuch der Menschenkonservierung beteiligt bin? Wir erforschen, ob außer Embryos auch ausgewachsene Menschen nach dem Auftauen weiterleben.«

Ich würde ihn natürlich sofort fragen, warum er sich für so einen Versuch hergibt, und er würde mir wahrscheinlich ausweichend antworten: »Ich bin ja noch gut dran, ich friere bloß, aber mein Kollege vom Gemüseinstitut hat sich einkochen lassen.«

»Ich denke, ihr seid Wissenschaftler und keine Versuchskaninchen«, würde ich darauf entgegnen, und Vater würde sagen: »Ehe es ein Laie macht oder einer aus dem Westen, tue ich es lieber selbst.«

Schon als Kind habe ich manchmal heimlich auf dem Truhenrand gesessen, obwohl es eigentlich nicht erlaubt ist, die Truhe länger als zur Entnahme des Gefrorenen nötig offenzulassen. Sonst bildet sich Eis an den Wänden und die Truhe kühlt nicht mehr unter −18 °C. Einmal, als ich mit meinen Cousinen in der Wohnung Versteck spielte, hatte ich mir die Kühltruhe als Unterschlupf ausgewählt. Keiner würde mich dort vermuten. Ich hatte den Deckel schon oben und war gerade dabei einzusteigen, als Vater sich von hinten auf mich stürzte und mich wieder rauszog.

»Bist du von allen guten Geistern verlassen? Willst du erfrieren? Da kommst du doch nie wieder alleine raus.«

Und wie man Kinder extra an den Ofen fassen läßt, damit sie sich merken, daß man sich daran verbrennen kann, hatten wir die Ich-steige-nie-wieder-in-eine-Kühltruhe-Variante. Mein Vater steckte mich nämlich dann doch kurzerhand hinein und sagte, bevor er den Deckel zumachte: »Versuch, ob du alleine wieder rauskommst.« Auf die Art habe ich gelernt, daß beim Kühltruhezumachen das Licht ausgeht, und zwar in dem Moment, in dem der letzte Spalt Tageslicht verschwindet, und daß eine Vierjährige den Deckel von innen nicht anheben kann. Bevor ich es zum zweiten Mal versuchte, hatte Vater den Deckel schon wieder geöffnet und mich aus Erbsen, Möhren und Blumenkohl zurück ans Licht geholt.

»Und, hast du jetzt begriffen, daß du da nicht mehr rauskommst und wir dich nur noch als totes gefrorenes Kind herausholen können?« Ich nickte.

Was mag Vater wohl getrieben haben, nun selbst so eine kindische Dummheit zu begehen?

Während ich meine Beine baumeln lasse, fangen die Wände langsam an zu vereisen. Vielleicht taut Vater davon auf. Vorerst bildet sich nur eine leichte Rauhreifschicht auf seinem Gesicht. Vielleicht lebt er ja noch? Schließlich hatten sich die Wasserflöhe, die gefroren an der rechten Seite unter den Bohnen lagen, nach einer Weile auch wieder bewegt, wenn man sie ins Aquarium geworfen hatte.

»Wäre ich dabeigewesen, als du in die Truhe stiegst, ich hätte dich da wieder herausgezottelt und dir einen Vortrag gehalten, daß man so etwas nicht macht. Hast du denn gar nichts gelernt in den dreißig Jahren Kühltechnik, die du hinter dich gebracht hast? Hast du es nötig, den Guinessrekord zu brechen? Mit dem ungenießbarsten Eis müßtest du doch eigentlich schon drin stehen.« Im nächsten Moment tut es mir leid, das gesagt zu haben. Vielleicht hat Vater sich auch einfach nur in die falsche Frau verliebt. So eine Art Schneekönigin, eine Kalte, Verführerische, deren Augen wie zwei klare Sterne glänzen. Als sie ihn küßte, ging dieser Kuß, der kälter als Eis war, bis in das Herz hinein und verwandelte es in einen Eisklumpen. Und dann hat sie ihn kurzerhand in die Kühltruhe verfrachtet und ist abgehauen.

Vielleicht sollte ich über der geöffneten Truhe weinen, damit Vater wieder auftaut, aber ich glaube schon lange nicht mehr an Märchen, und offensichtlich gab es für Vater gewichtigere Gründe, diesen Zustand zu wählen. Ich erinnere mich dunkel, in irgendeinem Epos gelesen zu haben, daß die besten Krieger nach ihrem Tod in einem Gefrierraum bestattet wurden. Vielleicht kommt dieser Mythos Vaters Geschichte näher.

Großmutter ruft aus dem Schlafzimmer. Ihr Ton ist barsch. Ich schließe vorsichtig den Deckel der Kühltruhe, nachdem ich noch einen kurzen Blick auf Vater geworfen habe. Er sieht aus, als ob er in einem Grab läge und alle Kälteingenieure dieser Welt ihn zum Abschied mit Eisblumen bedeckt hätten.

Großmutter sitzt aufrecht im Bett, als ich mit dem Kaffee hereinkomme. Wie sie es fertiggebracht hat sich aufzurichten, weiß ich nicht. Sie sah bisher immer so aus, als könne sie sich für den Rest ihres Lebens nicht mehr bewegen.

»Dein Kaffee ist fertig, ist leider schon ein bißchen kalt«, sage ich.

»Ich habe keinen Kaffee bestellt.« Großmutter schiebt die Tasse weg und verschüttet den Inhalt, der auf ihr Nachthemd tropft. »Was wollen Sie überhaupt in meiner Wohnung?«

»Komm, spinn nicht rum«, sage ich, »du bist meine Großmutter.«

»Ich bin keine Großmutter. Ich bin eine alte Frau, die sich nicht veräppeln läßt.«

»Ich bin's, Annja, erkennst du mich nicht?« Ich rücke ganz dicht an Großmutter heran.

»Sie sind eine Betrügerin, die sich in meine Wohnung geschlichen hat und von meiner Rente lebt. Ich will die Kontoauszüge und die Haushaltsbücher sehen. Und wehe, wenn etwas fehlt. Dann rufe ich die Polizei.« Großmutter lacht wie die Hexe Baba Jaga in den russischen Märchenfilmen. Ich gehe ins Wohnzimmer und suche im Sekretär die Haushaltsbücher und Kontoauszüge.

Großmutter schrieb in ihrer Mischung aus Sütterlin und Latein seit dem ersten Tag ihrer Ehe die Ausgaben des Haushaltes auf den Pfennig genau in linierte A5-Hefte. Sie war eine kühle Rechnerin, sie hätte die Familie auch durchgebracht, wenn es die Kompensationsgeschäfte ihres Mannes in den Mangeljahren seit 1939 nicht gegeben hätte. Es gab die Hefte für die Tagesausgaben, in denen jeder gekaufte Artikel mit dem Preis verzeichnet war. Die Tagesausgaben wurden zu Wochenausgaben zusammengerechnet, und am Ende jedes Monats ermittelte sie die Monatsausgaben. Die Summen der Rubriken Lebensmittel, Backwaren, Genußmittel, Drogerieartikel, Straßenbahn, Dienstleistungen, Lotto, Blumen, Miete, Telefon und Energie wurden fein säuberlich untereinandergeschrieben. Der Rest fiel unter die Überschrift »Unvorhergesehenes«. So auch Großvaters Beerdigung im Heft »1979«, die mit 1043,25 M in die Bücher einging. Danach belastete er die Kasse meiner Großmutter mit der Ausgabe »Friedhof« mit dem monatlichen Betrag von 55,60 Mark. Dafür war aber die Ausgabe »Fleisch« um die Hälfte zurückgegangen. »Das Schöne an der DDR war«, hatte Großmutter im Sommer zu mir gesagt, »daß die Festkosten über Jahrzehnte gleich blieben. Jetzt kommt meine Rechnung völlig durcheinander.«

Was sie jetzt nachrechnen will, ist mir schleierhaft. Ich lege ihr die Haushaltshefte und Kontoauszüge von 1988 vor. Ich weiß nicht, ob sie überhaupt noch etwas sieht, aber als ich ihr anbiete, ihre Brille zu holen, lehnt sie entrüstet ab. »So alt bin ich nun auch wieder nicht.«

Unter dem Stapel Kontoauszüge in ihrem Sekretär habe ich eine vergilbte Zeitung gefunden. Es ist der 26. Jahrgang von »Hackebeils Praktischem Wochenblatt für Hausfrauen« von 1929, auf dem eine Frau mit Brautkleid aus weißem Crèpe satin mit langer Corsage und schleppendem Rock abgebildet ist. Ihre Pose wirkt etwas geziert, weil sie den Brautstrauß weit von sich hält, als würde er tropfen. Auf Seite drei finde ich unter der Überschrift »Der Volksfeind und seine Bekämpfungen« einen Artikel über Tuberkulose, die meine Großmutter nicht bekommen konnte, weil sie durch ihre Arbeit bei der MALEX-Margarine-Lagerungs- und Expeditionsgesellschaft ausreichend mit Vitamin A versorgt war. Aber das Blatt hielt auch für eine berufstätige junge Frau, die nicht von Tuberkulose bedroht war, genug Tips bereit.

Jugendzarte Haut erhalten – Pfeilring-Lanoline-Creme tut es. Wenn Sie dazu noch ständig Pfeilring-Lanolin-Seife verwenden, werden Sie sich an ihrer Jugend und Schönheit erfreuen können.

Ihre Freude am Kaufen wird um so größer sein, je vorteilhafter und geschickter Sie kaufen. Geschickt kaufen Sie, wenn Sie für bunte Kleider, farb. Wäsche, Möbelstoffe, Gardinen, Kissen, Decken nur indanthrenfarbige Gewebe wählen.

LYSOFORM zum Schutze gegen Ansteckung. Zur Körperpflege. Für Haut- und Krankenpflege. In wässrigen Lösungen zu Waschungen und Spülungen zu verwenden. Angenehm riechend. Echt nur in edelgrünen Originalflaschen.

Ich bin restlos begeistert. Von meinem aufgebügelten Kleide sind alle entzückt. HACKEBEIL FARBENWUNDER. Die künstlerische Bügelmalerei überzeugt jeden, der einmal einen Versuch gemacht hat. EINE PLAGE für fast jede Hausfrau ist die DIENSTBOTENFRAGE. Wir helfen Ihnen! Die Landmädchen aus dem Grabfeld und dem Amt Sand im Gebiete des ehemaligen Herzogtums Meiningen sind als gute und treue Dienstboten überall geschätzt. Eine vierzeilige Anzeige für 1.-R.M. im Meininger Tageblatt, das unter der Landbevölkerung Südthüringens weit verbreitet ist, bringt Ihnen besten Erfolg.

Kühlschränke werden noch nicht in den Anzeigen angeboten. Dabei schlug sich Großvater in jenen Jahren als Kühlschrankvertreter durch. Weil die meisten Hausfrauen der Kühltechnik noch nicht vertrauten und deshalb mit Kühlschränken nicht viel Gewinn zu machen war, handelte er nebenbei noch mit Waschmaschinen und Staubsaugern.

Erst auf der vorletzten Seite lese ich, warum Großmutter die Zeitschrift fünfzig Jahre aufgehoben hat. Da schreibt »Eine, die herzlich um Rat bittet«: *Seit zwei Jahren bin ich mit einem Herrn bekannt, der acht Jahre älter ist als ich. Er sowie auch ich möchten möglichst bald heiraten, doch es ist ein Hindernis vorhanden, nämlich er spart nicht. Heutzutage kann man von einem Mädel, das aus armem Hause ist, nicht verlangen, daß es die ganze Wäsche-Aussteuer und auch die Möbel mitbringt. Wer gibt mir Rat, wie ich meinen ›zukünftigen Mann‹ dazu bringen kann, daß er jeden Monat einen Betrag zurücklegt? Muß ein Mann jeden Abend sein Gläschen Bier trinken gehen? Auch darüber möchte ich gern einmal die Meinung der Leserinnen hören. Ferner ist er fremden Damen gegenüber immer sehr Kavalier, bei mir dagegen nicht. Ich habe mich schon oft darüber geärgert, doch es nützt nichts. Was ist dagegen zu tun?*

Sehr hilfreich können die Ratschläge nicht gewesen sein, denn vier Jahre später haben meine Großeltern doch geheiratet. Inzwischen war Großvater Kühlanlagenmonteur, der in den Hotels des Thüringer Waldes riesige Kühlschränke an Starkstromleitungen anschloß.

»Komm mal her«, ruft Großmutter, »es fehlen fünfzig Pfennig, wo sind die?«

»Aber das Geld gibt es doch gar nicht mehr, wir haben eine andere Währung. Gräm dich nicht, ich les dir etwas Schönes vor.«

Ich halte ihr »Hackebeils Praktisches Wochenblatt« vor die Nase, aber sie verrät nicht, ob sie es noch kennt.

Mondschein floß über die Wipfel des schweigenden Parks. Nur ab und zu klang der Schritt eines einsamen Fußgängers von der Hauptstraße oder das Trappen von Pferdehufen. ›Nun bin ich schon siebenundzwanzig‹, sagt Hermine leise. ›Wie schnell man lebt! Mir ist's, als hätten wir erst gestern in der Petrikirche gestanden und die Ringe ge-

wechselt – und gestern erst Richard über das Taufbecken gehalten. Sieben Jahre Ehe, es ist wie ein Traum!‹

›Siebeneinhalb, Kindchen!‹

›Ach, du Pedant. Dann kannst du auch schon sagen: Neun Jahre, denn unsere Brautzeit war schon eine geistige Ehe!‹

›Nur keine ernsthafte Betrachtung, Kindchen‹, lachte er und griff mit der freien Linken nach der erloschenen Zigarre und den Streichhölzern.

Hermine blickte mit weitgeöffneten Augen in die sternenflimmernde Nacht und lauschte auf das ersterbende Räderrollen einer Droschke.

Erst als beide im Dunkel lagen und hinter den geschlossenen Augenlidern sich noch Bild um Bild des vergangenen Tages abrollte, ehe sie einschliefen, erinnerte sich Hermine wieder an Olga Komorowsky.

Sie müßte heiraten! dachte sie. Eine vernünftige Ehe, das fehlt ihr. Und ein Strom von Mitgefühl durchzitterte ihr Herz. Dann aber wurde sie wieder irre an ihrem Rezept, als sie sich Olgas Selbstsicherheit vorstellte und ihr freies, sorgenloses Leben. Seit einigen Jahren schon war sie erste Buchhalterin bei Kraus & Söhne; sie genoß das unbeschränkte Vertrauen des greisen Chefs, und es hatte manche Stunde gegeben, in der Hermine sie beneidete – wenn sie unter den Kindern litt, wenn Krankheit um Krankheit kam, und wenn sie manchmal fühlte, wie ihre einstigen Liebesträume in der ernüchternden Alltäglichkeit der Ehe zu entblättern drohten. Und dennoch: mit ihr tauschen? – Nein!

Großmutter schweigt, und ich sehe, wie eine kleine Träne sich auf den Weg in ihr Ohr macht.

Nach einer Weile sagt sie: »Ich habe von Olga geträumt.«

»Meinst du die mit dem Brief?« Großmutter nickt.

»Olga saß neben mir und zischte mich an, ich sei feige, weil ich aufstand und den Hitlergruß machte wie alle anderen, und ich habe den Arm halb wieder heruntergezogen und nichts gerufen, bin aber stehengeblieben. Dieser Traum verfolgt mich seit fünfzig Jahren.«

Olga hatte es schließlich geschafft, einen Schweizer zu heiraten und Deutschland zu verlassen. Einmal im Jahr schrieb sie einen Brief. Sie lebte in Bern, ihr Mann war bald gestorben und hatte ein beträchtliches Vermögen hinterlassen. Ende der sechziger Jahre wollte sie Großmutter besuchen, und Großvater mietete das Apartement im Schloß Schönbrunn, weil Großmutter meinte, sie könne ihre Freundin nicht in der kleinen Wohnung empfangen. Olga kam mit vier Koffern und einer Hutschachtel angereist, und das erste, was sie beim Aussteigen aus dem Taxi und noch vor der Begrüßung sagte, war: »Mein Gott, ist dieses Land unter den Kommunisten heruntergekommen!«. Ich sah, wie Großvater versteinerte. Danach waren wir beide abgeschrieben, denn die beiden Frauen schnatterten ununterbrochen. »Wie die Backfische«, behauptete Großvater.

Am darauffolgenden Tag sagte Olga beim Mittagessen zu Großvater: »Also, Paul, ich verstehe dich nicht. Du mit deinen Fähigkeiten hättest doch wirklich die Möglichkeit gehabt, woanders hinzugehen, mußtest du unbedingt in der Ostzone bleiben?« Ostzone war ein neues Wort für mich, und ich nahm mir vor, es nicht zu vergessen, vielleicht konnte man es irgendwann noch einmal gebrauchen. Olga hatte einen Geruch an sich, der mich ganz schwindelig machte. Großmutter roch immer nur nach Seife, Olga dagegen nach einer Wiese voller Blumen, und als sie sagte, sie hätte uns eine Menge Geschenke mitgebracht, wünschte ich, ich bekäme dieses Parfüm.

Großvater brummte mit vollem Mund, sie wisse doch gar nicht, wovon sie rede, und ich sah, wie meine Großmutter Großvater mit voller Wucht gegen das Schienbein trat, worauf Großvater mich vom Stuhl riß und humpelnd mit mir in die Küche ging, wo der Küchenchef sich vor ihm verneigte und fragte: »Gibt es irgendwelche Einwände, Herr Ingenieur?«, und Großvater antwortete: »Keineswegs, Glückwunsch, weiter so, vorzüglich.« Er nahm sein Portemonnaie aus der Innentasche des Jacketts und überreichte jedem Mitarbeiter, vom Chefkoch bis zum Lehrling, feierlich einen Fünfmarkschein. Sie ließen ihn dafür in die Töpfe gucken und das eine oder andere kosten. Ich hatte das Gefühl, Großvater traue sich nicht mehr ins Restaurant, weil er Angst hatte, wieder von Großmutter getreten zu werden. Mir wurde es in der Küche bald langweilig, und ich stahl mich zwischen den Beinen des Küchenpersonals davon. Am Tisch schwatzten die beiden Frauen von irgendwelchen Männern, die Erich oder Oskar hießen und gut Charleston tanzten. Ich konnte mir Großmutter nicht tanzend vorstellen. Olga sagte seufzend: »Weißt du, Elsa, ich habe nie verstanden, warum du den Paul heiraten mußtest, sein einziger Vorzug war doch, daß er kein Nazi war, aber alles andere? Sag, bist du glücklich?« Ich versteckte mich unter dem Tisch, wo zwar die Stimmen gedämpft waren, aber die beiden nicht bemerken konnten, daß ich ihnen zuhörte. Olga hatte sich die Schuhe ausgezogen. Ihre Beine standen weit voneinander entfernt, so daß ich ihr unter den Rock gucken konnte, der auch nach dem Blümchenparfüm roch. Sie hatte einen weißen Spitzenschlüpfer an. Großmutters Beine standen aneinandergepreßt und leicht nach rechts gedreht. Ihre Hände hatte sie in den Schoß gelegt.

»Aber ich habe ihn doch geliebt, ich wollte ihn heiraten, er hat alles für mich aufgegeben.«

»Seine hysterische Frau hat er aufgegeben. Und denk mal an die Schnepfe, mit der er ins Bett gestiegen ist, kaum wart ihr verheiratet.«

»Naja«, sagte Großmutter, »er ist eben so, aber das wußte ich vorher.«

»Wärst du mal mit mir in die Schweiz gekommen, wir hätten uns ein schönes Leben gemacht, und du müßtest nicht dauernd auf das Kind deines Sohnes aufpassen. Paul verwöhnt das Mädchen viel zu sehr.«

»Er hat sich eben immer ein Mädchen gewünscht.«

»Wer weiß, wie viele Mädchen von ihm auf der Erde herumlaufen.«

Großmutters Hände knautschten an einem Taschentuch herum. »Laß mal gut sein, Olga, es ist schon alles in Ordnung.«

»Du mußt es ja wissen. Herr Ober, die Nachspeise«, dröhnte Olgas Stimme bis in meine Höhle, und weil ich Appetit auf ein Eis hatte, kam ich aus meinem Versteck hervor und setzte mich, so gesittet ich konnte, auf meinen Platz zurück. Der Ober beugte sich über mich: »Was wünscht das kleine Fräulein?«

»Ich hätte gern ein gemischtes Eis mit Kirschen.«

»Kirschen sind nicht, nur Erdbeeren.«

»Ich denke, das ist hier ein Interhotel, da müssen Sie doch in der Lage sein, Kirschen aufzutreiben«, schnauzte Olga den Ober an, »soviel ich weiß, wuchsen zu dieser Jahreszeit hier immer Kirschen, oder haben die Russen die auch abgeschafft?«

Der Ober war verlegen, ihm fiel nicht sofort eine Ausrede ein, und ich glaubte ihm zu Hilfe kommen zu können, indem ich sagte, ich hätte Kirschen mit Erdbeeren verwechselt.

»Du mußt ihn nicht noch in Schutz nehmen«, sagte Olga zu mir und verzichtete auf ihren Nachtisch.

Großvater tauchte nicht wieder auf, und ich mußte mein Eis mit Erdbeeren ganz allein aufessen. Er hatte sich wohl durch den Hinterausgang der Küche aus dem Staub gemacht, und Großmutter mußte die Rechnung von Olga bezahlen lassen, die aber meinte, es sei ohnehin nur Spielgeld, mit dem sie hier bezahle.

Zum Abend lud uns Olga in ihr Appartement ein. Sie wollte uns die Geschenke geben. Großmutter brauchte lange, ehe sie Großvater überzeugen konnte, mitzukommen.

»Laß ihr doch die Freude, sie ist schließlich morgen wieder weg.«

»Na gut, aber verlange nicht von mir, daß ich mich noch für eine Tafel Schweizer Schokolade bedanke.«

Schweizer Schokolade war nicht unter den Geschenken, statt dessen hatte Olga uns einen ihrer vier Koffer zugedacht. Als sie ihn öffnete, sagte niemand etwas. Großmutter schaute Großvater nur flehend an. In dem Koffer waren zwei Anzüge ihres Mannes und ein altmodisches schwarzes Rüschenkleid für Großmutter sowie ein uralter Fotoapparat, der für mich sein sollte. Ich sah, wie Großvater sich aufpumpte und zu einem Vulkan kurz vorm Ausbruch wurde. »Was glaubst du eigentlich, wer wir sind? Denkst du, wir kaufen hier noch auf Bezugsschein ein? Weißt du, was ich mit den Lumpen jetzt mache?«

Großvater nahm den Koffer und schleppte ihn zur Mülltonne. Ich konnte vom Fenster aus sehen, wie er mit lautem Knall den Deckel umklappte und versuchte, den Koffer in die kleine Öffnung zu quetschen. Weil es ihm nicht gelang, nahm er die Sachen einzeln heraus und schmiß sie in die Tonne, den Koffer schleuderte er in die Wiese, dann knallte er den Deckel wieder zu und rieb sich die Hände an seinem guten Anzug ab. Mir tat es ein bißchen um das Rüschenkleid leid. Olga drehte sich wortlos vom Fenster weg und knallte die Tür. Großmutter fing lautlos an zu weinen, nahm mich an die Hand, und wir gingen in unser Zimmer, wo sie sich aufs Bett warf und den Kopf im Kissen versteckte. Olga war am anderen Morgen verschwunden.

Zwei Wochen später bekam Großmutter einen Brief ohne Absender. Auf dem Umschlag klebte eine Schweizer Briefmarke. Der Stempel war nicht zu entziffern. Die Adresse hatte jemand fein säuberlich mit Maschine getippt. »Ganz schön schwer«, sagte Großmutter und wog den Brief in der Hand, »der ist bestimmt von Olga.« Sie nahm ein Messer aus dem Besteckkasten und öffnete ihn. Sie wollte den Brief herausziehen, aber es war kein Papier darin. Sie griff in etwas festes Braunes, und als sie es herausholte, war es ein getrocknetes und breitgedrücktes Stück Scheiße. Wortlos steckte sie es wieder in den Umschlag und schmiß ihn in den Mülleimer. Als ich es am Abend Mutter erzählte, sagte sie, da hätte sich Olga aber richtig Mühe gegeben. Erst kacken, dann die Kacke trocknen, breitdrücken und in einen Umschlag stecken, das sei ein ganz schöner Aufwand. Mutter rief Großmutter an, aber die verlor kein Wort mehr darüber.

»Hast du jemals wieder etwas von Olga gehört?« frage ich Großmutter. Sie starrt mit offenen Augen an die Decke und antwortet nicht. Ich lege die Zeitung, die Kontoauszüge und die schwarzen Hefte wieder in den Sekretär zurück.

12. Kapitel

Erdbeere
Gefrierlagerung
Erdbeeren in Trockenzucker oder in Zuckerlösung gefroren sind bei –18 °C aufzubewahren. Trocken gefrorene Erdbeeren werden besser bei tieferen Temperaturen gehalten.

Als es Nacht ist und Großmutter schläft, schleiche ich mich auf Zehenspitzen in die Küche. Die Eisblumen auf Vaters Körper sind verblüht. Wahrscheinlich ist es besser, die Kühltruhe geschlossen zu lassen. Auf dem Hof schreit jemand. Ich schaue aus dem Fenster, aber draußen ist es stockdunkel.

Das Reinigungskombinat gegenüber arbeitet nicht mehr. Früher konnte ich vom Küchenfenster aus beobachten, wie die Kleider und Mäntel von Frauen in weißen Kitteln lange Stangen entlang geschoben wurden. In den Kurven machten die Kleider kleine Schlenker, bevor sie in der Reinigungsanlage verschwanden. Manchmal winkten die Frauen mir zu. Vielleicht haben sie sich kollektiv in ihre Reinigungsmaschinen eingeschlossen, um sauber ein neues Leben anzufangen, und dann hat der Mechanismus versagt und sie sitzen immer noch darin.

Ich lege mich auf den Deckel und starre an die Decke. Im Glas der Lampe haben sich über Jahre tote Fliegen, Mücken und Wespen gesammelt wie auf einem Friedhof. Die gleiche Lampe hatte ich in meinem Kinderzimmer. Einmal im Jahr kletterte Mutter auf die Leiter und schraubte die Glaskugel ab, um die toten Fliegen und Wespen im Küchenabfall zu entsorgen. Wenn Mutter mich hier so sehen würde – sie würde bestimmt lachen. Der Alte eingefroren und das Kind starrt tote Fliegen an. »Das habt ihr nun davon«, würde sie sagen. »Ich wußte doch gleich, daß die Kühltechnik eine Sackgasse ist.«

Meine Mutter vertraute den Gefrierkünsten meines Vaters nicht. Sie hatte an einem kalten Januartag des Jahres 1945 neben brennenden Häusern auch das Packeis der Elbe schmelzen sehen, als brennende Menschen sich zwischen den Eisschollen vorm Feuer gerettet glaubten und dann doch verbrannten. Sie konnte keiner Konservierungstechnologie trauen, die über einen längeren Zeitraum von äußerer Energiezufuhr abhängig war.

»Wenn's hier wieder Stromausfall gibt, ist's aus mit deinen gefrorenen Hühnchen und Erbsen.« Die Energiekrise gab ihr dann recht. Plötzlich saßen wir stundenweise mit Kerzen da und löffelten das Eis, das mein Vater fluchend aus der langsam abtauenden Kühltruhe holte. Wissenschaftler wie er war, warf er die übrigen Lebensmittel weg, weil er nicht gegen den absoluten Grundsatz der Gefrierkonservierungstechnologie verstoßen konnte, der besagte, daß man einmal Aufgetautes nicht mehr einfrieren darf, außer Schnaps. Mutter machte lachend eine Konservendose Ananas auf und meinte, »jetzt essen wir erst mal etwas Leckeres«, und drohte, fortan wieder einzukochen.

Dabei hatten meine Eltern kurz vorher einen Pakt geschlossen. Ich war gerade in die Kunst des Abwaschens eingeführt worden, weil Mutter keine Lust mehr hatte, den Haushalt alleine zu machen. Ich formierte die Teller und Tassen zu Einkaufsschlangen auf dem Küchentisch und ließ sie sich über den neuesten Klatsch der Insel unterhalten: »Wissen Sie eigentlich, Frau Heinze«, sagte der Teller Müller aus Rosenthaler Porzellan zur aus den Trümmern geretteten Sammeltasse, »daß der Schiffer Klausthal nicht von einer Fahrt nach Hamburg zurückgekehrt ist?«

»Ach«, antwortete Frau Heinze, »die arme Frau, jetzt ist sie mit dem Kind alleine. Und sie ist doch noch so jung, erst achtzehn!« Schließlich sammelte meine Mutter den Teller Müller und Frau Heinze wütend ein und beförderte sie ins Abwaschwasser. Ich schrie: »Sei doch nicht so grob zu Frau Heinze, sie war im Krieg verschüttet.« Mutter antwortete nur kurz und ohne mich anzusehen: »Ich war auch im Krieg verschüttet, aber das Abwaschen habe ich nicht verlernt.«

Kurze Zeit später konnte sie es zwar noch, mußte es aber nicht mehr. Denn Vater ertappte Mutter dabei, wie sie Erdbeeren einkochte, und fing gleich ein Riesentheater an.

»Ich arbeite tagtäglich an den neuesten Gefriertechnologien und du stehst zu Hause am Herd und bedienst dich einer Konservierungsmethode, die auf den Müll der Geschichte gehört.«

»Paß mal auf, das habe ich immer gemacht, und wenn wir 45 nicht das eingekochte Wasser gehabt hätten, wären wir verdurstet oder an Typhus gestorben.«

»Wir haben aber 1969 und das Wasser kommt aus der Leitung. Hier!« Mein Vater öffnete den Wasserhahn. Erst kam eine braune

Brühe mit viel Luft aus der Leitung geschossen, dann wurde es zunehmend klarer.

»Pah«, sagte Mutter, »und was war vorige Woche? Da bin ich mit Annja zur Pumpe gelaufen, mit zwei Wassereimern, weil nichts aus der Leitung kam. Demnächst holen wir das Wasser wieder aus der Elbe.«

Mein Vater murmelte etwas von entwicklungsbedingten Mangelerscheinungen. Dann bot er Mutter an, von jetzt ab immer abzuwaschen, wenn sie nie wieder einkochen würde. Nach ein paar Monaten war das Abwaschen für Vater ein Bedürfnis geworden, denn ich beobachtete ihn dabei, wie er mit dem guten Messer aus Solingen über die beknackten Plankennziffern sprach, die ihm den Schlaf rauben würden.

Mutter machte es riesigen Spaß, Vaters Prinzipien zu unterlaufen. Er hätte uns am liebsten nur aus seiner Kühltruhe ernährt, aber Mutter war strikt dagegen. »Kühltechnik hin oder her, es muß auch mal was Frisches auf den Tisch.« Da sie nicht arbeitete, hatte sie viel Zeit, sich anzustellen.

Am liebsten ging sie in den Fischladen auf dem Heumarkt. Es war ein kleiner Eckladen mit gekachelten Wänden in einem Haus, dessen obere Hälfte im Krieg durch eine Bombe weggerissen worden war, und ich stellte mir immer vor, daß die Fischfrau abends die toten Augen in die Höhle über ihrem Laden warf, denn so wie ich mir den Geruch von toten Augen vorstellte, roch das ganze Haus. Die Fischfrau hieß Frau Katschmarek und trug eine blutbeschmierte Schürze. Meine Mutter hatte in der Schule neben ihr gesessen, und weil sie Frau Katschmarek immer abschreiben lassen hatte, durfte sie sich den schönsten Karpfen aussuchen. Damals soll Frau Katschmarek noch dünn wie eine Sprotte gewesen sein. Jetzt sah sie eher der Scholle auf dem Plakat an der Wand ähnlich, aber Schollen sah ich nirgendwo, es gab eigentlich nur zwei Sorten frischen Fisch, Heringe und Karpfen, ansonsten wurden Büchsen angeboten, auf denen »VEB Fischverarbeitung Rostock, BT Karl-Marx-Stadt« stand.

Schon Frau Katschmareks Mutter war Fischfrau gewesen. Mit ihrer Zwillingsschwester hatte sie vor dem Krieg einen Stand auf dem Markt betrieben. Die beiden sollen bekannt dafür gewesen sein, daß sie jede Kundin gefragt haben, ob sie die Augen der Fische mitnehmen wolle. Die meisten verneinten, worauf sich die Schwestern immer die Fischaugen gegenseitig in den Mund warfen, eine bekam das rechte, die andere das linke Auge. Und immer soll eine von ihnen gesagt haben: »Mhm, besser als Kognakbohnen.« Allein um das zu sehen haben manche Leute jeden Tag Fisch gekauft und an die Katzen verfüttert, bis der Krieg kam und die Häuser am Markt zerstört wurden. Seitdem gab es keinen Markt mehr, aber die Mutter von Frau Katschmarek hatte wegen ihrer schlimmen Beine sowieso nicht mehr stehen können. Ich fragte Frau Katschmarek vorsichtig, ob sie auch die Augen äße, aber sie stieß entrüstet aus, sie äße nie Fisch, und schon gar keine Augen. Gleich danach sagte sie seufzend: »Wären die Zeiten besser gewesen, dann hätte ich studiert«, und Mutter seufzte zurück: »Ich auch.« Frau Katschmarek wickelte den Karpfen in drei Lagen »Neues Deutschland« ein. An dem Fisch hatte nur Mutter ihre Freude, denn ich aß ihn nicht, weil ich ihn bedauerte, und mein Vater hatte eine höllische Angst vor Gräten.

Wenn Vater die Woche über arbeitete, stand Mutter oft vor dem Spiegel der Flurgarderobe. Sie zog sich ein Kleid nach dem anderen an, und ich mußte ihr helfen, die Reißverschlüsse am Rücken zu schließen. Wenn sie eins gefunden hatte, das ihrem kritischen Blick standhielt, zog sie sich Pumps an und schminkte sich zuletzt das Gesicht. Dann drehte sie sich vor dem Spiegel und lächelte ihn verführerisch an. Von einem auf den anderen Moment aber konnte sie mit einer wütenden Geste die Schminke im Gesicht verschmieren, die Pumps von den Füßen schleudern und sich aufs Bett werfen, um hemmungslos zu heulen.

13. Kapitel

Fisch
Wegen der Lagerschwierigkeiten, die Fett bietet, ist relativ magerer Fisch für Kühl- und Gefrierlagerung besser geeignet. Da jedoch fetter Fisch im Konsum vorgezogen wird, muß auf die Lagertemperatur besonders geachtet werden.

Ich bin bei meinen Großeltern zu Besuch. Da ich ein Kind bin, bekomme ich mit einer Handbewegung meiner Großmutter einen Platz am Katzentisch zugewiesen. Mutter muß stehen, weil die Stühle nicht reichen, denn am Tisch sitzen lauter Männer, die ich nicht kenne. Auf eine erneute Handbewegung meiner Großmutter fangen alle gleichzeitig und mit mechanischen Bewegungen zu essen an. Man hört nur das Kratzen der silbernen Kuchengabeln auf dem Porzellan mit den kleinen blauen Blumen und dem Goldrand. Am großen Tisch unterhält sich Großvater stumm mit einem Mann, den ich nicht kenne. Ich stehe auf und nehme mir die Porzellandose vom großen Tisch, auf der in zehn Sprachen das Wort Zigarette steht. Ich angle mir über Großmutters Kopf hinweg das Feuerzeug vom Tisch, aber als ich mir eine Zigarette anzünden will, zerfällt sie zu Staub. Ich frage meinen Vater, was die ganzen Toten hier wollen am Tisch. Meine Frage zerreißt die Stille, und ich bemerke, daß ich als einzige eine Stimme habe.

Mir tut die Schulter weh. Es ist verdammt hart, auf dem Deckel einer Kühltruhe zu schlafen. Draußen ist es inzwischen hell.

Ich hole eines der schwarzen Hefte aus Großvaters Schreibtisch, in das mit Bleistift und in Sütterlin die Versuchsanordnungen der Vakuumgefriertrocknung eingetragen sind. Das letzte bricht im Dezember 1969 ab. Es gibt noch ein paar freie Seiten. Ich trage das Datum des heutigen Tages ein: 13. Dezember 1991, 13.35 Uhr, Wetter: niederschlagsfrei, sonnig, sehr kalt (–10 °C Außentemperatur), Temperatur in der Küche: 9 °C, Temperatur in der Kühltruhe: –18 °C. Es sieht alles sehr wissenschaftlich aus.

Ich beobachte Vater und schreibe: Lage Vater: Beine fast bis zur Brust gezogen und mit dem unteren Arm umklammert. Der obere Arm seltsam verbogen. (Ich muß ihn verletzt haben, als ich im Abstellraum versuchte, den Arm unter den Deckel zu drücken.) Kopf leicht zu den Knien hin geneigt. Augen geschlossen. Augenbrauen bereift, Haare so lang, daß sie die Augen bedecken. Mund leicht lächelnd, Falten auf Stirn kaum zu sehen.

Also muß es ihm gut gehen. Was mich wundert, ist, daß die Haare in der Stirn zu kleinen Stöckchen gefroren sind. Als wären sie naß gewesen, als Vater einfror. Oder ist zwischendurch etwas schiefgegangen, und er ist wieder aufgetaut? Lauter Fragen, die ich im schwarzen Heft notiere. Ich beuge mich hinunter und breche ein Stöckchen von Vaters Haaren ab. Daß Haare so schnell brechen, wenn sie naß gefroren sind, weiß ich seit einem Winter in den siebziger Jahren, als ich nach dem Schwimmtraining bemerkte, daß ich meine Mütze verloren hatte und der Fön im Stadtbad mal wieder kaputt war. Schon als ich an der Straße ankam, waren sie zu langen schwarzen Stöcken gefroren. Ich knickte eine Strähne an, und schon hatte ich die Hälfte in der Hand. Ich bin dann weitergelaufen, aus Angst, ich könne durch eine zu heftige Bewegung noch mehr Strähnen abbrechen. Sie klirrten leicht aneinander wie dünne Metallstäbe. Ich bemerke, daß Vaters Haare nur bis zu einem halben Zentimeter vor der Kopfhaut gefroren sind. Er ist also seit ungefähr zwei Wochen tiefgefroren, ohne zwischendurch getaut zu sein. Die Haare sind in der Zeit weitergewachsen. Das ist nicht unbedingt ein Zeichen dafür, daß er lebt. Auch nach dem Tod, hat mir mal einer erzählt, wüchsen die Haare und Fingernägel weiter. Ich weiß nicht, ob das stimmt.

Mir fällt ein, daß ich kürzlich gelesen habe, daß in Amerika reiche Leute ihre toten Verwandten einfrieren, damit sie, wenn die Entwicklung der Gentechnik weiter fortgeschritten ist, gefrorene Zellen ihrer Vorfahren in weibliche Trägerinnen einpflanzen können. Es wäre also theoretisch möglich, daß mein Vater, auch wenn er tot wäre, noch einmal mit Hilfe einer Leihmutter auf die Welt kommen könnte. Aber ich kann mir beim besten Willen nicht vorstellen, daß Vater sich dafür hergibt, die Erkenntnisse der Kältewissenschaft auf den Menschen zu übertragen. Vater war immer gegen Menschenversuche, obwohl ich mich jetzt fragen muß, ob das auch für ihn selbst galt. Ich hatte in meinem Leben nur einen kennengelernt, der zu so etwas in der Lage gewesen wäre. Es war Paulsen aus dem Erdgeschoß unseres alten Hauses auf der Insel, Professor für Metallurgie an der Technischen Hochschule, der einmal davon sprach, daß auch die Legierung eines Menschen stimmen müsse, sonst könne man die ganze Charge wegschmeißen. Das hatte er zu

Lisa Klopstocks Mutter gesagt, nachdem Lisa seinen Sohn Pepe so unsanft auf den Deckel des Brunnens gestoßen hatte, daß der durchgebrochen war und Pepe einige Sekunden zwischen Himmel und Hölle gehangen hatte, bis wir ihn zu fünft wieder herausgezogen hatten. Pepe hatte Lisa angeschrien: »So 'ne dämliche Kuh wie dich hätten sie früher vergast.« Lisa war, weil sie humpelte, beim Völkerballspiel nicht schnell genug aus dem Schußfeld gelaufen, und Pepes und Lisas Mannschaft hatte das Spiel verloren. Eigentlich konnte Lisa gar nicht wissen, was vergasen bedeutete, denn sie war erst sechs, aber sie hatte keinen Moment gezögert, Anlauf genommen und Pepe ihre kleine Faust so hart in den Magen gerammt, daß er, der am Brunnenrand stand, nach hinten weggekippt war. Pepes Vater, der wegen des Geschreis aus der Tür gestürzt war, hatte Lisa, die zitternd am Brunnenrand stand, ohne Ankündigung die flache Hand ins Gesicht geschlagen, ihren rechten Arm auf den Rücken gekugelt und sie zu ihrer Wohnung in der Toreinfahrt gezerrt. Lisa Klopstocks Mutter, die die gleiche Behinderung wie Lisa hatte, hatte sich den Satz mit der Legierung genauso ruhig angehört wie Lisas Rechtfertigung und sehr bestimmt zu Paulsen gesagt: »Herr Professor, ich möchte Sie darauf hinweisen, daß meine Mutter aufgrund ihres Hüftleidens vergast worden ist.« Sie strich Lisa über die Wange, auf der noch die fünf Finger des Professors zu sehen waren, zog sie in die Wohnung und knallte die Tür zu, bevor der Professor noch etwas sagen konnte. Paulsen kam auf den Hof zurück und scheuerte Pepe eine. Dann verbot er uns, den Hof zu betreten, bis nicht ein neuer Deckel auf dem Brunnen sei, und wählte die Kinder aus, die mit Martin und Pepe im Garten spielen durften, der zu Paulsens Wohnung gehörte und durch einen hohen Zaun vom Hof getrennt war. Gerda, deren Vater öfter im Knast saß, durfte wegen ihres Vaters nicht in den Garten, obwohl sie Martin bei jeder Mathematikarbeit abschreiben ließ. Martin war völlig unbegabt, was Naturwissenschaften anging, da hatte der Vater mit den Erbanlagen gegeizt.

Ich war ein Kind, das in den Augen des Professors gut in die Paulsensche Legierung paßte. Das hatte ich einzig und allein meinem Vater zu verdanken, sie waren sozusagen Kollegen Naturwissenschaftler, obwohl mein Vater Paulsen immer aus dem Weg ging. Der einzige Reiz des Gartens war die Schaukel, und so hatte ich meine Freundin Sabine vorm Zaun stehenlassen und mich auf die Schaukel gesetzt, obwohl mir nicht ganz wohl dabei war. Denn Sabine durfte nicht auf die Schaukel, weil ihr Vater nur Straßenbahnfahrer war. Ich versuchte, ausreichend Schwung zu bekommen, damit meine Füße die Zweige des Apfelbaums berührten, doch wie ich mich auch anstrengte, meine Beine waren nicht lang genug. Sabine hatte einen Fuß bequem auf den Sockel gestützt und hielt die Gitterstäbe umklammert. Ich sah im Vorbeischaukeln, wie ihr Kopf im Takt nach rechts und links pendelte. Diesmal mußte es doch gelingen, mit den Füßen die Zweige zu berühren. Ich streckte mich so lang ich konnte und bekam dabei einen so harten Schlag in den Rücken, daß ich aus dem Rhythmus kam und nicht mehr wußte, wo oben und unten war. Ich sah abwechselnd das Gerüst der Schaukel und den Zaun, bis mir ganz schwindlig wurde. Ich hörte die sich überschlagende Stimme meiner Mutter. Die Stricke verdrehten sich ineinander, und ich konnte nur noch abspringen, wenn ich nicht gegen das Gerüst prallen wollte.

»Sofort kommst du aus dem Garten raus. Das gibts doch wohl nicht, deine Freundin muß draußen stehn, bloß weil der Vater nich adlig ist, und Madame schaukelt. Du mußt wohl nicht ganz dicht sein. Kannst ihm bestellen, daß deine Mutter auch nur Achtklassenschule hat. Soll ich dir Beine machen?« Sie warf den Löffel des Salatbestecks vor meine Füße, die großzinkige Gabel hatte mich schon am Rücken getroffen.

»Soll ich das Besteck wieder mitbringen?« fragte ich.

»Ich bitte darum«, schrie Mutter und knallte das Flurfenster zu. Ich hatte jetzt auch Gartenverbot, allerdings von seiten meiner Mutter. Paulsen rächte sich, indem er mich wegen eines Hustens, den er für Keuchhusten hielt, vom Hof wies.

»Dem kack ich noch mal vor die Tür«, sagte Mutter, aber Vater meinte hinter seiner Zeitung, ihre Vorstadtmethoden würden beim Professor nicht ziehen, der käme noch auf die Idee, den Scheißhaufen zu analysieren und sie in die Lungenheilstätte zu verfrachten.

»Paulsen ist ein Nazi«, sagte meine Mutter, und Vater meinte nur: »Nanana, da wollen wir mal historisch nichts durcheinanderbringen.«

»Du grüßt den ja sogar, wenn du ihm mal nicht aus dem Weg gehen kannst.«

»Er ist ein international anerkannter Wissenschaftler.«

»Er ist ein Sadist. Aber offensichtlich muß man das wohl sein in diesem Staat, wenn man es zu was bringen will.«

Und dann sagte sie noch gehässig: »Vielleicht bringst du es deshalb nie zu etwas.«

Es hat keinen Sinn, sich über Vaters Gründe Gedanken zu machen. Auch das Stöbern in den Unterlagen des Kälteinstitutes bringt nichts, was mir in Vaters Angelegenheit weiterhelfen könnte. Am Abend spanne ich einen neuen Bogen in die Schreibmaschine ein. Wenn ich tot bin, wird niemand mehr die Geschichte zweier Kälteingenieure verstehen, deren einziges Handicap es war, auf der falschen Seite der Welt gelebt zu haben.

14. Kapitel

Fleisch
Nach einer Lagerzeit von 6 bis 8 Monaten verliert Gefrierfleisch an Gewicht.

WIE MEIN GROSSVATER SICH 1968, ZUR ZEIT DER NEUEN ÖKONOMISCHEN POLITIK DER SOZIALISTISCHEN PLANUNG UND LEITUNG DER VOLKSWIRTSCHAFT, DAS LEBEN DER BERUFSTÄTIGEN FRAU IM NÄCHSTEN FÜNFJAHRPLAN UNTER DEM GESICHTSPUNKT DER KÄLTETECHNIK VORSTELLTE

Stellen wir uns eine Bestarbeiterin, vielleicht eine Strumpfwirkerin namens Luise Ermisch vor, Mitte 30, Mutter zweier Kinder, nehmen wir an, alleinstehend, weil der Mann Anfang August 1961 in den Westen gegangen ist, im Gegensatz zu Luise, die ihren Betrieb so liebte, daß sie sich nicht von ihm trennen konnte. Nehmen wir an, es ist Hochsommer. Luise steht um fünf Uhr auf und schmiert Stullen. Das Brot nimmt sie aus dem Brotfach, nichts Ungewöhnliches, das hätte sie auch vor hundert Jahren nicht anders gemacht. Die Wurst und die Butter aber holt sie aus dem Kühlschrank des VEB Kühlgerätewerk dkk Scharfenstein, der auch schon über ein großes Drei-Sterne-Gefrierfach verfügt. Sie hat ihn im Betrieb über den konsument-Versandhandel bestellt, der berufstätigen Müttern das lange Suchen in den Geschäften ersparen soll. Sie wurde bevorzugt beliefert, weil ihre Brigade im ersten Quartal die meisten Strümpfe produziert hat. Um die Butterdose aus dem Butterfach und die Wurst aus dem oberen Fach unter dem Gefrierfach hervorzuholen, denn die Kälte sinkt von oben nach unten und muß zuerst an den Fleischwaren vorbei, ehe sie im Gemüsefach ankommt, zieht sie den Griffhebel mit leichtem Druck der Hand zurück. Auch der ist gediegen und praktisch gestaltet, denn der neue Fünfjahrplan verspricht Wohlstand, und der äußert sich auch in der eleganten Gestaltung der Tür. Da sie beide Hände braucht, um sowohl die Butter- als auch die Wurstdose in den stapelbaren Plastebehältern aus dem PCK Schwedt aus dem Schrank zu holen, wobei sie sich ein wenig bücken muß, denn sie hat sich bei ihrem Lohn nur das etwas kleinere Gerät kaufen können, das aber für die Bedürfnisse ihrer Familie völlig ausreicht, schiebt sie, nachdem sie sich wieder aufgerichtet hat, die Tür mit einem Stoß aus der Hüfte zu. Dazu genügt bei den neuen Geräten nur ein leichtes Anstoßen, nicht ein Tritt mit dem Fuß, wie bei der letzten Kühlschrankserie. Mit Hilfe der sozialistischen Zusammenarbeit verschiedener Entwicklungskollektive und den Kundschaftern an der unsichtbaren Front, die die Baupläne der Kühlschränke westlich der Elbe auf verschlungenen Pfaden mitgebracht haben, ist es gelungen, das Schließsystem so zu gestalten, daß es auch über die Garantiezeit hinaus hält, was es verspricht.

Ihr Kühlschrank ist das Ende der Kühlkette, die Obst, Gemüse, Wurst und Butter erst zu Massenartikeln hat werden lassen. Aber das interessiert Luise Ermisch natürlich nicht im geringsten. Sie wäre nur verwirrt, wenn das Licht nicht anginge, wenn sie die Kühlschranktür öffnet, oder das Wasser ihr entgegenschwappen würde. Die Stullen packt sie in die praktischen Polyäthylenbeutel, die sie auch zum Einfrieren benutzen und immer wieder verwenden kann, denn sie sind auswaschbar und können praktisch auf der Leine getrocknet werden, wobei man sie aber mit der feuchten Seite nach außen drehen sollte. Dann hat die Kühltechnik der Frau erst einmal genug die Arbeit erleichtert, und Luise Ermisch geht zur Schicht an ihrer Strumpfwirkermaschine. Natürlich hat sie vorher ihren beiden Söhnen noch einen Kuß auf die Nase gedrückt und sie in den Frühhort geschickt, denn sie ist neben ihrer Berufstätigkeit auch noch eine gute Mutter. In der ersten Pause ißt sie ihr Frühstücksbrot auf, in der Mittagspause kommt wieder die Kühltechnik zum Zuge, denn der Betrieb verfügt wegen der vielen dort arbeitenden Werktätigen über mehrere Essenausgabestellen. Die Teilnehmerzahlen sind so gering, daß eine eigene Küche für jeden Betriebsteil unwirtschaftlich wäre. Außerdem arbeitet der Betrieb im Dreischichtsystem. Die Versorgung der zweiten und dritten Schicht mit einer warmen Mahlzeit ist nach der herkömmlichen Methode nicht gesichert. Im letzten Fünfjahrplan wurde die Kantine noch mit Thermophorenessen versorgt, aber keiner mochte die häßlichen grünen Behälter mit dem Schnappverschluß rechts und links am Deckel, weil die Kartoffeln immer zusammenpappten und die Soße nur noch lauwarm war. Außerdem, das weiß zwar Luise nicht, aber mein Großvater, ist der Transport und die Aufbewahrung von Speisen in Thermophoren unter ernährungsphysiologischen Gesichtspunkten völlig unbefriedigend, und im internationalen Maßstab besteht deshalb Einigkeit darüber, daß die Versorgung unter Einschaltung der Gefrierkonservierung die günstigste Methode ist, um eine moderne Form der gesellschaftlichen Verpflegung zu gewährleisten. Die zentrale Großküche in Luise Ermischs Betrieb stellt also durch Kochen und anschließendes Einfrieren Tausende Portionen tischfertiger Gefrierkost her, die in formschöne Assietten verpackt sind. Assietten bedeutet auf Französisch nichts weiter als Teller, Luise Ermischs Kollegen sagen immer Asietten, weil sie annehmen, daß die gepreßten Gebilde aus Aluminium mit ihren dreieckigen Ausbuchtungen für die Aufnahme von Kartoffeln rechts, Gemüse links und Fleisch mit Soße im unteren, breiteren Dreieck aus Asien stammen. Die Assietten können hinterher zusammengeknüllt und weggeworfen werden, so daß mindestens zehn Abwaschkräfte eingespart wurden, die seit kurzem auch Strümpfe wirken, was Luise Ermisch sehr freut, denn die Abwäscherin Elli Schmidt ist eine lustige Nudel, und eine Frau mehr hilft den Plan übererfüllen und sichert die Prämie am Monatsende, die für das Haushaltsbudget von Luise nötig ist, damit sie pünktlich die Rate für den Kühlschrank abbezahlen kann. Eine tägliche Auslieferung des Essens ist nicht mehr erforderlich, denn der Betriebsteil bekommt einmal in der Woche einen Kühltransport voller Fertiggerichte, die in den Kühlräumen der Küche eingelagert und je nach Bedarf wieder aufgetaut werden. Die Arbeiterinnen können zwischen drei Essen wählen. Klara Baum hinter der Küchenklappe fragt, welche Nummer, und Luise sagt, heute Nummer zwei, weil sie Schmorgurken am liebsten ißt. Klara holt Schmorgurken aus der Kühlzelle und wärmt sie in fünf Minuten im Hochleistungs-Durchlauf-Garautomaten auf. Dann kann Luise noch eine Zigarette rauchen, bis Klara in den Speisesaal ruft: Einmal die Zwei. Luise Ermisch weiß seit der öffentlichen Einführung in das neue System, daß in den USA alle Menschen tischfertige Gefrierkost essen. Deshalb kommt sie sich manchmal schon vor wie eine Frau von Welt. Denn es gibt immer noch genug Betriebe, zum Beispiel die rückständigen halbstaatlichen, die nicht über so eine Erfindung verfügen.

So gut gesättigt kann Luise Ermisch ihren Arbeitstag vollenden. Aus der Straßenbahn ausgestiegen, schaut sie dann gerne in ihrem Selbstbedienungslebensmittelladen vorbei. Am Anfang, das muß sie zugeben, hat ihr die Verkäuferin gefehlt, die das Mehl und den Zucker, den Kaffee und die Butter abmaß und in bräunliches Papier einwickelte. Jetzt aber weiß sie die genau ausgewogenen, anspruchsvoll gestalteten Verpackungen und vor allen Dingen die großen beleuchteten Kühlgeräte zu schätzen, aus denen sie zwischen verschiedenen Sorten Feinfrostgerichten wählen kann. Gerne nimmt sie das tischfertige Gemüse in den Verpackungen, auf denen ein lustiger Schneemann auf Schlittschuhen über Erbsen oder Möhren fährt. Der Assistent meines Großvaters, nämlich mein Vater, hat errechnet, daß das Zubereiten eines in 11:46 Minuten gekauften Kilos Erbsenschoten 19:49 Minuten dauern würde, wogegen die Zubereitung eines in 4:32 Minuten gekauften Pfundes garferig gefrorener ausgepuhlter Erbsen nur 7:48 Minuten dauert. Sie spart dabei 18 Minuten, in denen sie mit den Kindern eine Runde Mensch-ärgere-dich-nicht spielen kann. Die Gefrierkonserven werden in eine extra für den Transport von Kühlgut entwickelte Tüte eingepackt, so daß sich die Erbsen auf höchstens –10 °C erwärmt haben und die Kühlkette, bis Luise Ermisch zu Hause ihr Gefrierfach öffnet, nicht unterbrochen wird. Manchmal fällt auch noch ein Becher Eiskrem für die Kinder ab, aber mit solchen Nichtigkeiten hat mein Großvater nichts zu tun. Wenn Luise Ermisch eine dem modernen Einkauf aufgeschlossene Frau ist, nimmt sie am Minuteneinkauf, einer Initiative des Kollektivs »Fortschritt« der Handelsorganisation (HO) teil, das heißt, sie bestellt am Abend das Gewünschte für den nächsten Tag bei der Verkäuferin, die stellt ihr die Waren dann im Laufe des Tages zusammen, und Luise Ermisch muß nach der Arbeit nur noch bezahlen. Die tiefgekühlten Produkte legt die Kassiererin dann noch schnell dazu. Luise Ermisch ist also rundum zufrieden und kann die Weihnachts-Westpakete vom Erzeuger der Kinder getrost wieder zurückschicken, ohne auch nur den Zollpackzettel gelesen zu haben.

»War nur so'n dummer Traum«, sagt mein Großvater in seinem Grab. »Da haben sich noch ganz andere Leute geirrt. Chrustschow glaubte auch, bis 2000 den Kommunismus aufgebaut zu haben.«

Wo Großvater recht hat, hat er recht.

Denn mit dem nächsten Fünfjahrplan wurde das Neue Ökonomische System der sozialistischen Planung und Leitung, das schon längst in Ökonomisches System des Sozialismus umbenannt war, nach und nach bei –18 °C eingefroren. Die Forschungen des Kälteinstitutes wurden über Nacht gestoppt. Und mein Vater mußte fortan die Bevölkerung mit Eiskrem befriedigen. Paul merkte plötzlich alle seine Krankheiten und ging in Rente. Es war ja schon ein schlechtes Zeichen gewesen, daß sich der Leiter der Staatlichen Plankommission wegen erheblicher Differenzen mit dem Nachfolger Chrustschows 1965 in sein Zimmer eingeschlossen und mit der

Dienstpistole erschossen hatte. Man hatte ihm ein Staatsbegräbnis erster Güte ausgerichtet, in den Zeitungen von einem tragischen Unglücksfall gesprochen und einen neuen Leiter eingesetzt, der seinen Schreibtisch umgedreht hatte, damit er nicht immer auf die Kugel in der Wand hatte starren müssen. Die Weichen wurden umgestellt. Und zwar so, daß die Lokomotiven, die zur gleichen Zeit an verschiedenen Orten losfuhren, eines Tages unweigerlich zusammenstoßen mußten. Aber bis dahin war noch viel Zeit. Luise Ermisch und ihre Kinder bekamen wieder das ernährungsphysiologisch schlechtere Essen aus dem Thermophorbehälter, der immer noch grün war und immer noch undicht. Also kotzten die Kinder montags wieder die Kohlsuppe auf ihre Plasteteller, die tischfertigen Gerichte verschwanden aus den Kühleinrichtungen, weil die Kühleinrichtungen nach und nach ausfielen und keine volkswirtschaftlichen Ressourcen da waren für die Entwicklung besserer Geräte, der Minuteneinkauf wurde abgeschafft, und Luise Ermisch fing wieder an, im Herbst einzukochen, wofür sie sich die Gläser und Ringe schon im Frühjahr besorgen mußte, denn im Herbst waren sie nicht zu bekommen. Morgens ging sie dann müde zur Arbeit, zum Mensch-ärgere-dich-nicht-Spielen kam sie auch nicht mehr. Dafür versprach ihr die neue Regierung, bis zum Jahr 1990 ihr Wohnungsproblem zu lösen. So lange wollte Luise Ermisch nicht mehr aufs Glück warten. Sie hatte schließlich nur ein Leben. Ende der siebziger Jahre stellte sie einen Antrag zur Familienzusammenführung, weil sie eines Tages, als mal wieder der schlechte Faden an ihrer Strumpfwirkermaschine gerissen war, bemerkt hatte, daß sie ihren Mann doch mehr liebte als ihren Betrieb.

Ich allerdings wußte schon mit vier Jahren, daß das Essen aus Assietten mir genauso wenig schmeckte wie das aus Thermophorkannen. Das Neue Ökonomische System legte verstärkt Wert auf Konkurrenz zwischen den Betrieben gleicher Produktionszweige. Und zur Konkurrenz gehörte auch Reklame. Am besten ließ sich mit kleinen Mädchen werben, die mit vier Jahren schon mit Messer und Gabel essen konnten. Und ich konnte das. So wurde ich eines Sonnabendmorgens an der Hand meines Vaters zum Fototermin ins Kälteinstitut bestellt. Ich hatte mein schönstes, dunkelrotes Kleid an, auf dem in Herzhöhe zwei Pinguine aufgestickt waren. Das hatte mein Vater als sehr passend für tischfertige Gefrierkost gehalten. Ich wurde auf einen Stuhl mit drei Kissen gesetzt, damit ich über den Tisch sehen konnte. Dann bekam ich eine angewärmte Assiette mit Kartoffeln, Rotkohl und Rinderroulade in brauner Soße. Rechts neben meiner Aluminiumassiette hatte mein Vater ein Glasschälchen mit Erdbeerquark gestellt. Die Erdbeeren stammten aus der volkswirtschaftlich noch wichtigeren Versuchsreihe zur Vakuumgefriertrocknung, die die DDR noch unabhängiger machen sollte. Man hätte sie quasi mit einigen Quadratkilometern Lagerfläche für gefriergetrocknete Produkte und genügend Wasser mitsamt der Bevölkerung auf den Mond schießen können, und sie hätte dort gut und gerne zehn Jahre störungsfrei den Sozialismus aufbauen können. Aber soweit waren sie noch nicht, als ich vier war. Die Erdbeere obendrauf paßte farblich auch sehr schön zu meinem roten Kleid. Ich dachte bei jedem Bissen, noch soundsoviel Happen, und du darfst die Quarkspeise essen. Dazu kam der Fotograf mit seinen heißen Lampen, die mich zum Schwitzen brachten. »So, und jetzt bitte den Kopf noch etwas höher, kleines Frolleinchen, damit wir deine schönen braunen Augen sehen.« Den Kopf in Richtung Kamera zu halten, hieß blind mit Messer und Gabel zu essen, was ich zu Hause nie machen mußte, worauf natürlich das Rouladenstück auf die Soße zurückklatschte und Flecken auf meinem Kleid hinterließ, die später wegretouschiert werden mußten. Am Ende hatte ich dreimal eine neue Assiette vorgesetzt bekommen, denn mit einer halbaufgegessenen Portion ließ sich ja schlecht werben, und war so satt, daß ich die Quarkspeise gar nicht mehr schaffte.

Am Abend kochte meine Großmutter ordentliches Essen für mich. Sie stellte jedes Gericht frisch her, putzte Gemüse, klopfte Fleisch, schälte Kartoffeln, denn als nichtberufstätige Frau fiel sie nicht unter das Versorgungsressort meines Großvaters. Es war dann später sehr peinlich, wenn wir ins einzige Delikatessengeschäft der Stadt gingen. Dort gab es riesengroße Kühltruhen, über denen in hintergrundbeleuchteten Glaskästen Farbfotos warben. Da hing meine lächelnde Mutter mit ihrer neuen praktischen Kurzhaarfrisur und mit tiefgefrorenen Erbsen in der Hand, da hing mein Vater, im weißen Kittel vor einem Tiefkühlfahrzeug mit der Aufschrift »Frisch auf den Tisch« stehend, und ich hing da im roten Kleid, den Blick starr auf das Essen gerichtet, so daß man die Farbe meiner Augen gar nicht sehen konnte. Und jedesmal, wenn sie mit mir ins einzige Delikatessengeschäft der Stadt ging und wir an der Kühltruhe vorbei mußten, rief Großmutter mit gespielter Euphorie: »Guck mal, das bist du ja, Annja.« Das tat sie auch noch acht Jahre später, als ich immer noch an der gleichen Stelle essen mußte, obwohl das Produkt nie in den Handel gekommen war, weil die

Verpackungsressourcen nicht ausgereicht hatten. Allerdings war das Foto mit der Zeit etwas verblichen, mein Kleid war nicht mehr rot, sondern rosa, die Pinguine sahen aus wie Fische, und mein Haar war nicht mehr braun, sondern blond. Ich persönlich habe das Scheitern der Neuen Ökonomischen Politik und die spätere Einführung der etwas teureren Handelskette Delikat sehr begrüßt, denn mit ihr verschwanden auch die Kühltruhen mit den beleuchteten Werbekästen, und die Waren wurden wieder in Konservenbüchsen von Verkäuferinnen hinter einer Theke mit hübschen Häubchen auf den Dauerwellen verkauft.

15. Kapitel

Fruchtpulp
Das Gefrieren von Pulp, der mit Zucker vermischt ist, hat den Vorteil, daß keine Luftlöcher in der Masse verbleiben.

Das Schreibmaschinengeklapper stört Großmutter. Sie fragt mich, ob Ottilie vielleicht wieder im Arbeitszimmer sitzt und sich von Paul diktieren läßt.

»Ottilie ist tot, hast du das vergessen? Du hast doch den Kanarienvogel geerbt. Der liegt auch seit zwölf Jahren da unten auf dem Hof.«

Der Kanarienvogel hatte den ganzen Tag Paul geschrien, wahrscheinlich hieß er auch so. Eines Morgens lag er mit verrenktem Hals tot im Käfig. Ich hatte damals Großmutter gefragt, ob sie ihm den Hals umgedreht hatte, und sie verneinte etwas zu heftig.

»Klappert es jetzt immer noch«, frage ich sie.

»Ja, ich höre es ganz genau.«

»Na gut«, sage ich, »dann werde ich dir wohl beweisen müssen, daß niemand außer uns beiden hier ist.« Ich hebe Großmutter aus dem Bett. Sie ist leicht wie eine Feder. Vorsichtshalber gehe ich durch das Wohnzimmer ins Arbeitszimmer, denn ich weiß nicht, ob ich die Küchentür zugemacht habe. Großmutter soll die Kühltruhe nicht sehen.

Ich setze sie auf den Schreibtischstuhl, und sie starrt auf die Schreibmaschine.

»So viele Tippfehler auf einem Blatt hat nur Walentina Kracht gemacht.«

»Wie kommst du auf Walentina Kracht? Wir waren bei Ottilie.«

»Walentina Kracht war die erste, mit der Paul mich betrogen hat. Und Ottilie die letzte.«

»Und wie viele waren dazwischen?« Großmutter denkt angestrengt nach und zählt mit den Fingern. Als sie bei fünf ist, gibt sie auf. »Weiß ich nicht mehr. Viele. Aber über Walentina Kracht habe ich mich am meisten geärgert.«

Fräulein Kracht war in die Jahre gekommen. Immer blondiert, wie »Hackebeils Praktisches Wochenblatt« empfahl: Es ist Pflicht jeder deutschen Blondine, sich die sprichwörtliche Schönheit ihres Blondhaares für immer zu bewahren, indem sie zur Pflege ihres blonden Haares regelmäßig NURBLOND benutzt. Walentina Kracht machte seit zwölf Jahren davon Gebrauch, und manchmal mußte sie überlegen, welche Haarfarbe sie vorher gehabt hatte. Jetzt gingen die Vorräte zur Neige, an manchen Tagen waren schon die Geräusche der Front zu hören, und Walentina Kracht mußte sich besorgt fragen, wie es weitergehen würde, ob sie sich ihre Haare nicht lieber dunkel färben sollte.

Mein Vater sprach so abfällig, wie nur Kinder sein können, an einem Sonntag am Mittagstisch das Wort aus, mit dem alle Kinder um das Kühlhaus herum Walentina Kracht bezeichneten: »Die olle Schminkdogge«. Denn soviel hatte der Siebenjährige von den Benimmregeln des Nationalsozialismus schon begriffen – die deutsche Frau schminkt sich nicht und benutzt weder Puder noch Lippenstift. So hatte es schließlich der Propagandaminister empfohlen, und meine Großmutter hielt sich strikt daran. Für diesen Satz kriegte mein Vater eine saftige Ohrfeige von seinem Vater. Mein Vater hatte ein untrügliches Gefühl für Sachen, die nicht stimmten oder aus dem Ruder liefen. Seine Mutter nicht. Walentina Kracht wohnte eine Etage über Kobes und war wie meine Großmutter vertraut mit mechanischen Maschinen, nur hatte sie nicht die Schreibmaschine mit dem Kochtopf vertauscht, weswegen meine Großmutter gegenüber ihrer Schwester Gertrud manchmal von Walentina Kracht als alter Jungfer sprach. Gertrud allerdings wußte es besser, schließlich war ihr Otto als Maschinist vertraut auch mit den dunklen Ecken des Kühlhauses, in denen er so manches Mal meinen Großvater mit der Sekretärin angetroffen hatte.

Irgendwann hatte mein Großvater Walentina über die Schulter geschaut, als sie den Jahresbericht des Kühlhauses geschrieben hatte. Und wie immer bei den klappernden Buchstaben spürte er ein nicht zu bändigendes Bedürfnis, die schnellen Finger anzuhalten. Er konnte sich das auch nicht erklären, vielleicht war es Neid, daß es ihm niemals gelingen würde, so schnell über die Tasten zu huschen und einen fehlerlosen Text zustandezubringen. Walentina Kracht wurde seine Geliebte. Großmutter hielt es für normal, daß Großvater seine Sekretärin auf Familienausflüge mitnahm, denn auch ihr Chef in der Malex- Margarine- Lagerungs- und Expeditionsgesellschaft hatte sie manchmal sonntags mit in den Wald zum Diktat genommen, weil er sie wegen des Verkehrs auf der Moltkestraße auch bei geschlossenem Fenster nicht verstand, denn er litt an Schwerhörigkeit. Großvater allerdings war, was die Ohren anging, im Vollbesitz seiner Kräfte. Kurz vor Kriegsende klaute er den Betriebs-Fiat, der aus kriegswichtigen Gründen, denn in den Kühlhäusern befand sich die Ernährungsreserve der Wehrmacht, als Beute mitsamt einiger italienischer Kriegsgefangener eines Tages auf dem Gelände gestanden hatte, und fuhr mit seiner Familie plus Sekretärin in den Thüringer Wald. Er ging mit Walentina ins Unterholz zum Diktat. Großmutter lief mit den Kindern, Klaus an der Hand und den zweijährigen Günther auf dem Arm, auf dem Waldweg zwischen Tabarz und Friedrichroda. Daß Walentina Kracht, in Friedrichroda angekommen, Tannennadeln im Haar hatte, wollte nur meinem Vater auffallen, der sich von jeher für Vögel interessierte und bei der Verfolgung eines Eichelhähers vom Weg abgekommen und über ein Paar gestolpert war, das bei näherem Hinsehen aus seinem Vater und Walentina Kracht bestanden hatte. Von diesem Anblick blieb bei ihm eine Abneigung gegen Fräulein Kracht zurück. Die Bezeichnung Schminkdogge hatte mein Vater vom Sohn des Hilfsmaschinisten Schmidt, der unter ihnen wohnte, für die Arbeit im Schlachthof nicht taugte und lieber zur SS gegangen war. Er arbeitete im Konzentrationslager auf dem Ettersberg, den man bei klarem Wetter sehen konnte, und kam regelmäßig am Wochenende nach Hause. Niemand fragte nach seiner Arbeit, man ahnte nur, was auf dem Berg geschah, aber einmal sagte die Bäckersfrau zu seiner Mutter: »Na, Frau Schmidt, die Goldzähne waren wohl auch schon in anderen Mündern.«

In meine Vorstellung dieser Zeit paßte nicht, daß die Bäckersfrau nicht abgeholt worden war und mein Großvater im Gegenzug, als die Amerikaner kamen, Schmidts Sohn kurzzeitig auf dem Dachboden versteckte, bevor er ihn mit einem Tritt in den Hintern und einem »Hau ab, du Schwein und laß dich hier nie mehr blicken« in die Dunkelheit entließ. Das hatte ich gestrichen, weil es nicht sein konnte, daß man einen Verbrecher versteckte.

Als die Front in der Ferne zu hören war, schickte mein Großvater seine Frau mit den Kindern nach Ringleben. Dort sollten sie bleiben, bis alles vorbei war. Großmutters Argument, jetzt sei ihnen den ganzen Krieg über nichts passiert, da würde am Ende auch alles gut gehen, wischte er vom Tisch.

Er schob ihr noch ein Paket mit Lebensmitteln unter das Kinderwagenkissen, drückte ihr einen Kuß auf die Wange und schob sie aus der Tür: »Wir sehen uns wieder.«

Großmutter zog mit den Kindern in einem langen Treck bis über den Stadtrand hinaus und über die Felder. Keiner wußte so genau, wofür es gut war und ob sie die Stadt so unzerstört, wie sie sie verließen, wieder vorfinden würden. Wer hatte schon Ahnung von Amerikanern. Am Abend kamen sie im Haus ihrer Großtante an. Die schlug die Hände über dem Kopf zusammen. Aber Großmutter gab ihr das Paket und zog sich in den winzigen Kartoffelkeller zurück, wo sie drei Tage, den Kopf zwischen den Schultern, saß und bei jedem Krachen zusammenzuckte. Vor Angst vergaß sie ihre Kinder, die es sich inzwischen in der Küche gemütlich gemacht hatten. Das Krachen der Granaten störte meinen Vater weniger als der langgezogene Singsang der Sirenen.

Am 14. April war es plötzlich von einer auf die andere Minute still, und die Leute im Dorf redeten davon, daß der Krieg vorbei sei. Sie machten ein großes Feuer. Als das Feuer heruntergebrannt war, verließ Großmutter mit den Kindern das Dorf. Mehr als die Angst um ihr Leben und das ihrer Kinder trieb sie die Sorge um Großvater. Schließlich hatten sie ihn im Juli 44 kriegsverwendungsfähig geschrieben. Vielleicht war er zum Volkssturm eingezogen und längst totgeschossen. Aber Großvater hatte sich dem Volkssturm durch »freiwillige Sicherung des deutschen Volksgutes« entzogen und sich bereit erklärt, das Kühlhaus zu bewachen, nicht vor den Amerikanern, wie ihm schwante, sondern vor den Plünderern, denn ihm war zu Ohren gekommen, daß man in der Stadt vom Kühlhaus als einem Schlaraffenland sprach. Während Großvater mit Walentina Kracht in der ungekühlten Zelle Nummer VIII Schreibübungen veranstaltete, vergaß er Frau und Kinder fast völlig. In der von einem Notstromaggregat gekühlten Kühlzelle VII lagerten neben den Restbeständen SOLO-Feinfrost die Luxusgüter der Familie, Pelzmäntel und die Anrichte aus Kirschholz. Einer der französischen Zwangsarbeiter, der früher Koch auf der Ile de la Cité gewesen war, in einem Lokal namens »Chez Marianne«, wie er Großvater in gebrochenem Deutsch zu erklären versucht hatte, kochte auf dem aus dem Labor der Forschungsstelle herbeigeholten Kohleherd ein Menü mit drei Gängen. Sollte die Familie wiederkommen, würde sie ruhiggestellt werden, sollte sie in irgendeinem Straßengraben liegen, würde etwas Neues anfangen. So oder so. Eines Morgens standen dann zehn Amerikaner vor den gut bewachten Toren. Großvater ließ die Zwangsarbeiter vor. Walentina Kracht färbte ihre Haare schwarz und kürzte ihren Rock. Es war schon warm, und in Ermangelung von Seidenstrümpfen malte sie mit dem Augenbrauenstift schwarze Striche statt der Strumpfnähte auf ihre Waden.

Einen Tag nach den Amerikanern kam Großmutter, müde auf den Beinen und glücklich, ihren Mann unverletzt wiederzusehen. Großvater verbot ihr, auf die Straße zu gehen, solange die Lage noch unklar war. Großmutter aber wollte im Kühlhaus nach den ausgelagerten Schätzen sehen. Vorsichtshalber nahm sie Günther mit, einer Frau mit Kleinkind würden sie schon nichts tun. Als sie durchs Tor trat, schossen die Amerikaner beim Anblick der verschreckten Frau aus Spaß in die Luft. Seitdem sprach Günther kein Wort mehr, und als er nach einem halben Jahr das erste Mal einen Satz formulierte, kam ihm der nur nach dreifacher Wiederholung jeder Silbe über die Lippen. Wer konnte damals schon ahnen, daß die nächste Kugel Günther vollständig stumm machen würde. Aber das würde erst in 28 Jahren sein, und kurz nach dem Krieg konnte man den Defekt noch in einer Sprachheilschule beheben. Die Amerikaner ließen das Kühlhaus von den jetzt ehemaligen Zwangsarbeitern bewachen. Die deckten sich, bevor sie abzogen, noch ausreichend mit allem möglichen ein, und der Koch verhinderte, daß Großmutters Pelzmantel als Kriegstrophäe das Kühlhausgelände verließ.

Als am 30. April alle Einwohner aufgefordert wurden, ihre Radios bei den amerikanischen Kommandanturen abzugeben, verschwand Großvaters Gerät im Maschinenraum. Dort hatte es schon einmal gestanden, damit Großvater, gut abgeschirmt vor fremden Ohren, BBC und Radio Moskau hören konnte. Was sich unter den Nazis bewährt hatte, konnte unter den laxen Amerikanern nicht falsch sein.

Mein Vater mit seinen acht Jahren tat das Seine, um sich den Veränderungen anzupassen. Er liebte Modellflugzeuge. Tagelang saß er in der Küche und bastelte die Einzelteile zu Militärflugzeugen zusammen. Der letzte Akt war das Aufkleben der Hoheitszeichen der deutschen Luftwaffe. Als die Amerikaner einmarschierten, übermalte Vater das Hakenkreuz mit den Hoheitszeichen der amerikanischen Streitkräfte. Dafür mußte er bis hinter den Steiger laufen, wo ein abgeschossenes Flugzeug der Amerikaner lag. Den Weg hätte er sich sparen können, denn schon zwei Monate später, am 2. Juli, mußte er über das deutsche und das amerikanische Hoheitszeichen das sowjetische malen. Vater guckte sich den fünfzackigen Stern von den Knöpfen der russischen Uniformmäntel ab. Ein Jahr später blätterte die Farbe wegen der vielen Übermalungen ab und

Vater beließ es dabei, seine Flugzeuge ohne Hoheitszeichen im Zimmer herumfliegen zu lassen.

Die Russen brachten nicht nur eine neue Sprache, sondern auch eine neue Uhrzeit mit. Die Uhr am Eingang des Schlachthofes wurde vom Kommandanten persönlich zwei Stunden vorgestellt, und Paul als technischer Mitarbeiter mußte die Leiter halten, wobei er den Kommandanten von unten zu überzeugen versuchte, daß es völlig sinnlos sei, in Mitteleuropa die Moskauer Zeit einzuführen.

»Ich habe in meinen sozialdemokratischen Weiterbildungszirkeln in den zwanziger Jahren zwar gelernt, daß eine Revolution neue Kalender einführt, aber doch nicht, wenn damit der ganze Tagesablauf durcheinanderkommt. Damit werdet ihr die Bevölkerung nie auf eure Seite kriegen.«

»Wer hat denn angefangen?« fragte der Kommandant, und Großvater sagte lieber nichts mehr.

Elsa war wochenlang nicht auf der Straße zu sehen. Auch den Hausflur mied sie, denn in die Wohnung neben Walentina Kracht zog der Kühlhauskommandant Grischa Maslow. Großvater war sich ziemlich schnell darüber klar, daß er gut mit den Russen auskommen würde, wenn genug Vorräte da wären. Er legte sich ein kleines Schnapslager an, getauscht auf dem Schwarzmarkt gegen einen Teil des SOLOFROST-Gemüses. Es war sein erstes Kompensationsgeschäft, und vorerst lief alles glänzend. Es brachte Großvater den Namen Dicker Chitler ein, aber jedesmal haute ihm der Grischa freundlich auf die Schulter. Großmutter mußte damit leben, daß der Kommandant jeden Morgen zum Frühstück kam. Mit ihm waren auch hundert Soldaten auf das Schlachthofgelände gekommen, und das Geschäft florierte prächtig. Großvater war sich, nachdem der Direktor Richtung Westen geflohen war, seiner Macht als technischer Mitarbeiter bewußt, man mußte ihn leben lassen, denn der Kühlhauskommandant war Germanist und nur deshalb im Kühlhaus gelandet, weil für die Stadt zwei Kulturoffiziere ausgereicht hatten. Man war ja nicht mehr in Berlin. Grischa machte ihn zum Direktor, und Großvater baute sein Imperium aus.

Vater indessen fing an, Briefmarken zu sammeln. Er tauschte sie auf dem Schwarzen Markt gegen Fleischstücke ein, die er seiner Mutter aus dem Topf gestohlen hatte. Einmal erstand er einen ganzen Satz Hitlermarken, Erstausgabe von 1933. Als er sie stolz seinem Vater zeigen wollte, war der mal wieder nicht in der Wohnung. Er schob die Marken unter die Glasplatte des Schreibtisches. Wenn sein Vater nach Hause käme, würden sie ihm sofort ins Auge fallen.

In der Nacht wachte er auf, weil es einen heftigen deutsch-russischen Wortwechsel gab. Plötzlich fiel ein Schuß, dann war Stille. Vater wurde von Großmutter vorgeschickt, um zu sehen, was passiert sei. Er wurde entdeckt, ins Arbeitszimmer gezogen und vor den Augen des Kommandanten von Großvater windelweich geschlagen. Großvater hatte mit dem Kommandanten noch ein Fläschchen trinken wollen, doch der hatte, als passionierter Briefmarkensammler, zuerst die Hitlermarken auf dem Schreibtisch entdeckt. Großvater wußte gar nicht, wie ihm geschah, als der Russe auf ihn losging und ihn anbrüllte: »Du Faschist, du elender, drekkiger Faschist.« Bei dem Handgemenge hatte sich der Schuß gelöst und war in die Wand gegenüber eingeschlagen, genauer gesagt, in den Hirsch auf dem Gemälde »Der Steigerwald«. Die Vorzugsausgabe Hitlermarken wurde im Aschenbecher verbrannt, was Grischa fast ein bißchen leid tat, aber ihm war klar, daß man sich auch mit der Leidenschaft des Briefmarkensammelns zwanzig Jahre Workuta einhandeln konnte. Großvater wurde genötigt, zur Versöhnung auf den GROSSEN GENERALISSIMUS STALIN zu trinken, dessen Bild im Büro des Kühlhauses hing und vom dem Großvater als alter Sozialdemokrat wußte, daß mit ihm nicht gut Kirschen essen war. Vater wurde drei Monate geschnitten, aber trotzdem bekam er zu Weihnachten ein Paar Skier und einen Stabilbaukasten.

Oben bei den Krachts wurde inzwischen jedes Wochenende gefeiert. Großvater wurde Vorsitzender des städtischen Karnevalsvereins der Stadt. Das halbe Stadttheater machte es sich auf Krachts Teppich gemütlich.

Gardinen-Förster, der ein großes Geschäft am Anger hatte, das wunderbar lief, seit es wieder Fensterglas gab, setzte sich am liebsten auf das Sofa gegenüber dem Fenster, um seine Gardinen zu bewundern, die zehn Kilogramm Fleisch wert gewesen waren. Davon hatte er aber nur fünf Pfund vor dem Verfallsdatum retten können, der Rest war von seiner Frau auf dem Schwarzmarkt verkauft worden. Walentina Kracht hatte nichts dagegen, daß bei ihr gefeiert wurde, weil dann immer Fleisch im Topf war. Nur Großmutter hatte sich ihr Eheleben etwas bürgerlicher vorgestellt. Eines Tages kam Rudi Schuricke. Großvater holte aus Kühlzelle VII zwei Kilo Fleisch, denn Schuricke wollte nur gegen angemessene Vergütung singen. In der einen Hand das Fleischpaket, in der anderen den Stab der Nachttischlampe wie ein Mikrofon schwenkend, stand Rudi Schuricke im Wohnzimmer der Kracht, zwischen den Plüschmöbeln und der Anrichte, auf der bald wieder ein gegen Fleisch getauschtes Radiogerät stehen würde. Aus ihm würde, verzerrt zwar, das Lied von Rudi Schuricke erklingen, das Walentina Kracht dann schon auswendig würde singen können: »Wenn bei Capri die rote Sonne im Meer versinkt«, auch abgewandelt zu: »Wenn die Nächte zum Kohlenklauen geeignet sind«, oder später dann, wenn sie mit ihrem neuen Geliebten, einem Schieber, im Roten Hahn sitzen würde: »Wenn bei Capri die rote Flotte im Meer versinkt«. Der Anklage wegen Verleumdung der Sowjetmacht würde sie sich dann durch einen Schritt über die Grenze entziehen. So begleiten einen Lieder durchs Leben. Wie es auch Grischa begleiten würde, allerdings nur im Kopf gesummt, wenn er in nicht allzuferner Zeit aufgrund später so genannter »falscher Anschuldigungen« seinen Rückweg nach Sibirien antreten würde, der allerdings nicht in seinem heimatlichen Dorf, sondern in einem von Stacheldraht umzäunten Karree inmitten von Schneeweiten enden würde. Die langjährige Einübung der Kälte, sein gut genährter Körper und das Training in den Kühlzellen eines Thüringer Kühlhauses würden verhindern, als gefrorene und verhungerte Leiche in einem der Massengräber zu enden.

Schuricke sang das Lied wieder und wieder, bis ihn alle, vom Schnaps benommen, nur noch Schurke nannten. Am nächsten Morgen, als sich die besoffenen Leute voneinander lösten, während Elsa den Kindern die Haare kämmte und das gute Kleid zum Auslüften auf den Balkon hängte, war Schuricke schon nicht mehr da. Schließlich gab es auch noch an anderen Orten Kühlhäuser. Aber die Feiern gingen weiter, es war ja genug Fleisch da, um damit die Kultur zu fördern. So ging der sowjetische Kommandant Grischa Maslow in die Annalen einer zweifelhaften Boheme ein, die die Nachkriegszeit aus der Mitte der Stadt an ihre Ränder zu den Fleischtöpfen gespült hatte.

Das Bild geriet durcheinander, als Grischa verschwand und Trude Lummer auftauchte, mit einem Treck aus Schlesien.

16. Kapitel

Grüne Bohnen
Grüne Bohnen werden vor dem Gefrieren 2 bis 2½ Minuten in kochendem Wasser blanchiert.

An die Forschungs- und Gedenkstätte
Buchenwald
Wissenschaftliche Abteilung
Weimar

Betrifft: Recherche über die Herkunft der Lebensmittel für das KZ Buchenwald

Sehr geehrte Mitarbeiter,
Ich recherchiere über die Geschichte des Kühlhauses in Erfurt. Das Unternehmen wurde am 27. 4. 1938 gegründet, also nur wenig später als das Konzentrationslager Buchenwald. Der Bau verzögerte sich jedoch durch die offensichtlich dringenderen Arbeiten am Westwall und den Beginn des Zweiten Weltkrieges. Am 1. 12. 1939 wurden die ersten Kühlräume in Betrieb genommen. Kriegsbedingt wurde es um zwei Stockwerke erhöht. 1939 verfügte es über ein Stammkapital von 700000 Reichsmark. Die größte Einlage stammte von der Stadt Erfurt, weitere Anleger waren die Raiffeisenbank, die Thüringer Eierverwaltung, die Einkaufsgenossenschaft, der Thüringer Verein für Häute und Felle, die Genossenschaft der Fleischermeister, die Talgverwertung, die Jamaika-Deutsche Handlung Harder & Maier Bremen, C. Dietze & Co. sowie die Erfurter Blumenkohlzüchter. Von vorhergehenden Recherchen weiß ich, daß der Sohn eines Kühlhausmitarbeiters Aufseher im KZ Buchenwald war. Meine Frage geht jedoch dahin, ob das Kühlhaus Erfurt sowohl in der Zeit zwischen 1939 und 1945 als auch in der Zeit des sowjetischen Speziallagers nach 1945 in irgendeiner Form, sowohl was die Versorgung der Aufseher als auch der Häftlinge betrifft, Lebensmittel nach Buchenwald geliefert hat, und wenn das der Fall ist, ob es darüber noch Dokumente gibt.

Was die Zeit nach 1945 betrifft, so waren die meisten Lagerflächen des Kühlhauses von 1945 bis mindestens 1948 von der Roten Armee requiriert.

Über eine baldige Antwort würde ich mich freuen.

Mit freundlichen Grüßen

»Hast du nun gesehen, daß ich hier schreibe«, frage ich Großmutter. »Kann ich dich jetzt wieder in dein Bett bringen?«

»Du bist viel zu langsam«, sagt sie. »Hier ist noch jemand anders. Den hast du irgendwo versteckt. Ihr wollt nur mein Geld.« Sie versucht, aus dem Sessel aufzustehen, aber ihre Arme knicken immer wieder ein. »Wo willst du denn hin?« frage ich. »Ich will in die Küche, mir etwas zu Essen machen.«

»Kommt gar nicht in Frage«, sage ich, »du bist krank, ich mache das Essen.« Ich trage sie zurück ins Bett. »Ich brauche dich nicht, geh weg«, sagt sie und dreht sich zur Seite. Ich atme auf. Trotzdem bin ich mir nicht sicher, ob sie nicht morgen vielleicht aus dem Bett spaziert und in die Küche geht. Zwar wird sie den Deckel der Kühltruhe nicht mehr öffnen können, aber schon ihr Anblick würde sie ins Grübeln bringen. So ein großer Gegenstand läßt sich auch bei schwachen Augen noch erkennen.

»Es gibt heute leckeren Kartoffelbrei«, sage ich, aber Großmutter antwortet nicht mehr.

Vorsichtshalber schließe ich die Küchentür ab, als ich anfange zu kochen. Nachdem ich das Wasser aufgesetzt habe, öffne ich den Deckel der Kühltruhe. Vaters Lage hat sich nicht verändert. Das hätte ich mir schon denken können. Trotzdem schreibe ich in das Heft: »14. 12. 91, 10:43 Uhr, Temperatur außen: 2 Grad, Temperatur innen (Küche) 12 Grad. Lage Vater unverändert.« Vater lächelt immer noch. »Schlaf weiter, alter Knabe«, sage ich und klappe den Deckel zu. Soll er doch frieren, wenn er will. Ist mir scheißegal. Geht mir am Arsch vorbei. Wenn er gedacht hat, ich heule, hat er sich geschnitten. Ich habe Wichtigeres zu tun, als irgendwelche Experimente zu beobachten. Habe ich jahrelang gemacht, weil Vater nie zwischen Arbeit und Feierabend trennen konnte. Der hat doch jahrelang seinen Kram an uns ausprobiert, bis es Mutter nicht mehr aushielt. Wir waren doch seine Versuchskaninchen. Und was ist dabei herausgekommen? Nichts. Gar nichts, die anderen waren immer besser. Und haben deshalb auch gewonnen. Und was macht mein Vater. Ist beleidigt und friert sich ein. Blödkopp. Beleidigte Leberwurst. Dösbaddel. Volkseigener Eskimo.

Als das Wasser kocht, schaue ich auf der Packung nach, wie der Kartoffelbrei zubereitet werden muß. Ah, er ist vakuumgefriergetrocknet. Das wird Großmutter freuen, aber ich werde es ihr nicht sagen. Großmutter konnte gefriergetrocknete Produkte noch nie leiden, da blieb sie immer standhaft, obwohl Großvater und auch Vater ihr einredeten, daß es keine bessere Konservierungsmethode gäbe. Großmutter wollte aber überhaupt nichts Konserviertes zubereiten, und Großvater fragte erbost: »Du müßtest doch am besten wissen, daß die Eier, Kartoffeln und Zwiebeln im Kühlhaus gelagert werden, ehe sie in die Geschäfte kommen, also sind die auch konserviert. Schließlich hast du jahrelang neben dem Kühlhaus gewohnt.«

»Mich stört der ganze Zauber mit der Verpulverung. Das ist nicht mehr normal«, sagte Großmutter etwas hochmütig. Zum ersten Mal war es DDR-Wissenschaftlern gelungen, auf ihrem Gebiet die besten der Welt zu sein. Familie Kobe mit ihrer Crew oder, wie es damals hieß: das sozialistische Forschungskollektiv unter Leitung des Genossen Ingenieur Paul Kobe. Sie erfanden eine Nahrung, die sie Blitzkost nannten und in Aluminiumtüten einpackten. Sie brachten die Tüten in den Proviantrationen der Raumschiffe Sojus 4 und Sojus 5 unter, und die Kosmonauten mußten nicht mehr aus der Tube essen. Der Name Kälteinstitut Magdeburg/Deutsche Demokratische Republik, den sie extra in Russisch und Deutsch auf die Tüten gedruckt hatten, würde jetzt um die Erdumlaufbahn geistern, hatte mir Vater damals erklärt. »Das ist besser als eine Flaschenpost.« Vielleicht flogen sie heute noch da oben herum und waren wie Sterne, die am Firmament zu sehen, aber längst verglüht sind.

Zur gleichen Zeit schrieb eine Afrika-Expedition einen offenen Brief an Großvater, den ich vorgestern in der Zeitschrift »Vakuum« fand, eingeschlossen im Schreibtischfach.

Bericht der DDR-Afrika-Expedition 1968

Wir freuen uns, Ihnen und der Öffentlichkeit von der Bewährung der von Ihnen bereitgestellten Blitzkost-Erzeugnisse bei der strapaziösen Fahrt im äquatorialen Ostafrika berichten zu können. Die schwerwiegenden klimatischen Einflüsse und die ungünstigen Transportbedingungen haben wir im beiliegenden Klima- und Transportprotokoll zur Auswertung festgehalten. Unsere Erfahrungen mit den Blitzkosterzeugnissen: Für uns stellt die Blitzkost die Überraschung und den Höhepunkt in der Verpflegung der Expedition dar. Ein bisher bei allen vorher durchgeführten Expeditionen empfindlich spürbarer Mangel an frischen Mahlzeiten wurde zum ersten Mal in glän-

zender Weise behoben. Die Blitzkost bringt Frische auf den Tisch. Sie ist hervorragend geeignet, das Fehlen von Frischgemüse auszugleichen und stellt eine hochwertige Nahrung dar, die appetitlich anzuschauen ist, wie frisch aus dem Garten duftet und den Appetit anregt.

Ein weiterer großer Vorteil ist ihre universelle und unkomplizierte Zubereitung, die ihr die Sympathie aller Campingfreunde sichern wird. Wir selbst haben die Blitzkost unter verschiedenen Bedingungen zubereitet, im Gebirge und in der Steppe bei 4 bis 5 °C und bei ca. 45 °C im Busch. Sie zeigte unserer Meinung nach keinerlei Veränderungen in Qualität und Aussehen und war stets frisch im Geschmack. Die Verpackung in den gasdichten Beuteln ist gut und haltbar, vor allem nicht platzaufwendig und leicht. Es besteht allerdings die Gefahr der Verpulverung, was bei diesen strapaziösen Transportbedingungen natürlich erklärlich ist. Trotzdem war nur bei den Rinderbratenscheiben Bruch in kleine Teile feststellbar. Die Verpackung in Blechdosen schließt eine Verpulverung aus.

Hervorragend waren die Erbsen, die Champignons, die Zwiebelringe, der Schnittlauch und die Petersilie. Alles machte den Eindruck, als wäre es frisch geerntet, vor allem der Spinat. Von den Gerichten wurden in der Reihenfolge bevorzugt:

Champignonsuppe, Weißkohlpörkölt, Kalbfleischsuppe, grüne Bohnen mit Hammelfleisch, Erbsen mit Gulasch, Rührei.

Mich faszinierten die gefriergetrockneten Erdbeeren. Ich konnte minutenlang vor der Vitrine im Flur des Institutes stehen und sie anschauen und ihren Duft einsaugen, denn sie rochen stärker als herkömmliche Erdbeeren und sahen aus wie aus Gips. Sie waren ganz leicht, und wenn man nicht vorsichtig mit ihnen umging, zerfielen sie zu Pulver. »Du mußt dir vorstellen«, sagte Vater, »daß die Erdbeere aus lauter kleinen Zellen besteht, in denen Wasser ist. Wir entziehen durch Vakuumgefriertrocknung diesen Zellen das Wasser, die Zellwände aber bleiben. Wenn man der Erdbeere jetzt Wasser zuführen würde, liefe es in die Zellen zurück und die Erdbeere sähe fast wieder so frisch aus wie nach dem Pflücken.« Vater war sehr stolz auf sein Produkt.

Der Kartoffelbrei schmeckt fade. Ich mache noch ein bißchen mehr Salz dran, aber der Geschmack wird davon nicht besser. Großmutter spuckt das meiste wieder aus. Ich komme mir vor wie eine Mutter, deren Kind an Eßstörungen leidet.

»Komm, noch einen Löffel für Paul.« Sie spuckt.

»Dann einen Löffel für Günther.« Den nimmt sie.

»Einen Löffel für Klaus.« Sie verschluckt sich. Ich klopfe ihr auf den Rücken.

»Einen Löffel für Annja.«

»Annja?« fragt Großmutter und schiebt den Teller von ihrer Brust weg.

Ich gebe es auf und schütte den Rest ins Klo.

16. Kapitel

Gurke
Auslagerung von Gefrierware
Im halb aufgetauten Zustand schälen und schneiden. Dann weiter auftauen lassen und wie frische Ware behandeln.

Eines Abends im Frühherbst des Jahres 1969 kam Vater lachend von der Arbeit, warf die Aktentasche in die Ecke, nahm Mutter und drehte sie beschwingt, wie es gar nicht seine Art war, durch unser Wohnzimmer. »Was ist denn mit dir los?« fragte Mutter und versuchte sich aus der Umklammerung zu lösen. »Dreimal darfst du raten, was wir im Oktober bekommen?«

»Einen Bruder«, sagte ich. »Falsch.« Ich war enttäuscht. »Eine Neubauwohnung«, riet Mama. »Auch falsch. Einen habt Ihr noch.«

»Eine schöne Reise.«

»Naja, naja, vielleicht im Ergebnis dessen, aber trotzdem falsch.«

»Was ist es dann? Nun sag schon, Papa.«

»Wir bekommen den Nationalpreis.«

»Oh«, sagte Mutter, »wofür denn?«

»Für die Vakuumgefriertrocknung. Und jetzt gehen wir erst mal essen.«

Wir machten uns ganz fein und gingen ins Interhotel. Vater gab gegen seine Gewohnheit Trinkgeld. Irgendwie hatte ich ihn noch nie so jubelnd gesehen. Den ganzen Weg dahin knutschte er Mutter und mich abwechselnd und sagte: »Ich freu mich so.«

Zu Hause holte Mutter den konsument-Versandhauskatalog hervor und schickte eine Riesenbestellung ab, von der aber wegen Versorgungsengpässen bis zur Auszeichnungsfeier nur die Damenslingpumps »Magdeburg« und die Cocktailtasche ankamen. Letztere war im Katalog eigentlich für die Silvesterfeier empfohlen worden, jetzt trug sie meine Mutter schon im Oktober, aber was war Silvester schon gegen eine Nationalpreisfeier. Die Pumps dagegen waren für unsere Insel denkbar ungeeignet. Mutter kam gar nicht dazu, sie vorzuzeigen, denn kaum waren wir aus dem Haus, trat sie mit dem Absatz in eine Rille zwischen den Pflastersteinen und trennte den Absatz vom Schuh. Auch die Forschungen meines Vaters waren für die Insel jenseits aller Realität. Mutter gab mir am Morgen vor dem großen Ereignis eine Plastemilchkanne in die Hand, in die sie einen Fünfziger warf. Damit ging ich zum ersten Mal alleine zu Frau Schmalfuß in den Milchladen. Ich war so aufgeregt, daß ich vergaß, mich anzustellen und erst nach einer Stunde von Frau Schmalfuß bemerkt wurde, denn sie hatte an diesem Morgen wieder eines ihrer berüchtigten Ostpreußinnentreffen im Laden, zu dem immer etliche Kundinnen kamen, die einen Dialekt sprachen, in dem wenige klare A's und viele gerollte R's vorkamen. Sie redeten über Königsberg. In meiner naiven Vorstellung, die ich aus ihren Erzählungen ableitete, müssen die Straßen dort aus Gold und muß der Dom zehnmal höher als unserer gewesen sein, bevor der Russe kam und alle mit dem Treck fliehen mußten.

Sie waren gerade dabei, über ihr eingemachtes Obst zu reden, das sie auf der Flucht hatten im Stich lassen müssen, als sie mich im Laden bemerkten.

»Kiek oan, dat Kind det Forschers kann jetz och schon eenkoopen. Wollt' he mir doch vorje Woche 'ne Kühltruhe oandrehn, damit eck Eis und Erbsen verkoope. Hab eck ihm aber eene Abfuhr jejeben, so'n Schnickschnack kommt mi nich in'n Laden.«

Die Frauen pflichteten ihr bei. Drei verabschiedeten sich.

»Na, dat Inkochen lassen wi uns nich och noch verbieten. Wo eck schon nich mehr Königsberg schrieben darf, wenn eck mien Jeburtsort anjeben muß.«

Ich schaute erstaunt zu der Frau neben mir hoch, weil ich nicht verstand, was sie damit meinte. »Daß die Mutter dat Kind so alleene inkoopen läßt. Die wird oaber heuln, wenn der Russe sie wegfängt.«

»Eck glob, die stehn under de Russen ihre Fuchtel«, meinte Frau Schmalfuß und hob nun endlich den Deckel der Milchkanne hoch. »Die beschäft'gen sich mit sibirische Kälte in dem Institut. Das koann doch nur'n Innfall von die Russen sein.«

»Wenn die nich mal och Minschenversuche machen.«

»Hör uff, Anna, wenn die dem dat sacht. Außerdem will de mi immer nur gefrorne Erbsen andrehn.«

»Die is doch noch viel zu kleen um wat zu wiss'n. Außerdem weeßte doch wie die sind, vorne liejen de Erbsen unn hinten im Kabuff de Menschen. Nee, erzähl mir nischt.«

»Wenn wen'sten nich die Milch so dünne wär'. Man tut sich ja schämen«, sagte Frau Schmalfuß und hielt das Milchmaß hoch.

»Unn jetz kriegn se för her Herumschmaddern och noch'n Natzjonalpris.«

»N Russischen?«

»Weeeß eck, was für een. Macht'n Fuffzijer, Annja.«

Ich brach bei dem Satz in Tränen aus. Die Frauen sahen sich erschrocken an. Frau Schmalfuß schob einen Lolliball über den Verkaufstisch, um mich zu beruhigen, zog ihn aber gleich wieder zurück, als ich unter Tränen sagte: »Das Geld ist in der Kanne.«

»Elst emool war'n wir nich so uff'n Kopp jefallen«, sagte Frau Schmalfuß verärgert und schrieb an. In diesem Moment kam meine Mutter, die mich schon vermißte, in den Laden. Zwei süßlich lächelnde Ostpreußinnen erzählten ihr, daß auch sie beim ersten Mal Einkaufen das Geld in der Kanne gelassen hatten.

»Oaber frieher war dat Jelt och noch wat wert und nich aus Aluminjum.«

»Schütt'n Se moal de Milch lieber weg, wer weeß, wer da allet droanjefaßt hat an't Jeld.«

»Ach was«, sagte Mutter, »Milch wird nich weggekippt«, und reichte einen Fünfziger rüber.

»Und, große Feier?« fragte Frau Schmalfuß, ganz auf Hochdeutsch bedacht. »Was ziehn wir denn an?«

Mutter klagte über das Versandhaussystem und daß wir heute noch ins Kaufhaus müßten. Die Ostpreußinnen lächelten beide.

»Doamals, als mien Seeliger das EK I kriegte, da goabs bei uns in Königsberg noch private Schneiderinnen. Hoaben die Kommunisten ja allet abjeschafft. Da hatt' ich so'n Kleid, so mit lila Blümchen, an de Taillje so ausjestellt, wissen Se und nur wenig unterm Knie, mit wießem Kroagen. Wer weeß, welche Russenkuh dat heute anhat. Mußten wi ja alles da lassen.«

»Wir sind zweimal ausgebombt, unsere Kleider hat das Feuer gefressen, aber nun müssen wir gehen. Sag auf Wiedersehen, Annja.«

Frau Schmalfuß schob nun doch den Lolli rüber. Aber ich schüttelte den Kopf.

»Warum hast du denn den Lutscher nicht genommen?« fragte Mutter, als wir draußen waren.

»Keinen Appetit«, sagte ich.

Am Abend gingen wir mit Vater ins konsument-Warenhaus, wo ein Bruder meiner Mutter als Verkaufsstellenleiter arbeitete. Er grüßte kurz und verschwand. Nach drei Minuten schob er was aus Grisuten-Textur in die Umkleidekabine. Das war der neueste Schrei der Saison und hieß Präsent 20, ein Geschenk der Werktätigen der Textilindustrie zum 20. Jahrestag der DDR, wie ich später in der Schule lernte. Vater kaufte sich einen grünen Anzug aus hochveredelter Chemiefaser, der »Nils« hieß. Angekündigt im Katalog war er als einreihig mit vier Knöpfen, hochgezogenem Revers mit breiter Fasson, schrägen Palettentaschen, besonders ausgefeilter Innenverarbeitung, zwei verschließbaren Brusttaschen, Kamm-, Bleistift- und Zigarettentasche, einer zuknöpfbaren Gesäßleistentasche und anderem Schnickschnack, und ein Orden wie der Nationalpreis würde gut zur Geltung kommen. Mutter wurde von Mann und Bruder zugeredet, doch das großgeblümte Minikleid, eine dreiteilige Kombination aus Grisuten-Textur mit dem exotischen Namen »Athen«, zu wählen. Mutter sah in dem rosa Mini wie ein Schweinchen aus, was sie aber erst bemerkte, als sie die Fotos in ebenso modischem Orwo-Color sah und sie auf der Stelle zerriß. Wegen unnatürlicher Farbgebung, wie sie sagte. Das Kleid konnte auch bald der staatlichen Sekundärrohstofferfassung übergeben werden, weil die Glut einer Zigarette ein pfenniggroßes Loch in den Rock hineingebrannt hatte. Das Loch sah aus, als habe jemand eine Kippe in einem Plasteeisbecher ausgedrückt, aber schließlich waren die Zutaten für die Herstellung beider Waren ähnliche gewesen. Die Ränder des Loches schienen weggeschmolzen zu sein, und das Kleid ließ sich auch mit gewissen Fähigkeiten im Kunststopfen nicht mehr reparieren. Für Kinder gab es noch keine Kleidung aus Grisuten-Textur, ich bekam schließlich gar nichts, weil ich mich weigerte, das einzige Kleid aus lappiger Viskose, was in meiner Größe auf der Stange hing, auch nur anzuprobieren.

Zwei Jahre später überredete mich Mutter zu einer beigefarbenen Präsent 20-Hose mit breitem Schlag. Gleich am ersten Tag zog ich mir einen Faden, weil ich gegen das Sperrholz einer Schulbank geriet, deren Gummirand, der das Sperrholz rundherum bedeckt hatte, von nervösen Schülern abgepolkt worden war. Den Faden drehte ich zu einem kleinen Klümpchen zusammen, bis er vom Dreck an meinen Händen dunkel wurde und erst recht zu sehen war. Nach einem halben Jahr hatte ich eine Grisuten-tex-Schlag-Hochwasserhose, die ich haßte und über die ich absichtlich im Zeichenunterricht einen Becher rote Temperafarbe goß, die beim Waschen aber wieder herausging. Meine Mutter setzte unten den rosa Stoff aus der Nationalpreis-Kostümjacke an, und ich mußte die Hose noch drei Jahre länger tragen. Grisuten war längst aus der Mode, weswegen ich viel zu leiden hatte.

Vater bekam den Nationalpreis dann doch nicht. In letzter Minute war im Politbüro aufgefallen, daß auf der Liste des Forschungsinstitutes zwei Personen gleichen Namens standen. Da das dem obersten Repräsentanten zu sehr nach Familienklüngelei ausgesehen hatte, strich Walter Ulbricht persönlich Vater von der Liste. Großvater, der dem Projekt nicht viel mehr als seinen Namen und seinen guten Ruf gegeben hatte, blieb stehen. Da Vater aber den größten Teil der Arbeit zusammen mit Luise Gladbeck gemacht hatte und es ihnen nicht gerecht schien, daß Luise Gladbeck den Nationalpreis bekam, Vater aber nicht, strich man auch sie. Mutter sagte: »Schreib eine Eingabe an den Staatsrat«, aber Vater schüttelte nur den Kopf. Es war der Beginn einer Kette von Herabwürdigungen, die in Vaters Fall wohl in einer Kühltruhe endete.

Am Abend schauten wir uns die Auszeichnungsfeier aus dem Staatsratsgebäude in der Aktuellen Kamera an. Zuerst wurden die Preise für Kunst und Literatur vergeben.

Der Nationalpreis 1. Klasse ging an das Kollektiv des Fernsehfilms »Krupp und Krause«, an das Kollektiv des Fernsehfilms »Hans Beimler – Kamerad«, an Theo Adam und Alfred Kurella, den Nationalpreis 2. Klasse bekamen Willi Sitte, Karl von Appen, Mathilde Danegger, Werner Klemke, Friedrich Richter, das Kollektiv des Landestheaters Halle, das Kollektiv des Dokumentarfilms »Der Präsident im Exil«, das Kollektiv des sozialistischen Lied-, Kantaten- und Oratorienschaffens, das Kollektiv des DEFA-Films »Zeit zu leben«, das Kollektiv des Wandbildes »Der Weg der Roten Fahne« und das Kollektiv der Nationalen Forschungs- und Gedenkstätten. Der Nationalpreis 3. Klasse wurde Christa Gottschalk, Emmy Köhler-Richter, Kurt Masur, Alfred Müller, Wilhelm Schmiedt, Rosemarie Schuder, Eva Schulze-Knabe, dem Kollektiv »Abendgruß des Kinderfernsehens«, dem Kollektiv von Übersetzern sowjetischer Literatur und dem Kollektiv der Händelforschung und Händelpflege angeheftet.

Mutter sagte immer nur »Schwachsinn« und »Jajaja der Jubelchor – Kantatenschaffen, haha« oder »›Der Weg der Roten Fahne‹, da kann ich mir vorstellen, was das für 'n Schinken ist« oder »typisch mal wieder, daß die Frauen nur 3. Klasse sind« oder »Der mit seinen fetten Weibern« und am Ende: »Sei froh, daß du ihn nicht gekriegt hast.«

Vater war aber nicht froh, und als Großvater auf die Bühne kam und sich von Walter Ulbricht auf die Schulter klopfen ließ, mahlten seine Kiefer. Mutter lachte, als ein Adjutant vorlas, daß sie den Nationalpreis 3. Klasse als »Kollektiv für die Weiterentwicklung der

Gefriertrocknung« bekamen. Irgendwie war ihr gerade in den Sinn gekommen, daß das auch eine politische Metapher war, für die es nie den Nationalpreis 1. Klasse gegeben hätte. Das verstand ich aber nicht. Ich lachte nur über den Namen »Kollektiv Elektrofischen für den Rundfischfang« oder »Sozialistische Forschungsgemeinschaft Wasserlösliche Anstrichstoffe«. Ich kam mit dem Lachen noch bis zum »Kollektiv Entwicklung der pneumatischen Kardonspeisung«, dann brüllte Vater: »Mußt du auch noch lachen wie deine Mutter«, und schließlich setzten wir uns beide auf die Lehnen seines Sessels und strichen ihm über den Kopf.

»Sei nicht traurig«, versuchte ich ihn zu trösten. Und Mutter sagte noch: »Wer weiß, wofür es gut ist.«

17. Kapitel

Hummer
Gefrierverfahren und Gefrierlagerung
Im Dampf kochen, bis der Hummer gar ist, und vor dem Gefrieren gut auskühlen.

Stickstoff. Jetzt fällt es mir ein. Stickstoff mußte es sein, mit dessen Hilfe sich Vater in den gefrorenen Zustand versetzt hatte. Als ich mit meiner Klasse 1974 einen Wandertag ins Institut machte, hatte Luise Gladbeck einen Hut in Stickstoff gehalten, und er war im Handumdrehen gefroren.

Ich suche im Arbeitszimmer in Fachbüchern und Zeitschriften und kippe auch den Karton aus, den ich aus Vaters Wohnung mitgebracht habe. Es dauert eine Weile, bis ich finde, was ich suche.

In den letzten Jahren suchte man nach neuen Verfahren, die die Geschwindigkeit des Gefrierens erhöhen. Dabei kam man auf die Verwendung von flüssigem Stickstoff.

Flüssiger Stickstoff verdampft bei einer Temperatur von –195,8° Celsius. Er entzieht dabei der Umgebung die zum Verdampfen erforderliche Wärmemenge. Das mit dem flüssigen Stickstoff in Berührung kommende Lebensmittel gefriert äußerst schnell, es treten Gefriergeschwindigkeiten von über 25 cm/h auf.

Vor allem wasserreiche Produkte, die im Rohzustand gefroren werden und bei denen die feste Konsistenz als wichtigstes Qualitätsmerkmal gilt, sind durch dieses Verfahren besonders schonend zu gefrieren. Sobald diese in flüssigen Stickstoff eingetaucht werden, nehmen die Außenschichten blitzartig derartig tiefe Temperaturen an, daß sich zunächst ein fester, isolierender Mantel um den noch ungefrorenen Kern bildet. Beim Gefrieren des Kerns entsteht infolge der damit verbundenen Volumenausdehnung ein hoher Innendruck, den der unelastische Mantel nicht abfangen kann. Erreicht der Druck eine bestimmte Höhe, verursacht er bei vielen Produkten das Aufplatzen der Außenschicht. Aus diesem Grund wird heute allgemein nicht das Tauch-, sondern das Sprühverfahren für flüssigen Stickstoff verwendet.

Ich schaue unter Vaters Pullover nach. Die Haut ist glatt und nicht gerissen. Überhaupt scheint ihm das Gefrieren nichts anhaben zu können. Die Haut ist unverändert rosa und nicht bläulich angelaufen. Wahrscheinlich hat er das Sprühverfahren angewendet. Vater kannte sich damit aus. Dreißig Jahre war er mit der Suche nach der schonendsten Art des Gefrierens beschäftigt.

Ich gehe an den Schreibtisch zurück und lese weiter:

Die hierbei erreichten Gefriergeschwindigkeiten sind zwar geringer, sie liegen aber immer noch wesentlich höher als beim konventionellen Gefriervorgang. Nach amerikanischen Untersuchungen benötigt man für diese Anlagen nur etwa $^1/_6$ des Platzbedarfs konventioneller Gefrieranlagen. Die Anlage für die Verwendung flüssigen Stickstoffs besteht nur aus dem Gefriertunnel und einem Stickstoff-Reservetank, der außerhalb des Produktionsgebäudes aufgestellt werden kann. Dadurch ist die gesamte Anlage ortsbeweglich.

Vielleicht ist das die Lösung. Vater hatte in seinem Institut genügend Stickstoff und kam, als die Abwicklung beschlossene Sache war, auf die Idee, ihn als Katalysator für sein letztes Experiment zu benutzen.

Nur, die Artikel beziehen sich alle auf Lebensmittel und nicht auf Menschen. Aber ich blättere weiter, und als es langsam hell zu werden beginnt, finde ich in der Zeitschrift »Die Kälte« vom Oktober 1969 einen Artikel, nach dem ich gar nicht gesucht habe und der mir das Blut in den Adern gefrieren läßt. Ich muß erst ins Badezimmer gehen und mir einen Eimer Wasser über den Kopf gießen, bis ich begreife, daß ich nicht träume:

Die tiefgekühlte Leiche des im Alter von 73 Jahren an Krebs gestorbenen Professors der Psychologie, Dr. James Bedford, traf in der Stadt Phoenix in Arizona ein. Sie soll dort über Jahre in gefrorenem Zustand aufbewahrt werden, bis mit großer Wahrscheinlichkeit eine erfolgreiche Krebsbehandlung möglich ist. Dann soll der Körper aufgetaut und wieder belebt werden. Bedford hat mit der kalifornischen »Cryogenic Society« vereinbart, daß sein Körper im Augenblick seines Todes sofort gefroren und bis zur Wiederbelebung im gefrorenen Zustand gelagert werden soll. Es ist nicht mit Bestimmtheit zu erfahren, ob die Tiefkühlung unmittelbar nach dem Tod begann oder kurz vor dem zu erwartenden Ableben. Ersteres ist höchstwahrscheinlich, denn der zweite Fall würde zweifellos gegen das Gesetz verstoßen. Daß der Krebskranke sterben würde und nicht zu retten war, darüber waren sich die behandelnden Ärzte einig. Unmittelbar nach dem Stillstand des Herzens (so sei es angenommen) wurde in die Venen Heparin eingespritzt, um das Gerinnen des Blutes zu verhindern. Eine Herz-Lungenmaschine wurde benutzt, um den Zustrom des Blutes zum Gehirn sicher-

zustellen. Nach sechs Stunden war der Körper tiefgefroren und wird seitdem in Trockeneis aufbewahrt. Der Körper liegt jetzt in einem Metallbehälter bei einer konstanten Temperatur in einem medizinischen Laboratorium in Phönix bis zum Tage seiner Wiedererweckung. Wir wissen, daß eine weitgehende Hypothermie zur Durchführung von Operationen möglich ist; durch die Gefriertrocknung und das Frieren mit flüssigem Stickstoff können lebende Zellen am Leben erhalten werden. Die Erfolge bei der künstlichen Befruchtung mit gefrorenem Stiersamen sind bekannt. Es ist aber noch nicht klar, ob die Organe und Gewebe des lebenden Tier- und Menschenkörpers durch Tiefkühlung nicht schwer geschädigt werden und namentlich die empfindlichen Gehirnzellen in diesem Zustand Jahre lang latent am Leben bleiben können.

In mehreren Städten der Vereinigten Staaten sind »Cryogenic Societies« gegründet worden. Gesellschaften für die Probleme des Tiefgefrierens, zum Zwecke der Verlängerung des Lebens. Angeblich soll diese Gesellschaft im In- und Ausland bereits über 700 Mitglieder haben. Die Gesellschaft verpflichtet sich, sofort alle erforderlichen Maßnahmen zu treffen, wenn sich jemand bereit erklärt, diese Gefrierbehandlung bei sich anwenden zu lassen. Es muß ein Kapital von 10000 US-Dollar zur Verfügung gestellt werden. Dann wird der Körper gefroren, zunächst in Trockeneis und dann in flüssigem Stickstoff, und so erfolgt dann auch die Lagerung. Die Befürworter dieses Verfahrens rechnen bereits damit, daß für die wiederbelebten Menschen Rehabilitationszentren bereitstehen müssen, um ihnen ihr Gedächtnis und ihre persönliche Individualität zu erhalten, so daß sich der aufgetaute und wiederbelebte Mensch an alles erinnern kann, was in seinem früheren Leben geschah. Es wurde auch eine Reihe von Geistlichen befragt, die meisten hatten keine Einwände gegen die Anwendung des Verfahrens. Die bei dem Verfahren auftretenden gesetzlichen Probleme sind kaum einwandfrei zu beantworten, z.B.: Wie wird die Ehe weiterbestehen, wenn ein Ehepartner im tiefgekühlten Zustand aufbewahrt wird? Was geschieht mit seinem Nachlaß? Wird er diesen behalten wollen, um nach der Wiederbelebung nicht mittellos zu sein? Eine Wiederverheiratung soll möglich sein, da der tiefgekühlt aufbewahrte Mensch gesetzlich für tot erklärt wurde. Zweifellos ist das Streben nach Unsterblichkeit so groß, daß viele Menschen andere Bedenken in den Hintergrund stellen.

Das hört sich wie ein Bericht aus einem Gruselkabinett an. Lauter Wiedergänger werden eines Tages die Erde bevölkern und von Dingen erzählen, die es seit Jahrhunderten nicht mehr gibt. Ich kann mir nicht vorstellen, daß Vater einer Vereinigung in den USA beigetreten ist. Er war nicht nur im Sport gegen die Amerikaner. Jedem Lager in der Sowjetunion, jedem Toten an der Mauer konnte er ein Verbrechen der Amerikaner gegenrechnen. Und woher sollte er 10000 US-Dollar nehmen? Vielleicht hatte er auch nur davon gehört und nach der Wende ein Unternehmen in Deutschland gegründet, nach dem Beispiel der Amerikaner? Aber er hält eine Temperatur von −18 °C, nicht von −196 °C, und das ohne Energiezufuhr von außen. Ich fürchte nur, auch dafür noch eine Erklärung zu finden. Vielleicht gibt es inzwischen schon aufgetaute und wiederbelebte Menschen, die unter uns weilen und versuchen, sowenig wie möglich aufzufallen. Aber warum hat sich Vater nicht in einer wesentlich größeren Kühlzelle im Institut eingefroren? Warum mußte er sich in die kleine Kühltruhe zwängen? Und wo ist der Stickstofftank jetzt? Fakt ist, daß, wenn meine These stimmt, noch jemand mit in der Wohnung gewesen sein muß, der ihm beim Einfrieren geholfen hat. Ich tippe auf die tote Luise Gladbeck.

Dritter Teil

18. Kapitel

Johannisbeere, rote, weiße und schwarze
Hinsichtlich der Turgeszenz ist ein schnelles Gefrieren das beste. Aber bei langsamerem Gefrieren bleibt der Geschmack besser erhalten. So kann sehr schnelles Gefrieren auch einen sehr unangenehmen Geschmack hervorrufen.

»Wir machen heute einen Ausflug zum Friedhof«, sage ich am Morgen zu Großmutter, »nach den Gräbern sehen.«

Großmutter antwortet nicht. Sie singt leise »O Tannenbaum« vor sich hin. Das Lied ist noch vom gestrigen Abend bei ihr hängengeblieben, als ich ein bißchen Weihnachtsstimmung verbreiten wollte. Schließlich war der dritte Advent. Ich setzte Großmutter, eingepackt in ihr Federbett, ins Wohnzimmer in den Sessel und holte die alte Weihnachtsplatte aus dem Schrank. Früher war es ein ehernes Gesetz meiner Großmutter, am ersten Advent die Familie einzuladen und feierlich die Weihnachtsplatte aufzulegen. Alle mußten andächtig auf der Couchgarnitur sitzen und bei Kerzenschein Thüringer Blechkuchen essen.

Gestern, im Schein der Kerzen, war Großmutter ein altgewordenes Kind mit großen Augen. Sie sang jedes Lied laut mit, bis zur letzten Strophe, und ich fragte mich, aus welchen Gehirnwindungen sie die Texte holte, wenn sie doch ihren eigenen Namen dort nicht mehr fand. Am Ende der zweiten Seite war es so kalt im Zimmer, daß unser Atem in kleinen Wölkchen aus dem Mund stieg. Großmutter sang auch im Bett noch weiter. Ihren wirren Sätzen zwischen den Liedern entnahm ich, daß sie sechs Jahre alt war und mit mir an der Hand in die Evangelische Volksschule gehen wollte. Ich mußte die Zehn Gebote abfragen, die ich aber selber nicht vollständig beherrsche und immer mit den Pioniergeboten durcheinanderbringe.

Heute wird Luise Gladbeck beerdigt. Als ich Großmutter zum Auto trage, bewegen sich hinter den Fenstern des Häuserblocks die Gardinen. Sie schreit: »Ich will heute nicht in die Schule«, und wehrt sich mit Händen und Füßen. Sie trägt ihren guten Pelzmantel und dazu Pantoffeln an den Füßen, denn sie hat sich gewehrt, als ich ihr die Schuhe anziehen wollte. Ich sehe auch nicht viel besser aus mit meinem räudigen Kaninchenfell.

Mein klappriger Mercedes braucht eine Weile, ehe er anspringt. »Komm endlich«, sage ich, »du bist doch kein Trabant.« Früher habe ich immer ein Rad geschlagen, wenn ein Mercedes durch die Straßen auf der Insel fuhr. Ich wollte zeigen, daß auch bei uns glückliche Kinder leben. Ich habe später, als die Welt nicht mehr so rosig aussah, öfter darüber nachgedacht, was mich zwang, dieses Rad zu schlagen und dabei glücklich zu lächeln. Wahrscheinlich hatte ich noch nicht einmal die Beine richtig durchgedrückt, weswegen man mich im Turnverein in die Riege der Trampel versetzt hatte und ich lieber zum Schwimmen gegangen war, weil es dort um Schnelligkeit ging und nicht um Anmut. Das Rad war die Antwort auf die Auftritte der Freundinnen meiner Mutter, die alle paar Jahre mit ihrem Mercedes bei uns vorfuhren und ausstiegen wie die Gräfinnen. Sie redeten die ganze Zeit darüber, wie schlecht es doch meiner Mutter ginge und wie eingeschränkt das arme Kind aufwachsen müsse. Dabei strichen sie mir übers Haar. Vater konnte diese Besuche nicht ertragen und blieb im Institut, bis der Mercedes wieder weg war. Mutter sagte wenig und schaute sich die bunten Fotos von den Reihenhäusern an, vor denen ihre Freundinnen mit Mann und Kind neben dem Mercedes posierten. Mutter machte gar nicht erst den Versuch, unsere Schwarzweißfotos von der Ostsee zu zeigen. Wären Vater und Mutter in den Westen gegangen, wäre ich in einer Reihenhaussiedlung in Karlsruhe aufgewachsen. Rechts und links von uns Kälteingenieure und ihre Kälteingenieursfrauen nebst Kälteingenieurskindern, und Mutter wäre manchmal mit Frau Ingenieur angesprochen worden. Nie und nimmer wäre sie Eisverkäuferin geworden.

»Keine Dummheiten«, sage ich zu Großmutter, die wie eine Mumie auf der Rückbank sitzt, und ziehe den Zündschlüssel ab. Ich gehe über die Straße zur Kaufhalle, stecke eine Mark in einen der Einkaufswagen und fahre ihn zum Auto. Aus dem Kofferraum hole ich eine Decke und polstere die Gitter ab, damit Großmutter einigermaßen bequem sitzt.

Ich schiebe den Wagen die lange Allee entlang, die zu den Urnengräbern führt. Auf dem Kiesweg stocken die Räder, und Großmutter wird hin- und hergeschüttelt.

»Was machst du mit mir«, fragt sie. »Ich will nach Hause.«

Die Astern auf dem Grab sind verblüht. Zwischen den braunen Blättern haben sich Reste von Rauhreif gehalten. Als ich die Blumen herausreißen will, sagt Großmutter: »Nein, laß doch die schönen Blumen.«

»Wenn du wüßtest, was hier gerade abgeht«, sage ich zu Großvaters Grabstein, »nichts weniger als der Zerfall deines Reiches, eine kleine unblutige Revolution im Hause Kobe. Ich würde gerne etwas mehr über die Transportstickstoffkühlung erfahren, aber leider bist du ja tot. Machs dir nur weiter gemütlich in deinem Grab. Wir gehen jetzt dein Ziehkind begraben.«

Auf dem Grabstein ist noch Platz für Großmutters Namen. Sie wollte ihn damals gleich mit eingravieren lassen, aber Vater fand, daß das eine scheußliche Sitte sei, das käme gleich nach der Witwenverbrennung.

Großmutter schaut einem Vogel nach. Sie ist irritiert, als ich den Wagen wieder auf den Hauptweg schiebe.

Die Kapelle ist leer. Nur ganz vorne in der ersten Reihe sitzt eine kleine gebeugte Frau, die das Alter meiner Großmutter hat. Ich bin enttäuscht. Ich hatte mir vorgestellt, daß noch ein paar Kollegen zur Beerdigung kommen, die mir etwas über die letzten Tage des Institutes erzählen können. Aber wahrscheinlich hätten sie mich nur nach meinem Vater gefragt. Ich setze Großmutter so leise wie möglich in der letzten Reihe ab. Der Beerdigungsredner ist schlecht vorbereitet. Er sagt manchmal Lore statt Luise zu der Verstorbenen, die so tragisch ums Leben kommen mußte. Woran sie gestorben ist, erwähnt er nicht. Er würdigt die Tote als eine, die ihren Beruf sehr liebte, aber bei dem Wort Kälteingenieurin verhaspelt er sich. Er hat seinen Magdeburger Dialekt nur sehr nachlässig mit etwas, das er für Hochdeutsch hält, übertüncht. Bei der Bemerkung, daß Luise Gladbeck nie eine eigene Familie gegründet hat, aber eine fürsorgliche Tochter war, schluchzt die Frau in der ersten Reihe. Nach zehn Minuten ist die Zeremonie vorbei, und die alte Frau geht langsam zum Eingang. Als sie uns sieht, stutzt sie.

»Frau Kobe, was machen Sie denn hier?« fragt sie Großmutter. Die schaut sie nur groß an und sagt: »Weihnachten ist so ein schönes Fest, die vielen Kerzen ...«

»Meine Großmutter ist schwerhörig«, sage ich schnell und gebe Anna Gladbeck die Hand.

»Ach, sicher die Enkelin. Ganz der Vater.«

»Herzliches Beileid. Ich habe die Todesanzeige in der Zeitung gelesen. Was ist eigentlich passiert?« frage ich so beiläufig wie möglich. »Hatte sie einen Autounfall?«

»Das wissen Sie nicht? Aber Ihr Vater müßte doch ...«

»Mein Vater ist weggefahren und hat sich noch nicht wieder gemeldet. Als ich herkam, war er schon weg.« Von Grönland erzähle ich ihr lieber nichts, weil Anna Gladbeck mich so schon ungläubig genug anschaut.

»Kinder haben sie beim Spielen auf einem Schrottplatz gefunden. Sie lag in einer Kühlzelle.«

»Ist sie erfroren?« Anna Gladbeck schaut mich wieder an, als hätte ich keine Ahnung. »Die Kühlzelle war abgetaut, wie soll sie da erfroren sein?«

»Hat sie jemand ermordet?« frage ich vorsichtig. »Nein, sie hat eine Überdosis Tabletten geschluckt und ist an ihrem Erbrochenen erstickt.«

»Gibt es einen Abschiedsbrief?«

»Ja, aber es stand nichts weiter drin, als daß ich ihr verzeihen soll. Sie hätte so an ihrem Beruf gehangen und sehe keine Zukunft mehr mit vierundfünfzig.«

»Wie ist sie denn in die Kühlzelle gekommen?«

»Was fragen Sie mich das alles? Ihr Vater muß das viel besser wissen. Der muß doch dabeigewesen sein, als die Kühlzellen entsorgt wurden. Sie waren die beiden letzten Kollegen, die noch da waren, um das Institut abzuwickeln, nachdem klar war, daß es nicht mehr weitergeht.« Sie sagt das mit einem drohenden Unterton, aber vielleicht bilde ich mir das auch nur ein. Ich traue mich nicht zu fragen, ob die Polizei da war. Ich hätte Großmutter zu Hause lassen und mich als Journalistin ausgeben sollen. Vielleicht hätte ich dann mehr erfahren.

»Ich muß jetzt gehen, die Träger warten schon. Kommen Sie mit nach draußen?« Als wir aus der Kapelle kommen, steht schon die nächste Trauergesellschaft vor der Tür. Es sind viele, alle schwarz gekleidet. Auf einem der Kränze steht »Unserem teuren Genossen Hinze«. Sie schauen uns etwas angewidert hinterher, als ich mit Großmutter auf dem Rücken an ihnen vorbeigehe, und auch Luise Gladbecks Mutter bleibt drei Schritte hinter uns zurück. Wir scheinen ihr etwas unheimlich zu sein. Als wir uns ein Stück entfernt haben, drehe ich mich noch einmal um.

»Entschuldigen Sie, aber wir kommen nicht mit bis zum Grab. Wir haben noch nicht einmal Blumen, und Sie sehen ja, meiner Großmutter geht es nicht gut.«

Ich verabschiede mich von Anna Gladbeck und setze Großmutter in den Einkaufswagen. Sie winkt ihr noch hinterher.

Es dauert ewig, ehe ich das Grab von Günther gefunden habe.

Der Friedhof ist riesig und wird an den Rändern unübersichtlich. Der Einkaufswagen stockt bei jedem kleinen Steinchen, das auf dem Weg liegt. Zum Glück hat sich Großmutter damals die Nummer der Grabstelle notiert.

Günthers Grabstein ist verwittert, und die Grabstelle wie fast alle anderen rundherum ist von Unkraut und Gestrüpp überwuchert. Nur das Grab nebenan muß kürzlich erneuert worden sein. Es liegt ein Kranz für die Opfer der kommunistischen Gewaltherrschaft darauf.

Großmutter muß sich um das Grab von Günther lange nicht gekümmert haben. Vielleicht nie, denn in ihren Rechnungsheften standen nur die Ausgaben für Großvaters Grab. Ich schaue Großmutter an, aber in ihrem Gesicht regt sich nichts. Sie sieht aus wie eine, die man zufällig in einem Einkaufswagen vergessen hat.

Ich nestle an meinem Hals, als wäre dort noch eine Kette, wie damals, als der Platz an der Friedhofsmauer wie ein Acker aussah, wo Tote, die keine Angehörigen hatten, anonym begraben wurden. Oder Leute wie mein Onkel Günther, deren Tod offiziell am liebsten verschwiegen worden wäre. Aber davon wußte ich damals nichts. Ich stand zum ersten Mal in meinem Leben an einem offenen Grab und nestelte an einer Zuchtperlenkette, die ich Wochen vorher von meinem Onkel geschenkt bekommen hatte, dessen Asche in einer Urne wortlos in das kleine Loch gestellt wurde. Hinter den anderen Grabsteinen standen viele unbekannte Trauergäste reglos wie Schaufensterpuppen, denen man schwarze Mäntel angezogen hatte, und Großvater murmelte was von »Sollen lieber arbeiten gehen« und »Guck da nicht so hin, die sind gar nicht da.« Ich wollte zu gerne wissen, ob Günther, bevor er verbrannt wurde, noch einmal aufgetaut war. Aber ich traute mich nicht zu fragen.

Als ich gestern in Großmutters Sekretär nach der Nummer der Grabstelle suchte, fiel mir die Kopie einer Schreibmaschinenseite mit dem Stempel des Militärarchivs Potsdam in die Hände. Vielleicht hat Großmutter dieses Dokument nach Öffnung der Archive angefordert, vielleicht steckt auch Vater dahinter. Es wundert mich, denn in meiner Anwesenheit hat keiner der beiden in den letzten beiden Jahren erwähnt, daß sie den Umständen von Günthers Tod noch einmal nachgehen wollten.

Zu einem Zwischenfall ist es in den heutigen frühen Morgenstunden des 20. Februar 1973 an der Berliner Grenzübergangsstelle Heinrich-Heine-Straße gekommen. Ein bereits abgefertigter LKW, der täglich Kristalleis vom östlichen Teil der Stadt nach Westberlin transportiert, wurde kurz vorm Passieren der Sperrmauer von zwei Schüssen getroffen, die den Wagenkasten und einen Reifen des LKW beschädigten. Der Offizier der DDR-Volksarmee entschuldigte sich sofort bei dem LKW-Fahrer und erklärte, es habe sich um ein Versehen gehandelt. Nach dem Auswechseln des Reifens trat der Wagen unverzüglich die Weiterfahrt an.

Sieben Wochen zuvor hatte ich meinen Onkel das letzte Mal gesehen. Er schenkte mir die Zuchtperlenkette zum Geburtstag, und Mutter sagte: »So ein teures Geschenk, Annja ist doch noch viel zu jung dafür.«

»Es soll dich an mich erinnern«, sagte Günther zu mir, und Mutter meinte, als er gegangen war, er habe mich wohl mit einer seiner Geliebten verwechselt. Mutter spielte auf die vielen Schmalfilme an, die in einem Karton, auf dem »Günther« stand, bei uns versteckt lagen. Es waren verschiedene Frauen darauf zu sehen, die wie Mannequins auf diversen Kühlerhauben der Autos meines Onkels posierten. Seine Leidenschaften für Autos und Frauen waren annähernd gleich groß, aber die Frauen mußte er nach seiner Hochzeit verheimlichen. Mit den Ersatzteilen seiner Oldtimer sah es bald auch nicht mehr so gut aus, und so fuhr er zuletzt einen blau-weißen Wartburg-Cabriolet, den er durch eines seiner vielen Geschäfte erworben hatte. Fünf Jahre nach meiner Geburt hatte er die Tochter des letzten Kristalleisfabrikanten der Stadt geheiratet. Die Hochzeit war ein offener Affront gegen meinen Großvater, in dessen Augen es ein Rückfall ins Mittelalter war, sich mit Kristalleisfabrikanten abzugeben. Er verstand sich dann aber wider Erwarten ganz gut mit ihm, denn im Grunde genommen war er ja auch vom Fach. Im Haus des Kristalleisfabrikanten wurde noch ein großbürgerliches Leben geführt. Einmal im Jahr veranstalteten sie einen Salon, zu dem meine Großmutter wie zu einer Prüfung ging, denn sie war sich im Gegensatz zu meinem Großvater noch bewußt, aus welcher Klasse sie kam und daß sie in den Augen der adligen Frau des Fabrikanten nur billige Aufsteiger waren. Sie machte dann auch immer alles falsch, verschüttete Kaffee, nahm das Messer beim Essen in die linke Hand und verfiel in ihren thüringischen Dialekt, wenn sie eine Frage beantworten sollte. Die Gastgeber hatten noch Angestellte, die aufs Klatschen der Hausherrin lautlos an den Tisch traten. Nach dem Essen zog sich mein Großvater mit dem Kristalleisfabrikanten ins Herrenzimmer zurück. Die Flügeltür wurde geschlossen, und wenn Großvater nach zwei Stunden wieder herauskam, roch er nach Schnaps und redete Unsinn.

Am Abend meines Geburtstages unterhielten sich die Erwachsenen noch lange darüber, wie es weitergehen solle mit meinem Onkel. Der Betrieb seines Schwiegervaters, dessen Nachfolger er hatte werden sollen, war über Nacht enteignet worden. Vater sagte: »Dann komm doch wieder zu uns ins Institut, jetzt, wo Vater in Rente ist.« Aber Günther schüttelte nur den Kopf. »Der kann zehnmal aufhören, er ist immer da. Da brauchst du nur eine Kühlzelle zu öffnen und schon schwirrt Vater wie ein Geist aus der Flasche.«

Günthers Plan muß an meinem Geburtstag schon reale Züge gehabt haben. Zwischen Eisblöcken konnte man sich besser verstekken als in einem leeren Kühltransporter oder zwischen gefrorenen Schweinehälften. So eine Fahrt zwischen Berlin und Berlin dauerte eine Stunde, falls es an der Grenzabfertigung nicht zu Verzögerungen kam. Mein Onkel war längere Aufenthalte in Räumen mit tiefer Temperatur durch seine Lehrzeit im Institut gewohnt. In seinem Plan aber kamen keine Zufälle vor. Er hatte an der linken Seite des Wageninneren eine Lage Kristalleis umgestapelt und so einen kleinen Hohlraum geschaffen, der an einer Seite durch die isolierte Wagenwand begrenzt war. Dann hatte er mit mehreren Lagen Kristalleis seine Höhle geschlossen, damit der Hohlraum von den Grenzern nicht einzusehen war. Eine Kugel aber schlug zufällig durch die Wand. Der Fahrer muß die Leiche meines Onkels gefunden haben, nachdem er mit leichtem Schock an seiner Ablieferungsstelle angekommen war. Ob er einen lebendigen Mann erwartet hatte oder völlig überrascht war, überhaupt einen Menschen dort zu finden – ich weiß es nicht. Mein Onkel hatte es geschafft, in den Westen zu kommen, nur nicht lebendig und auch nicht für lange. So eine Leiche ließ sich nicht verstecken, und da es seit Dezember 1972 den deutsch-deutschen Grundlagenvertrag zwischen der DDR und der Bundesrepublik gab, auch nicht mehr einfach so behalten, und so nahmen die Westberliner Behörden Kontakt zu den Ostberliner Behörden auf, woraufhin die Leiche meines Onkels den Grenzübergang Heinrich-Heine-Straße von West nach Ost passierte und in eine von der Staatssicherheit gut abgeschirmte Kühlzelle gelangte.

Man hatte Großvater vom Tod meines Onkels informiert, war aber nach drei Wochen immer noch nicht bereit gewesen, die Leiche freizugeben. Großmutter hatte in den drei Wochen nichts weiter getan, als zu weinen und sich und allen Vorwürfe zu machen, bis es Großvater reichte und er den schwarzen Anzug aus dem Schrank holte. Er legte alle Orden nach der Ordnung über das Tragen staatlicher Auszeichnungen an. Dann bestellte er sich ein Taxi und ließ sich nach Berlin zum Politbüro fahren, um die Herausgabe der Leiche zu fordern. Aber wir schrieben nicht mehr das Jahr 1968, in dem Großvater jeder Wunsch von den Augen abgelesen worden war, weil man ihn als Kälteexperten brauchte. Schon der Pförtner wollte ihn nicht vorlassen, auch nicht, als er die Orden sah und das Parteibuch der SPD von 1921. Großvater schrie herum und trat gegen die Tür, bis vier Sicherheitsleute den schweren Mann, dem die Puste schon ausging, in die Zange nahmen. Er landete nicht bei Honecker, er landete bei irgendeinem Untersekretär, der ihn zu beruhigen versuchte.

»Genosse Kobe, ich verstehe ja, daß du dich aufregst, aber im Fall einer Republikflucht sind die Sicherheitskräfte berechtigt, die Leiche aus Sicherheitsgründen länger zu behalten.«

»Ach ja«, höhnte Großvater, »aus Sicherheitsgründen. Was kann euch mein Sohn schon noch tun?«

»Du als langjähriger Genosse müßtest eigentlich wissen, daß auch die Toten unserem Staat Schaden zufügen können.«

Paul schlug auf den Tisch, daß es krachte.

»Ihr mit eurer blöden Enteignungspolitik fügt dem Staat Schaden zu. Ihr dürft euch nicht wundern, wenn uns die Leute weglaufen. Das wird euch noch mal das Genick brechen.«

»Überleg dir, was du hier sagst, du weißt, daß wir in besonderen Situationen keine Rücksicht mehr auf deine Verdienste nehmen können.«

»Meine Verdienste habt ihr euch schon längst in den Arsch gesteckt.«

Großvater hatte begriffen, daß er sich nur noch einen wirkungsvollen Abgang verschaffen konnte. Er trennte die Orden vom Anzug, ganz ruhig, einen nach dem anderen, links oben beginnend von innen nach außen: erst den Orden »Banner der Arbeit«, den er am 1. Mai 1963 in »Anerkennung besonderer Verdienste beim Aufbau des Sozialismus und bei der Festigung und Stärkung der Deutschen Demokratischen Republik« vom Vorsitzenden des Staatsrates verliehen bekommen hatte, dann den Ehrentitel »Verdienter Aktivist«, den der Generaldirektor der Vereinigung Volkseigener Betriebe Kühl- und Lagerwirtschaft ihm in »Anerkennung großer Verdienste beim Aufbau des Sozialismus und bei der Festigung und Stärkung der Deutschen Demokratischen Republik« 1968 an den Anzug gesteckt hatte. Dann wechselte er auf die rechte obere Brustseite und trennte den Orden »Verdienter Techniker des Volkes« vom Stoff, 1958 von der Regierung der Deutschen Demokratischen Republik in »Anerkennung seiner hervorragenden technisch-wissenschaftlichen Leistungen für die Weiterentwicklung der Volkswirtschaft, zur Hebung des Wohlstandes der Gesamtheit des Volkes und im Dienste des Friedens« überreicht, und trennte sich zuletzt vom Nationalpreis dritter Klasse. Jeden Orden warf er dem Sekretär des Sekretärs des Sekretärs einzeln vor die Füße, bevor er den Raum verließ. Er ließ sich zum Ministerrat fahren, aber auch der erste Stellvertreter des Vorsitzenden des Ministerrates wollte nicht mit ihm sprechen. Zuletzt versuchte er es noch beim Generaldirektor des Kombinates Kühl- und Lagerwirtschaft. Er war der einzige, der ihn empfing.

»Laut meinem Einzelvertrag steht mir eine Förderung meiner Kinder zu, § 6, ich kann es dir zeigen. Ich möchte nicht mehr als ein sofortiges ordnungsgemäßes Begräbnis meines jüngsten Sohnes.«

»Paul, dein Einzelvertrag besteht nicht mehr, du bist in Rente gegangen.«

»Ruf jetzt sofort dort an, ich möchte meinen Sohn noch heute mitnehmen.«

Der Generaldirektor telefonierte im Nebenzimmer. Nach einer Weile kam er zurück. »Ich kann dir nicht sagen, wann die Leiche freigegeben wird. Ich soll dir nur bestellen, daß es besser wäre, wenn dein ältester Sohn nicht mit zur Beerdigung kommt. Er hat doch noch viel vor auf seinem Arbeitsgebiet.«

Großvater verließ das Ministerium wortlos und fuhr zurück nach Hause. Am nächsten Tag brachte ihm ein Bote des Politbüros die Orden zurück. Großvater weigerte sich, die Sendung entgegenzunehmen, er blieb im Bett, und Großmutter kam etwas ratlos mit den Orden wieder.

»Schmeiß sie weg«, sagte Großvater, aber Großmutter steckte jeden einzelnen in das dazugehörige Kästchen und legte sie in die Schublade des Schreibtisches zurück, wo ich sie vorgestern gefunden habe.

Nach einer Woche wurde die Urne freigegeben. Niemand aus der Familie hatte die Leiche gesehen, und Großmutter beharrte darauf, daß nicht Günthers Asche darin sei. Vielleicht war er ja gar nicht tot. Selbst Großvater konnte sie nicht davon überzeugen. Sie hatte Günthers Leiche nicht gesehen, also gab es sie auch nicht. Wozu machten sie sonst so eine Geheimniskrämerei daraus. Mein Vater ging nach längerer Diskussion mit Großvater nicht mit auf den Friedhof und verließ regelmäßig das Zimmer, wenn von Günther die Rede war.

Ich weigerte mich, im Sportunterricht die Kette abzulegen, was mir immer wieder böse Eintragungen einbrachte. Einige Jahre später habe ich sie dann beim Tauchen im Stadtbad verloren. Erst zu Hause merkte ich, daß sie nicht mehr an meinem Hals war. Als ich am nächsten Tag ins Stadtbad kam, hatten sie das Wasser gerade abgelassen.

19. Kapitel

Kaviar
Frischlagerung
–2 bis 0 °C bei 75 bis 80 % rel. Luftfeuchtigkeit und schwacher Luftbewegung. (Handelsübliche Praxis)

Am Ausgang des Friedhofs warten zwei Polizisten. Der größere von beiden sieht ein wenig unbeholfen aus in seiner Uniform, als wäre er noch nicht hineingewachsen. Sie scheinen uns zu erwarten, und für einen Moment denke ich an Flucht. Als sie bemerken, daß ich kurz anhalte und nach rechts und links blicke, als suchte ich nach einem Ausweg, kommen sie langsam auf mich zu.

»Gleich wird der vordere seine Hand an die Mütze legen und ›Bürgerin, Ihren Ausweis‹ sagen«, kündige ich Großmutter an. »Der hintere hat ein schlechtes Gewissen. Ist wahrscheinlich einer von denen, die solche wie mich früher an jeder Straßenecke nach dem Ausweis gefragt haben. Und wenn ich keinen hatte, zackzack auf die Wache.«

»Paßport«, schreit der Kleine, als wäre ich schwerhörig.

Einen Moment überlege ich, ob ich nicht: »Ich und Babuschka Hunger, kleine Spende, bittesähr«, sagen sollte, entscheide mich dann aber für den Satz: »Als Bürgerin der Bundesrepublik bin ich nicht mehr verpflichtet, meinen Personalausweis ständig bei mir zu tragen.«

»Wenn Gefahr im Verzug ist, bin ich berechtigt, die Personalien zu ermitteln«, sagt der Kleine zackig. Das wird wohl der Kollege aus dem Westen sein, der neuerdings auf jeder Streife mitlaufen muß, damit die Volkspolizisten mit ihrem schlechten Gewissen sich nicht von jedem Gesetzesverletzer übers Ohr hauen lassen.

»Und welche Gefahr ist hier bitteschön im Verzuge?«

»Finden Sie es normal, daß man eine ältere Person im Einkaufswagen transportiert?«

»Sollte ich sie vielleicht auf den Friedhof tragen? Sie kann nicht mehr laufen.«

»Was haben Sie überhaupt hier zu suchen?«

»Darüber bin ich Ihnen weißgott keine Rechenschaft schuldig.«

»Ausweis«, sagt er scharf.

»Wenn Sie den Ton wechseln, bin ich dazu bereit.«

»Ihre Papiere bitte, Bürgerin«, sagt sein Kollege mit einem Blick der Rückversicherung auf den anderen, in dessen Windschatten er steht. Ich reiche dem ehemaligen Volkspolizisten meinen Personalausweis, der ihm von dem anderen aus der Hand gerissen wird.

»Aha, Annja Kobe aus Berlin. Können Sie mir jetzt bitte sagen, was Sie auf diesem Friedhof zu suchen haben?«

»Ich bin in dieser Stadt geboren.«

»Das heißt noch lange nicht, daß Sie sich in einem solchen Aufzug und mit einer alten Frau in einem entwendeten Einkaufswagen auf einem Friedhof aufhalten und die Totenruhe stören dürfen.«

»Der Einkaufswagen ist nur geborgt. Und jetzt lassen Sie mich gehen, Sie sehen doch, daß es für meine Großmutter nicht sehr bequem ist.«

Großmutter hat die ganze Zeit keinen Ton von sich gegeben. Wenn ihre Augen sich nicht dauernd hin- und herbewegen würden, könnte man sie für tot halten.

»Wir werden Ihre Personalien überprüfen«, sagt der Westler und gibt dem Volkspolizisten mit einer Kopfbewegung hin zum Ausgang meinen Ausweis. Wenig später sehe ich ihn am Funkwagen telefonieren. An Flucht ist nicht mehr zu denken. Wenn ich auf irgendeiner Fahndungsliste stehe, ist es aus. Ich hatte zu Ostern dieses Jahres den Spruch »Veruntreuhand abhacken« an die Mauer des Backwarenkombinates gesprüht. Einen Tag später war der Direktor der Treuhandanstalt ermordet worden. In der Woche darauf sah ich beim Vorbeifahren, daß die Polizei an der Wand des Backwarenkombinates die Spuren sicherte. Danach war ich monatelang bei jedem Klingeln an der Wohnungstür aufgeschreckt, weil ich fürchtete, daß die Polizei draußen stehe, um mich als Tatverdächtige im Mordfall Rohwedder festzunehmen. Vielleicht waren sie ja erst jetzt auf mich gekommen und hatten mich zur Fahndung ausgeschrieben, weil sie mich zu Hause nicht angetroffen hatten. Sie werden mich verhaften, Vater in der Kühltruhe finden und Großmutter in ein Pflegeheim stecken. Ich hätte nie auf diesen Friedhof gehen sollen.

Der Polizist beugt sich über Großmutter und fragt: »Kennen Sie diese Frau?« Ich nestle nervös an meinem Hals. »Natürlich«, sagt Großmutter. »Und wie heißt sie?«

»Annja Kobe.«

Ich atme auf. Zwar ist mir nicht klar, ob Großmutter weiß, daß ich ihre Enkelin bin oder ob ihr Kurzzeitgedächtnis nur den Namen gespeichert hat, den der Polizist aus dem Personalausweis vorgelesen hat, die Hauptsache ist, daß der Polizist nicht weiterfragt. Um uns hat sich inzwischen eine Traube von Menschen gebildet. Ordentliche Bürger mit Einkaufstaschen und Gießkannen, die vor sich hin flüstern. »Sieh mal wie die aussehen ... wie aus dem Zirkus ... was jetzt hier für Leute herumlaufen ... früher war noch Recht und Ordnung ... die arme Oma, die gehört in ein Krankenhaus ... Zigeunerpack ... Daß die Polizisten so ruhig bleiben, ich hätte die schon längst verhaftet ... Früher ... Früher ... Früher ...«

Der Volkspolizist gibt mir den Ausweis zurück.

»Nichts«, sagt er. »Personalien stimmen.«

»Erledigt«, sagt der Westler, »aber lassen Sie sich nicht mehr hier blicken.« Dann bahnt er sich mit seinem Kollegen einen Weg durch die Menge. Sie bildet eine Gasse, als ich mit Großmutter in Richtung Ausgang fahre. Ich hebe Großmutter aus dem Einkaufswagen und schiebe ihn einem Mann im Trainingsanzug vor die Füße. »Verdien dir 'ne Mark.« Dann mache ich, daß ich wegkomme.

»Luise Gladbeck hat eine Erdbestattung bekommen«, rufe ich in Richtung Truhe, als ich in der Küche stehe und die letzte Packung Kartoffelbrei anrühre. »Kannst du dir vorstellen, warum? Hat sie vielleicht an Gott geglaubt?« Vater läßt sich nicht aus der Ruhe bringen. »Wenn du sie geheiratet hättest, könnte sie heute noch leben. Ihr hättet mit eurer Treuhandentschädigung eine kleine Eisbude aufmachen können, wo ihr all das Eis hergestellt hättet, was ihr ohnehin immer schon machen wolltet. Großmutter wäre in aller Stille gestorben, und ich hätte nicht solche Scherereien.«

Es wird von Tag zu Tag kälter. Ich trage schon Handschuhe, weil mir die Finger steifgefroren sind. Ich könnte die Küche mit dem Backofen heizen, aber ich weiß nicht, wie Vater darauf reagiert. Vielleicht taut er auf und fängt an zu stinken, fault durch die Truhe und fällt eines Tages durch die Decke in die Hochparterrewohnung, wie man es aus Gruselfilmen oder aus der Zeitung kennt. Ich könnte in diesem Falle den Stecker der Truhe mit dem Stromkreis verbinden, aber dann hat die Truhe wieder zu wenig Luft, weil das Gas den Sauerstoff frißt, und ich muß das Fenster aufmachen und es ist wieder kalt.

Habe ich zu Hause in meiner Wohnung überhaupt das Gas ausgemacht? Und die Fenster geschlossen? Und die Wohnungstür abgeschlossen? Wenn das hier länger als einen Monat dauert, räumt die Verwaltung mir die Wohnung, weil kein Geld mehr auf dem Konto ist. Aber das Ende dieses Zustandes heißt Tod. Und Großmutter sieht im Moment nicht so aus, als würde sie vorhaben zu sterben. Was wird aus Vater, wenn Großmutter stirbt? Soll ich ihn in seiner Truhe auf den Schrottplatz fahren lassen? Oder zurück in seine Wohnung? Oder zu mir? Gehen wir zu mir oder zu dir, Papa? Leichtigkeit, Mädchen, nimm's mit Leichtigkeit. Die Mutter hat Kartoffeln gekocht, und das Kind will sie nicht essen. Die Enkelin hat Kartoffelbrei gekocht, und die Großmutter spuckt alles wieder aus.

Beim Versuch, Großmutter doch noch etwas von dem Essen in den Mund zu stopfen, rekapituliere ich: Luise Gladbeck hat sich in einer Kühlzelle umgebracht, die auf einem Schrottplatz gefunden wurde. Datum des Todes: 28. 11. 91. Das heißt also, die Kühlzelle war an diesem Tag vom Institut aus zum Schrottplatz gefahren worden. Vater und Luise waren die letzten, die noch im Institut waren. War bei dem Abtransport der Kühlzellen noch einer von beiden dabei, oder hatte die Transportfirma die Kühlzellen einfach von der Straße aus eingeladen und weggeschafft, ohne daß ein Transportschein unterschrieben werden mußte? In einer der Zellen muß dann Luise gewesen sein, mit den Tabletten im Körper, die sie im Institut geschluckt hatte. Aber wieso im Institut, sie hat die Tabletten genausogut auch in Vaters Wohnung schlucken können, bis zur Kühlzelle hätte sie es auch mit dem Gift im Blut noch geschafft. Wenn meine Vermutung stimmt, daß Luise Gladbeck Vater beim Einfrieren geholfen hat, dann muß er schon eingefroren gewesen sein, als die Kühlzellen abgeholt wurden, es sei denn, Luise hat sich in der Nacht, nachdem sie Vater beim Einfrieren geholfen hat, auf den Schrottplatz geschlichen, um sich in einer Kühlzelle zu verstekken. Sie hätte dann aber auch zu Hause im Bett auf den Tod warten können, sie hat schließlich allein gelebt. Niemand hätte sie gefunden, höchstens ihre Mutter, die nach einer Woche vielleicht unruhig geworden wäre. Die Frage ist ohnehin, was dieser symbolische Tod sollte. Er wirkt etwas zu pathetisch und einer Naturwissenschaftlerin nicht recht angemessen.

Als ich Großmutter ausziehe, sehe ich, daß ihr Rücken durchgelegen ist. Auf der Wunde hat sich eine dicke Kruste absterbendes Gewebe gebildet, aber Großmutter scheint keinen Schmerz zu spüren. Ich lege sie auf die Seite und wühle in den Schränken. Es gab früher außer dem Karton mit Ankerplast noch einen Kasten mit Verbänden. Der muß irgendwo sein, Großmutter hat doch nie etwas wegwerfen können. In der hintersten Ecke des Kleiderschrankes, neben der Schachtel mit Großmutters abgeschnittenem Zopf aus dem Jahr 1921, finde ich ihn, die Sütterlin-Schrift »Salben und Verbände« schon etwas verblaßt. Von den Salben hat sich Großmutter glücklicherweise getrennt.

Großvater holte diesen Kasten jeden Morgen vom Schrank. Er machte es sich auf dem Sessel bequem und begann mit der Prozedur. Ich nahm mir die Fußbank und setzte mich Großvater so gegenüber, daß ich eine gute Sicht auf seine Beine hatte.

Er löste das Pflaster am Verband und fing an, Lage für Lage aufzuwickeln. Zuerst war der Verband noch ganz weiß, aber schon die zweite Lage hatte beigefarbene Flecken, die von Runde zu Runde dunkler und größer wurden, bis die Binde aufgerollt und nur noch die sterile Auflage übrig war, verklebt mit der Wunde, die Farbe von braun nach dunkelrot übergehend. Großvater riß den Mull ab, und der Unterschenkel lag frei: Blau und rot verfärbt, mit dicken braunen Krusten an den Wundrändern, das Innere der Wunde in einem Rot wie aus meinem Tuschkasten, wenn die Farbe noch feucht war vom Malen. Es sah ein wenig aus wie die Satellitenaufnahmen von der Erde, nur die Farbe stimmte nicht ganz, aber man konnte Seen und Gebirgswege erkennen.

Ich weiß nicht, was man im Falle eines durchgelegenen Rückens tut. Das Buch »Gesundheit«, das auch noch immer an derselben Stelle in Großvaters Bücherschrank steht, gibt keine Auskunft. Das Stichwort »Rücken, durchgelegen« oder »Wunden, offene« gibt es nicht, dafür muß ich mir noch einmal das verbrühte tote Kind mit dem schwarzen Balken anschauen und den Mann, der von einem Blitzschlag getroffen wurde. Wie damals frage ich mich, warum ein Buch »Gesundheit« heißt, das von der ersten bis zur letzten Seite nur Krankheiten beschreibt.

Der Mull sieht nicht so aus, als wäre er noch steril wie auf der Verpackung angegeben. Trotzdem versuche ich, die offenen Stellen so gut es geht damit abzudecken. Großmutter verzieht nur leicht den Mund, als ich das Pflaster an ihrem Rücken festdrücke.

In der Nacht setze ich mich ins eiskalte Arbeitszimmer und schaue mir die Fotos aus der Nachkriegszeit an. Die zweifelhafte Boheme auf dem Sofa, leicht angetrunken, Großvater als riesiger Fleischberg in der Mitte. Großmutter in ihrem schwarzen Kleid mit den Tüllvolants, das Jahre später noch einmal auf einem Foto auftaucht. Diesmal zurechtgeschneidert zu einem Rock, den ich als Zigeunerin zum Fasching trage. Und zehn Jahre später noch einmal auf einer Festwiese, zwischen lauter Langhaarigen mit Hirschbeuteln, die bis zu den Kniekehlen hängen. Damals mußte ich sonntags drei Meter vor Vater gehen, weil er sich mit mir schämte, bis ich vom erstbesten Polizisten angehalten wurde und Vater an meine Seite trat, seinen Abgeordnetenausweis vorzeigte und sagte: »Das Mädchen gehört zu mir.«

Als ich eine Seite des Albums umblättern will, fällt ein Foto heraus, auf dem Sommer ist. In dem fast quadratischen Wohnhaus mit dem Walmdach stehen alle Fenster offen. Aus einem Fenster in der ersten Etage schaut meine Großmutter. Von hinten fällt ein Schatten auf das Haus. Er wird von einem noch höheren Gebäude geworfen, das wie ein riesiger Geschenkkarton in der ansonsten kargen Landschaft steht. Die schmale Fensterfront an der Südseite sieht aus wie ein Geschenkband, mit dem der Karton zugebunden ist. Nach Südwesten hin ist der Karton ein wenig verwittert, ansonsten weist er keine Schäden auf. Würde nicht rechts im Bild ein Rotarmist zu sehen sein, der mit präsentiertem Gewehr stramm neben einem Schilderhäuschen steht, könnte man meinen, das Foto wäre kurz nach dem Bau des Kühlhauses aufgenommen. Auf der Rückseite steht als Datum der Aufnahme Sommer 1948. Es muß ein Abschiedsfoto gewesen sein, aufgenommen von meinem Vater, der zu dieser Zeit anfing, das Fotografieren zu lernen. Großmutter hatte gerade die Kündigung für die Wohnung erhalten. Großvater war weit weg.

20. Kapitel

Kleidermotte
Abtötung durch Kälteeinwirkung
Werden Raupen einer Temperatur von −4,7 °C für 24 Tage ausgesetzt, so schlüpfen noch 5 % Falter. Bei −13 °C sind sämtliche Raupen nach drei Wochen abgetötet. Nach drei Wochen sterben Eier bei −1 bis −5 °C ab. Eine Temperatur von −4,7 °C wird von den Eiern bis zu zehn Tagen überstanden. Es schlüpfen dann noch 10 % Raupen.

Eines Tages, es muß Anfang des Jahres 1947 gewesen sein, stand Trude Lummer am Eingang des Schlachthofes. Der Schnee lag noch sehr hoch, in Mitteleuropa ging der härteste Winter seit langem seinem Ende zu, was man an manchen Tagen an den leichten Fönwinden spüren konnte, die ihren Weg in das Thüringer Becken nahmen. Trude Lummer hatte einen Monat auf dem Treck verbracht. Ihre Mutter und ihr Sohn lagen irgendwo in den Schneewehen Schlesiens. Sie hatte sie nicht begraben können, denn der Boden war zu hart gefroren gewesen. Die Umrisse der Körper unter dem Schnee sollten sie bis in ihre Träume begleiten. Ihr Mann war seit vier Jahren bei Stalingrad vermißt. Sie machte einen etwas verlorenen Eindruck, als hätte sie jemand mit ihren Koffern und Bündeln aus der Luft abgesetzt. Äußerlich sah sie aus wie die Rattenkönigin, sie trug den Pelzmantel ihrer Mutter über dem eigenen, und an den Füßen hatte sie Lappen, die von undefinierbarer Farbe waren. Großvater rannte gerade mit wehendem Kittel aus dem Tor des Schlachthofes in Richtung Wohnung, wo Großmutter mit dem Essen auf ihn wartete. Als er Trude Lummer sah, blieb er wie angewurzelt stehen. Sein erster Blick ging auf die Hände, aber die steckten in dicken Handschuhen. So blieb er an den grünen Augen hängen. Die Frau vor ihm nestelte nervös am Zipfel ihres Federbettes und bückte sich, ohne den Blick von Großvater zu lassen, zum Henkel ihres Koffers.

»Sind Sie hier in irgendeiner Weise zuständig«, fragte sie mit einem resignierten Ton in der Stimme.

»Ich bin der Direktor des Kühlhauses.«

»Da bin ich ja richtig. Ich habe eine Zuweisung von der Stadt. Ich soll hier als Sekretärin arbeiten.«

Großvater nahm sie erst einmal mit nach oben und stellte sie seiner Familie als die neue Mitarbeiterin vor. Vater weigerte sich, der Besucherin die Hand zu geben, und Großvater machte im Rücken von Trude Lummer eine Handbewegung, als wolle er ihm dafür rechts und links eine runterhauen.

Großvater machte schon an diesem Abend den ersten Fehler. Er quartierte Trude Lummer bei Walentina Kracht ein. Ihr Verhältnis hatte sich in den letzten Monaten merklich abgekühlt, und Walentina Kracht reagierte wie Vater. Sie witterte sofort eine unliebsame Konkurrentin, und als ihr Großvater zu verstehen gab, daß Trude Lummer fortan seine Sekretärin und Walentina Kracht seine Buchhalterin sei, sah sie sich in ihrer ersten Abneigung bestätigt. Sie sollte allein für die Zahlenkolonnen zuständig sein, währenddessen Trude Lummer zum Diktat gerufen werden würde.

Großvater hatte andere Probleme, als sich mit dem Gebaren zweier Sekretärinnen aufzuhalten. Die Besatzungsmacht beanspruchte noch immer große Teile des Kühlhauses und weigerte sich, die Miete dafür zu bezahlen. Inzwischen stand sie schon mit 350000 Reichsmark in der Kreide, aber immer wenn Paul den Kommandanten darauf ansprach, meinte der, im Kommunismus gäbe es ohnehin kein Geld mehr, und erst wenn es den in Deutschland gäbe, würden sie wieder abziehen, also erübrige sich bis dahin die Zahlung von Schulden.

Großvater wollte auf die Zukunft nicht warten und begann eine Versuchsreihe mit gefrorenen Hühnereiern. Während draußen die Leute hungerten und froren, bekam Großvater heraus, daß die Eischale beim Gefrieren ganz feine Risse bekam und das Ei dadurch unbrauchbar wurde. Er trug die geplatzten Eier vorsichtig nach Hause, wo Großmutter sie durch ein Sieb goß. Es gab Eierkuchen, bis die Kinder nicht mehr essen konnten. Der Rest wurde in die Suppe der Betriebsküche gemischt. Großvater schloß sich nachts ins Kühlhaus ein und bastelte an einem Gefrierapparat, dessen Roste aus Röhren bestanden, in denen das Kühlmittel verdampfen konnte. Die Luftbewegung im Gefrierraum erzeugte er mit Hilfe eines alten Ventilators, den er auf dem Schwarzen Markt gegen ein Kilo Fleisch getauscht hatte. Auf die Roste stellte er Blechkannen, in denen die Eierpampe stand. Jedes Ei wurde erst mit elektrischem Licht durchleuchtet, dann zerschlagen, der Eiinhalt ausgeleert und daran gerochen. Stank das Ei nicht, kam es in die Kanne, stank es, konnten die Arbeiter es mit nach Hause nehmen. Großvater bekam schnell mit, daß nicht alle Eier, die angeblich stanken, auch wirklich üblen Geruch verbreiteten, aber wenn es einer nicht zu heftig trieb, drückte er ein Auge zu.

Nach Abschluß der Versuchsreihe fing er an, einen Teil des Blumenkohls, der im Kühlhaus bei Temperaturen über dem Gefrierpunkt gelagert wurde, abzuzweigen und ihn bei −18 °C einzufrieren. Das blieb nicht lange unbemerkt. Eines Tages kam ein Vertreter des Wirtschaftsamtes und ließ sich den gefrorenen Blumenkohl zeigen. Ihm fehlte der Sinn für solche Art Spielereien, und seine Behörde untersagte eine größere Produktion. Paul ließ Trude Lummer einen bösen Brief an die Landesregierung schreiben, in dem er auf den hohen Wert der Gemüsegefrierkonserve hinwies, aber die Landesregierung stoppte die Produktion mit dem Hinweis auf die häufigen Stromsperren und den damit verbundenen Auftauvorgang. »Unsere Bevölkerung soll nicht hungern, und auch Sie, Herr Direktor Kobe, werden wohl dafür Verständnis haben.« Direktor Kobe hatte aber keinerlei Verständnis dafür, schon weil das Kühlhaus über Notstromaggregate verfügte. Er diktierte Trude Lummer den Antwortbrief in einer Geschwindigkeit, daß sie kaum mit dem Schreiben hinterherkam. Sie war aus der Übung, und solche Worte wie Kühlkette gingen ihr nicht leicht von der Hand. Als ehemalige Sekretärin eines Wehrmachtsstabes kannte sie sich besser mit dem Buchstabieren von Geschütznamen aus. Die Kühlkette und ihre Vervollkommnung und Erweiterung bis zum Verbraucher, ließ Großvater schreiben, sei eine vordringliche Aufgabe der kommenden Jahre und man müsse die Kraft haben, in die Zukunft zu sehen. Eines Tages würden alle Menschen Thüringens ihren Blumenkohl zu Hause einfrieren. Bis dahin sei es aber noch viel Arbeit, zu der sein Kühlhaus gerne beitragen wolle.

Einige Wochen später kam unangemeldet die Sanitätsinspektion der Besatzungsmacht ins Kühlhaus. Sie ließ die Arbeiter holen, um ihre Arbeitsschutzbekleidung zu überprüfen. Die Arbeiter traten mit ihren umgefärbten Wehrmachtsuniformen an, und der Sanitätsinspektor fragte nach Schürzen. Die Arbeiter zuckten mit den Schultern. Dann wollte er die Handschuhe sehen. Die Arbeiter zeigten ihre von der tiefen Temperatur gerissenen Hände vor. Großvater wurde zu 300 Mark Geldstrafe wegen Nichteinhaltung der Arbeitsschutzbestimmungen verurteilt. Monatelang hatte er versucht, auf legalem Wege 200 Schutzanzüge, Kittelschürzen und Handschuhe zu bekommen, aber weder das städtische Wirtschaftsamt noch das Thüringer Versorgungsministerium hatten ihm helfen können. Ihm blieb nichts anderes übrig, als sich die Sachen mit

Hilfe des Schwarzmarktkönigs von Erfurt aus alten Wehrmachtsbeständen zu besorgen.

Im Januar wurde der König von Erfurt verhaftet. Um seine Strafe gering zu halten und nicht an die Russen ausgeliefert zu werden, nannte er die Namen sämtlicher Geschäftspartner.

Zwei Tage später trat die Kriminalpolizei ins Kontor, um Großvater zu verhaften. Sie traf nur Walentina Kracht an, die sie ins Kühlhaus schickte. Auf der Treppe stieß Walentina Kracht auf Trude Lummer und rief ihr hämisch zu: »Euer Liebesnest wird ausgetrocknet.« Bei der Befragung gab sie an, Kobe habe sich gegen 80 Pfund Butterschmalz einen Pelzmantel und zehn Kleider für Trude Lummer liefern lassen. Als die Kriminalpolizei den Pelzmantel suchte, fand sie nur die mottenzerfressenen Pelze, die Trude Lummer getragen hatte, als sie angekommen war. Großvater gab beim Verhör an, es habe zwar einen Pelzmantel gegeben, aber der sei nicht etwa für Trude Lummer bestimmt gewesen, sondern wurde in der Autozubehörhandlung in Frankfurt am Main gegen fünf Autoreifen mit Schläuchen eingetauscht, da das Kühlhaus ohne Autos nicht mehr lieferfähig gewesen wäre. Die zehn Kleider ließen sich nicht verleugnen. Walentina Kracht zeigte mit einem gewissen Triumph neun von ihnen der Kommission vor. Das zehnte Kleid trug Trude an der Schreibmaschine. Sie leugnete nicht, aber woher ihr Chef die Kleider hatte, wollte sie angeblich nicht wissen. Als Großvater nach zehn Tagen aus dem Gefängnis entlassen wurde, hatte inzwischen im Kühlhaus eine Überprüfung der Finanzen stattgefunden. Man war auf ein weitverzweigtes Netz schwarzer Kassen gestoßen, das sich bis ins Jahr 1943 zurückverfolgen ließ, als Großvater mit Hilfe von Walentina Kracht nach und nach 12000 Reichsmark abgezweigt hatte, die er als »Zehrgelder für Luftschutzzwecke« verbuchen ließ. Dann stieß man auf die markenfreie Werksküche. Die Polizei schnüffelte in den Töpfen herum und fand Fleisch, Ei und Gemüse darin. Großvater redete sich heraus, daß eine Markenabgabe nicht in Frage gekommen wäre, weil die für die Küche benötigten Gemüse schon vor drei Jahren, während des Krieges, eingefroren worden waren. Die Rechnungsprüfer fragten nach der Herkunft des Fleisches, und Großvater tischte ihnen die Geschichte auf, es sei Abfall von russischem Gefrierfleisch gewesen. Wenn man das Fleisch vom Haken reiße, bleibe oben immer ein Stück hängen, und das hätten sie für den Eintopf verwendet. Das fehlende Gefrierei sei wegen der Schäden am Dach des Kühlhauses verdorben gewesen, und man habe es wegschmeißen müssen. »Und wie ist es dann in die Suppe gekommen?« fragten die Rechnungsprüfer, und Großvater schüttelte bedenklich den Kopf: »Da können wir nur froh sein, daß es nicht zu Salmonellenvergiftungen gekommen ist.«

Aber der Leiter des Rechnungsprüfungsamtes hatte noch andere Asse im Ärmel. Die Geschäftsführung, so stellte er fest, habe Benzin grundsätzlich nur zu überhöhten Preisen über den Schwarzen Markt bezogen, anstatt beim Straßenverkehrsamt ordnungsgemäß eine Benzinzuteilung zu beantragen, was Paul mit einem grollenden Lachen und dem Satz beantwortete, dann hätte man ja gleich versuchen können, den Tank mit Gefrierei zu füllen und zu warten, ob das Auto sich damit betreiben lasse. Dann kam man auf die erheblichen Reisespesen, und Walentina Kracht gab der Kommission zu verstehen, so eine Geliebte koste eben, wenn man sie in Berlin im »Adlon« ausführe.

Am Ende blieben noch 5500 Reichsmark ohne Quittungsbelege, die Großvater für ein Auto, das längst bezahlt war, aus der Kasse genommen und nicht zurückgelegt hatte, mehr fanden die Prüfer nicht. Dann erstellten sie ein abschließendes Gutachten: Zwar sei dem Geschäftsführer des Kühlhauses, was die Abrechnungen mit den Kunden und den Einheiten der Besatzungsmacht anginge, keine Unregelmäßigkeiten nachzuweisen, wohl aber was die Unkostenbelege betreffe. Da hätten sie lange nicht so eine Unordnung gesehen.

»Die Kriege kommen und gehen, die Wirtschaftsprüfer bleiben«, grollte Großvater und wußte, daß seine Karriere im Erfurter Kühlhaus vorbei war.

Großmutter hatte von allem nichts mitbekommen. An dem Tag, als Großvater von der Verhaftung des Schwarzmarktkönigs gehört hatte, schickte er sie mit den Kindern in den Thüringer Wald.

Im April wurde er samt seiner Sekretärinnen entlassen. Er fuhr in die Wismut und bewarb sich für eine Arbeit als Hauer unter Tage. Sollten sich die anderen mit der Kälte beschäftigen, er würde Uran abbauen. Besser jedenfalls, als in Sibirien zu erfrieren. In der Reihe der Neuankömmlinge stand er zwischen Leuten, die mit ihren Tätowierungen, unter denen auch einige Hakenkreuze und Blutgruppennummern unter der Achsel waren, nicht gerade vertrauenserweckend aussahen, aber er bildete sich ein, mit ihnen besser auszukommen als mit den Bürokraten der Landesregierung. Er fiel schon durch die ärztliche Untersuchung, obwohl er mit Abstand der am besten Genährte war. Etwas ratlos fuhr er zu Großmutter und erzählte ihr, daß die Russen hinter ihm her seien.

Für die 5500 fehlenden Reichsmark wurde schließlich Großmutters Eßzimmer gepfändet. Beim Eßzimmer kannte Großmutter keinen Spaß, das wußte Großvater und trieb das Geld mit dem nächsten Geschäft auf. Wenn Großmutter zurückkam, sollte kein Kuckuck an den guten Möbeln kleben. Mit der Währungsreform wurde das bei der Gerichtskasse hinterlegte Geld auf 10% abgewertet, und der Kuckuck kam wieder drauf. Großvater besorgte für seine Familie eine Wohnung und für Trude Lummer im selben Haus eine Dachkammer, denn auch die Werkswohnung war ihm gekündigt worden. Sollten die Frauen sehen, wie sie miteinander klarkamen. Im Mai nämlich war er zur Kommandantur bestellt worden. Er packte Zahnbürste und frische Unterwäsche ein. Irgendwie würde er Sibirien schon überleben, er war Temperaturen um –20 Grad gewöhnt. In der Kommandantur wartete ein Wirtschaftsoffizier der Zentralkommandantur auf ihn.

»Sie werden für uns arbeiten«, sagte er im besten Deutsch. »Wie wir wissen, kennen Sie sich bestens mit der Verwertung von Abfällen der Gefrierfleischbestände der Roten Armee aus. Sie werden im Berliner Schlachthof die Schwundverluste für Schweinefleisch untersuchen. Arbeitsbeginn ist der 1. Juli 1948. Das ist ein Befehl.«

Sein Schicksal hatte sich auf eigenartige Weise zum Besseren gewendet, wie es nur in unordentlichen Zeiten vorkommen konnte.

21. Kapitel

Knoblauch
Frischlagerung
0 bis +2 °C bei 70 bis 75 % rel. Feuchtigkeit für 6 bis 8 Monate. Wird der Knoblauch nicht vollkommen trocken eingelagert, so beginnt ein Verrotten an den feuchten Stellen. Sonst vergl. Zwiebel.

Über Nacht ist Frost gekommen. Die Straßen sind eisglatt, ab und an hört man auf der Hauptstraße hinter den Häusern Blech aufeinander knallen und Minuten später die Sirene eines Polizeiautos. An Vater hat sich nichts verändert. Er hat sich weder verfärbt noch bewegt.

Drei Tage habe ich neben Großmutter im Bett gelegen und es nur für die notwendigsten Verrichtungen verlassen. Großmutter nimmt keine Nahrung mehr an, noch nicht einmal mehr Schokolade. Eigentlich müßte ich einen Arzt holen, denn die Wunde auf ihrem Rücken will nicht verheilen.

Die Kälte hat meine Lebensfunktionen auf das Nötigste eingeschränkt. Ich müßte aufstehen und Kohlen oder Holz klauen, ich müßte Essen besorgen, ich müßte irgend etwas tun, um Kontakt mit der Welt aufzunehmen. Das einzige, was mir einfällt, ist die Zeitung aus dem Briefkasten zu holen, um wenigstens zu erfahren, welches Datum heute ist. Auf der Treppe wird mir schwarz vor Augen, und die Beine knicken mir ein.

Etwas unsanft werde ich geweckt. Neben mir auf der Treppe steht die Nachbarin. »Ist Ihnen nicht gut?« fragt sie.

So viel Besorgtheit in der Stimme hätte ich ihr gar nicht zugetraut.

»Soll ich einen Arzt holen?«

»Nein, geht schon wieder, ich habe zu niedrigen Blutdruck. Aber können Sie mir vielleicht zwei Eimer Kohlen borgen?« Ich ziehe mich langsam am Treppengeländer hoch, weil es mir peinlich ist, so unter ihr zu sitzen und dabei noch zu betteln.

»Wissen Sie, meine Großmutter hat keine Kohlen mehr bestellt, sie dachte wohl, sie erlebt den Winter nicht mehr.«

»Muß es sofort sein, ich bin nämlich in Eile, heute werden die letzten Russen verabschiedet auf dem Domplatz. Die ganze Prominenz kommt, sogar die von der Regierung aus Bonn. Ich klingle nachher bei Ihnen.« Den letzten Satz sagt sie schon an der Haustür.

Bis vor zwei Jahren hatte ich niemals darüber nachgedacht, daß die Russen eines Tages verschwinden könnten. Sie fielen sowieso kaum noch auf.

In unserer Stadt hatte es einen Offizier gegeben, der hatte ein Kind in seinem Mantel aufgefangen, das gerade dabei war, aus dem vierten Stock zu fallen. Er war der Held unserer Stadt, berühmter als Juri Gagarin. Einmal im Jahr, am Tag des Vorfalls, erschien sein Bild in der Zeitung. Als ich klein war, bildete ich mir ein, ich könne unbesorgt am Fenster stehen, denn wenn ich fallen würde, käme ein Russe vorbei und finge mich in seinem Mantel auf. Als Mutter dahinterkam, fragte sie mich, ob ich auf unserer Insel schon einmal einen leibhaftigen Russen gesehen hätte, die dürften nämlich gar nicht zu uns, die seien eingesperrt in ihren Kasernen am anderen Ufer. Auch als ich dann neben den Kasernen zur Schule ging, waren sie selten zu sehen. Nur manchmal benutzten sie wie wir den Uferweg als Hundertmeterbahn, oder ein kurzgeschorener Soldat in erdbrauner Uniform kletterte mit Steigeisen an den Füßen die Holzmasten der Stromleitung hinauf, um an der Spitze etwas zu reparieren. Sprechen durften wir nicht mit ihnen und sie nicht mit uns. Einmal im Jahr hörten wir seltsame Urrä-Rufe hinter den Mauern, es hieß dann, jetzt müssen sie den Kampf um Berlin nachspielen. Aber sonst drang kaum ein Laut hinter den dicken Mauern hervor. Niemand wußte, wie viele Männer sich dahinter aufhielten, was sie aßen, wie viele in einem Raum schliefen und ob sie überhaupt wußten, in welcher Stadt sie sich befanden. Alle paar Jahre gab es etwas, das die Erwachsenen »Vorfall« nannten. Einmal waren zwei Soldaten mit einem Jeep abgehauen. In ihrer Panik hatten sie sich in eine Diskothek geflüchtet und sich mit ihren beiden Handgranaten in der Garderobe verschanzt. Die Diskothekenbesucher hatten auf dem Boden gelegen und auf den Knall gewartet. Die Handgranaten waren aber nur Übungswaffen gewesen. Schließlich gab es zwei kurze Schüsse aus den Pistolen des Verfolgungskommandos, und die beiden Ausreißer waren an den Beinen aus der Diskothek geschleift worden. Es war wie ein Spuk, der schnell wieder vorbei war. Zwar kursierten noch eine Menge Heldengeschichten über Diskothekenbesucher, die nur knapp dem Tode entkommen waren oder versucht hatten, sich den beiden in den Weg zu stellen, aber bald war die Geschichte aus der Welt.

Eines Nachts aber kam ein Militärfahrzeug auf der Brücke zwischen Insel und Kaserne von der schnurgeraden Fahrbahn ab, durchbrach das morsche Sandsteingeländer und fiel zehn Meter in die Tiefe. Am nächsten Tag war von dem Fahrzeug nichts mehr zu sehen, auch kein toter Russe schwamm mit aufgedunsenem Körper auf der Elbe.

Seitdem schimmerten die Umrisse von sandsteinernen Putten im trüben Wasser der Alten Elbe, und wenn sie im Sommer ihren niedrigsten Stand erreicht hatte, schaute mal das Bein eines Löwen, mal das schmerzverzerrte Gesicht eines Mannes aus dem Wasser heraus, die mit dem nächsten Hochwasser wieder im Strom verschwanden. Die Brücke war nun durch ein Eisengitter begrenzt. In der warmen Jahreszeit glitten die Kanuten mit ihren leichten Booten zwischen den Steinen entlang, und wenn das Wasser hinter dem Heck ihrer Kanus zusammenschlug, sah es aus, als würden die Steinfiguren verzweifelt versuchen, wieder an die Oberfläche zu kommen.

»Supermacht Sowjetunion ist am Ende«, lese ich beim Hochgehen auf der ersten Seite der »Volksstimme«.

»Kannst rauskommen«, sage ich zu Vater, »die Sowjetunion wird nie wieder eine Tabellenwertung bei Olympischen Spielen gewinnen.« Aber Vater interessiert sich nicht einmal mehr für Sport, eigentlich kann der in der Truhe gar nicht mein Vater sein. Falls er in zwei Monaten zur Winterolympiade nicht aufwacht, muß ich ihn wohl für tot erklären.

Zum ersten Mal fällt mir auf, daß er seine Anzughose aus dem Jahr 1969 trägt. Bequem und formschön, selbst in der Gefriertruhe. Die linke Gesäßleistentasche beult sich. Bestimmt ist das seine Brieftasche. Ich hätte mir auch denken können, daß Vater nicht ohne Personalausweis aus dem Haus geht, da war er immer sehr korrekt. Obwohl er ja genaugenommen gar nicht allein aus dem Haus gegangen ist. Aber er muß wohl geahnt haben, daß er nicht ewig in seinem Abstellraum bleiben wird. Ich habe ein schlechtes Gewissen, als ich das Portemonnaie aus dem steifgefrorenen Stoff herausfingere. Zuerst muß ich an meine Mutter denken, die bei jeder passenden Gelegenheit die aufgeschlitzten Hosentaschen und abgeschnittenen Ringfinger der Toten nach dem großen Bombenangriff im Januar 1945 erwähnte. »Tote bestiehlt man nicht«, hatte sie immer wieder gesagt, aber ich kann, nach allem, was ich weiß, immer noch nicht mit Bestimmtheit sagen, ob Vater tot ist. Das ist aber nur eine faule Ausrede. Nach Vaters Auffassung beklaut man nämlich auch Lebende nicht. Er hatte mich, als ich acht war und alles las, was mir unter die Augen kam, die Protokolle des Ressorts »Handel und Versorgung« lesen lassen, die eigentlich geheim waren. Geschildert waren mehrere kriminelle Taten von Kindern in meinem Alter, die entweder die kleinen runden Blechbüchsen mit Lakritze, einzelne Bonbons aus offenen Tüten oder Eiskerzen des VEB Öl- und Margarinewerke aus dem HO-Lebensmittelladen Neuer Markt »entwendet hatten«. Die Kinder waren mit Tadel vor dem Fahnenappell bestraft worden. Die Rechnung ging auf, ich war abgeschreckt. Später hatten wir in meiner Schwimmgruppe ein Mädchen, Ariane, die von der Kinder- und Jugendsportschule geflogen war, weil sie bei einer Auslandsreise nach Schweden in einem Geschäft einen Bonbon geklaut hatte. Nur wegen der Farbe, wie sie sich verteidigt hatte. So ein Rot hatte sie nämlich noch nie gesehen. Wegen des einen Bonbons war sie nun dazu verdammt, mit uns lahmen Enten auf einer Bahn zu schwimmen, um abzutrainieren.

»Meine Ollen wollten nich, det ick zu Dünamo jehe.«

Ich sah Ariane zehn Jahre später in Berlin wieder. Sie wog ungefähr das Dreifache, »Neunzickenhalb«, wie sie stolz sagte. Sie hatte keine Lust mehr zum Abtrainieren gehabt, aber mit dem Essen nicht aufhören können.

Eigentlich mußte ich ziemlich oft meine rechte Hand am Bonbonstand in die Tasche zwingen, um nicht zu klauen, aber es gab eben Sachen, die ich meinem Vater nicht antun konnte. Nun gut, ich beklaue Vater ja nicht. Ich werde mir von ihm etwas Geld borgen. Sollte er aufwachen, kriegt er es wieder zurück.

Vaters Portemonnaie ist an den Ecken zerstoßen, und die Nähte lösen sich langsam auf. Im Geldscheinfach finde ich sechzig Mark in kleinen Scheinen. Ich hätte mir denken können, daß Vater nicht mit Hundertmarkscheinen in der Tasche herumliegt. Aber sechzig Mark sind besser als gar nichts. Angesichts des Geldes fängt mein Magen an zu knurren. Ich könnte das Portemonnaie wieder in die Hosentasche zurückstopfen, aber ich bin neugierig. Tatsächlich finde ich seinen Ehering zwischen den Münzen. Innen ist das Datum 13. 8. 1961 eingraviert. Wenn Fremde eines Tages meinen Vater in der Kühltruhe finden, werden sie bestimmt glauben, er hätte anläßlich des Mauerbaus eine sozialistische Ehe geschlossen. Ein gefrorener Funktionär, das letzte Exemplar dieser Sorte. Der Personalausweis war 1972 ausgestellt worden. Vater guckt freundlich, das Haar um die Stirn ist schon etwas schütter. Der Ausweis sieht unbenutzt aus. Bei mir hielten Personalausweise nicht länger als zwei

Jahre, dann fielen sie auseinander oder waren unlesbar, weil ich sie mitgewaschen hatte. In einem kleinen Geheimfach des Portemonnaies finde ich noch einen vierfach zusammengefalteten Zettel mit Vaters eckiger Druckschrift.

Die ideale Eiskrem

Für die Herstellung sind nachfolgend genannte Rohstoffe einzusetzen. Es handelt sich ausschließlich um natürliche Stoffe:

– Butter

Deutsche Markenbutter, 82 % Fett

– Vollmilch

Frische Vollmilch, 3,5 % Fett

– Sprühmagermilchpulver

Fettgehalt 0,25 bis 0,75 %

– Honig

Einsatz von nachfolgend genannten reinen deutschen Honigsorten im Einheitsglas des Deutschen Imkerbundes e. V.

Rapshonig, Phaceliahonig, Tannenhonig, Lindenhonig, Sonnenblumenhonig, Robinienhonig, Blütenhonig

Glucosesirup

– Vollei

Hühnereier, Klasse A, Gewichtsklasse 3, frisch aufgeschlagen

– Eigelb

Hühnereier, Klasse A, Gewichtsklasse 3, frisch aufgeschlagen, Abtrennung vom Eigelb

– Vanilleschoten

Bourbon-Vanille

– bzw. Kakaopulver

– bzw. Tiefkühl-Erdbeeren

Erdbeeren, ganze Früchte, ohne Zucker, verpackt, vor dem Einsatz mechanisch zerkleinert.

Im Austausch möglich: TK-Himbeeren, TK-Brombeeren, TK-Waldbeerenmischung, TK-Sauerkirschen (ohne Stein).

Die industrielle Herstellung des Fertigerzeugnisses Speiseeis, gehärtet, verpackt, erfolgt nach den üblichen technologischen Prozeßstufen.

Mir fällt sofort auf, daß Vater das Wort Feinfrost nicht mehr benutzt und statt dessen das im Westen übliche Wort Tiefkühlen verwendet. Vielleicht war die ideale Eiskrem sein letztes Forschungsprojekt, mit dem er gehofft hatte, das Institut in die neue Zeit hinüberzuretten. Ich frage mich, ob dieser Zettel nur durch Zufall in seinem Portemonnaie steckt oder ob er ihn absichtlich mitnahm in seine Kühltruhe, quasi als Vermächtnis nach fast zwanzig Jahren harter Arbeit auf dem Gebiet der Eiskrementwicklung. Denn seit 1971 ein neuer Erster Sekretär an die Macht gekommen war, der die Parole »Alles für das Wohl des Volkes« ausgegeben hatte, wurde unser Leben durcheinandergebracht. Weil das Volk die Vakuumgefriertrocknung sowieso weder verstanden noch gebraucht hatte und ohnehin kein Geld mehr dafür da war, war Vater verpflichtet worden, eben jenes Volk mit »wissenschaftlich einwandfreier Eiskrem« zu versorgen. Was Vater da machte, war nicht nur Außenstehenden schwer zu erklären.

22. Kapitel

Konserven
Kältebedarf des Konservenraumes der Kleinkühlanlage
Der Kältebedarf ist mit den Verbrauchszahlen des Pökelraumes anzusetzen.

»So«, sagte Frau Blumenstein, »heute fängt die Jeannett Klaasen mal an. Schildere bitte den Beruf deines Vaters.«

Jeannett Klaasen hatte nur manchmal einen Vater, eigentlich nur im Winter, wenn die Elbe zugefroren war. Einmal hatten wir beim Umkleiden vor dem Sportunterricht gesehen, daß Jeannett zwei rote Striemen auf dem Rücken hatte. Jeannett hatte nur gemeint, dem Vater sei der Feuerhaken aus der Hand gefallen, und Simone I hatte nachgefragt, warum sie dann zwei Striemen hätte.

»Mein Vater hat eben 'ne zittrige Hand, und wenn man nich rechtzeitig weggeht, hat man eben Pech gehabt«, hatte Jeannett Klaasen geantwortet.

Jetzt saß sie etwas unsicher in ihrer Bank und sagte nichts, was einer Schilderung auch nur annähernd genügt hätte. »Also, mein Vater ist Kapitän eines Binnenschiffes, das zwischen Hamburg und Usti nad Labem in der ČSSR hin- und herfährt.«

»Mann«, quatschte Klaus König dazwischen, »da isser wohl inner Partei, wenner in' Westen darf?«

»Klaus König«, sagte Frau Blumenstein, »du bist dann als nächster dran. Und weiter Jeannett, was macht dein Vater auf dem Schiff?«

»Na immer hin- und herfahren, hab ich doch schon gesagt.«

»Ja, aber so ein Schiff legt doch auch mal an.«

»Dann lädt er die Kohlen ab oder das, was er sonst noch so auf dem Schiff hat, und dann hat er Freizeit.«

»Und denn geht er uff de Reeperbahn«, flüsterte Rainer Hockauf, aber ganz leise, und ich fragte noch leiser zurück, was das denn sei. »Na lauter nackte Frauen hinter Schaufenstern mit riesigen Titten.« Er machte mit beiden Händen eine kreisrunde Bewegung von der Schulter bis zum Bauchnabel.

»Ruhe«, zischte Frau Blumenstein und fragte Jeannett freundlich, warum sie sich denn alles aus der Nase ziehen lasse, und Jeannett antwortete: »Ich war noch nie auf dem Schiff, und mein Vater erzählt auch nie was.«

»Aber schildere uns doch wenigstens, was dein Vater macht, wenn die Elbe zugefroren ist.«

»Dann liegt das Schiff im Hafen, und er sitzt vorm Fernseher.«

»Aha«, sagte Frau Blumenstein, nicht recht zufrieden mit dieser Art von Schilderung, wie uns schien.

»Dann schildere uns wenigstens die Tätigkeit deiner Mutter.«

»Die macht den Haushalt und paßt auf meine Geschwister auf.« Jeannetts Geschwister hatten alle im September Geburtstag, außer Jeannett, die hatte im Februar, weswegen die ganze Insel von der Gärtnerstraße bis zur Hafenstraße wußte, daß der Kapitän nie und nimmer ihr Vater sein konnte, denn im Mai war er auf der Elbe. Aber das war nun mal nicht Thema der Schilderung, das wäre eher eine Erzählung gewesen, die mit Feuerhaken auf Mädchenrücken geendet hätte. Frau Blumenstein ließ endlich ab von Jeannett, die eine Vier in Ausdruck bekam, und wandte sich an Klaus König.

»Also«, hob Klaus an und machte eine kleine Pause, »mein Vater is Arbeiterklasse.«

»Schildere uns doch mal den Tagesablauf deines Vaters.«

»Das kommt ganz drauf an, ob er Frühschicht, Spätschicht oder Nachtschicht hat«.

»Na, dann nehmen wir mal die Spätschicht.«

»Die Spätschicht ist schwierig zu schildern«, sagte Klaus, »da sehe ich meinen Vater gar nicht. Er muß um dreizehn Uhr von zu Hause losgehen und kommt erst von der Arbeit, wenn ich schon im Bett bin. Und wenn ich morgens aus dem Haus gehe, schläft er noch.«

»Klaus, kannst du das bitte noch etwas genauer schildern?«

»Also, er fährt mittags mit der Straßenbahn ins Werk. Dann geht er durchs Werktor, da muß er am Eingang stempeln. Wenn die Straßenbahn pünktlich ist, ist das nicht so schlimm, wenn sie unpünktlich ist, gibt's weniger Geld. Dann ist er sauer, und alle anderen auch, außer denen, die mit Fahrrad kommen. Und deswegen möchte er ein Auto haben, aber wir warten schon seit meiner Geburt darauf. Ja, und dann zieht er seinen Arbeitsanzug an, drückt auf Knöpfchen und dreht bis zur Pause. Und nach der Pause macht er das gleiche. Mehr ist eigentlich nicht zu schildern.« Wir lachten alle, außer Frau Blumenstein, die etwas säuerlich sagte: »Das war ja auch nicht so üppig«, und eine Drei ins Klassenbuch eintrug. »Aber wir haben hier ja noch mehr Arbeiterkinder unter uns. Bitte mal alle Arbeiterkinder melden!«

Da schnellte die rechte Hand fast aller Kinder der Klasse in die Höhe. Vier Hände mußten unten bleiben. Meine rechte Hand zupfte unter der Bank nervös an der linken. Irgendwie war ich nicht normal. Weder war ich Arbeiterklasse, noch hatte ich Westverwandte, die einzigen beiden Dinge, die meine Mitschüler gelten ließen. Und zu allem Überfluß war ich, ohne auch nur einen Finger zu Hause zu rühren, Klassenbeste. Aber ich tröstete mich damit, daß Andrea Glabotki, deren Vater in der Bezirksleitung der SED arbeitete, auch den Finger unten lassen mußte. Sie hatte allerdings trotzdem einen guten Stand in der Klasse, weil sie bemitleidet wurde. Sie hatte mal erzählt, daß ihre Oma in Westberlin wohne, aber nicht mehr ihre Oma sei, weil es dem Vater verboten sei, Westverwandte zu haben. Im letzten Schuljahr, als es um die Klassen und Schichten in der DDR ging, hatte sie sich mit Frau Blumenstein über die Klassenzugehörigkeit ihres Vaters gestritten, der habe schließlich Dreher gelernt, bevor er zur Parteischule gegangen sei. Frau Blumenstein aber war unerbittlich geblieben. Herr Glabotki gehörte nicht mehr zur Arbeiterklasse, sondern zur führenden Partei, was noch viel bedeutender wäre, und Andrea war beruhigt gewesen. Simone IIs Eltern waren beide Lehrer, was Frau Blumenstein für einen schönen, aber anstrengenden Beruf hielt, der zur Intelligenz zu zählen sei. »Die Intelligenz ist eine befreundete Schicht der Arbeiterklasse«, hatte Frau Blumenstein damals betont. »Der Zirkel in unserem Staatsemblem verkörpert diese Schicht, währenddessen Hammer und Ährenkranz Zeichen für die beiden befreundeten Klassen sind. Klaus Königs Vater zum Beispiel gehört zum Hammer, die Bauern sind durch den Ährenkranz repräsentiert.«

»Auch die Melker?« hatte Simone II gefragt.

»Auch die Melker, denn eine Kuh wäre nicht so schön gewesen auf der Fahne.«

Bei dieser Bemerkung hatten wir lachen dürfen. Meinen Vater hatte Frau Blumenstein zur Intelligenz gezählt, dabei brauchte er nie einen Zirkel, sondern nur Bleistifte und liniertes Papier. Aber er mußte manchmal mit dem Hammer auf Rohre schlagen, damit das Eis abging, und außerdem war er Mitglied der Bauernpartei und hatte Landwirtschaft studiert. Trotzdem gehörte er weder zu Hammer noch zu Ährenkranz. Viel schwieriger war es aber mit Xenia Schmidt, die hatte Frau Blumenstein letztes Jahr gar nicht einordnen können, weil sie weder zu Hammer, zu Zirkel, noch zu Ährenkranz gehörte, sondern zu einer Klasse, die es eigentlich gar nicht mehr gab und mit der die anderen Klassen verfeindet waren. Frau Blumenstein hatte aber betont, daß der Betrieb von Herrn Schmidt ein Betrieb mit über der Hälfte staatlicher Beteiligung sei und deshalb auch Seifen-Schmidt-KG heiße. Die beiden Buchstaben K und G stünden dafür, daß dem Kapitalisten die Hände gebunden seien, damit sie sich nicht am Volkseigentum bedienten und die Arbeiter nicht ausbeuteten.

Bald darauf informierte uns Frau Blumenstein, daß Herr Schmidt bei der Regierung der DDR darum gebeten hatte, nicht mehr zur Ausbeuterklasse zu gehören. Sein Betrieb war als einer der letzten verstaatlicht worden, und Xenia meinte, ihr Vater sei wirklich ganz froh, denn jetzt sei er Direktor und habe nicht mehr soviel zu tun. Damit war Xenia mit in unseren kleinen Kreis der Intelligenz aufgenommen. Xenia hätte die Arbeit ihres Vaters so überzeugend schildern können, daß es eine glatte Eins gegeben hätte, denn sie war zwischen den Seifenkesseln großgeworden und roch immer nach Geschirrspülmittel. Auch nach der Verstaatlichung. Aber Xenia wurde von Frau Blumenstein nicht gefragt. Nachdem Simone I sehr anschaulich und mit einer 2 + bewertet die montägliche Plandiskussion ihres Vaters geschildert hatte, von dem wir wußten, daß er sich »Held der Arbeit« nennen durfte, aber zu Hause keinen Finger krumm machte, sagte Frau Blumenstein: »So, und jetzt wollen wir ein Kind der befreundeten Schicht nach dem Beruf des Vaters fragen. Was ist die befreundete Schicht noch mal?«

»Intellijenz«, brüllten die Jungen.

»Annja Kobe, erzähl doch mal, was dein Vater so macht.«

Ich hatte schon die ganze Zeit überlegt, was ich da schildern sollte. Schließlich beschäftigte mein Vater sich nicht mehr damit, wie man der werktätigen Frau durch gefrorene Fertiggerichte das Leben erleichtern könnte. Meiner Meinung nach war das eine ernsthaftere Tätigkeit, als den ganzen Tag Eiskrem zu verkosten. Etwas anderes tat er aber seit den neuen Beschlüssen der Regierung nicht mehr. Die ganze Klasse würde lachen und die Intelligenz wäre abgeschrieben als Nichtstuer.

»Mein Vater ist Abteilungsleiter im Kälteinstitut, das sich mit der optimalen (optimal fand ich Klasse, das sagte mein Vater auch immer), mit der optimalen Ausnutzung der Kälte für die Technologie des Einfrierens beschäftigt. Mein Vater geht immer um 6.57 Uhr aus dem Haus, denn da das Institut auf unserer Insel ist, braucht er nur drei Minuten bis zu seinem Arbeitsplatz. Dort angekommen, grüßt er die Pförtnerin und läuft die Treppe hinauf, dann schwenkt er nach rechts in einen langen Gang, wo die gefriergetrockneten Erdbeeren hinter Glas liegen, dann kommt eine Treppe, die muß er hinunter, an den Kühlzellen für die Versuchsanordnungen vorbei, und schließlich steht er vor seinem Arbeitsraum, den er mit zwei Kolleginnen teilt. Dann zieht er seinen Kittel an und füttert erst mal die Fische.« Simone I kicherte. »Die gefrorenen Fische?«

»Quatsch«, sagte ich, »die Fische leben, die sind Kultur am Arbeitsplatz, es gibt auch noch Blumen, aber die gießt seine Kollegin.«

»Das tut jetzt nichts zur Sache«, mischte sich Frau Blumenstein ein, »Annja, mach weiter.«

»Er leitet seine Kolleginnen an, indem er ihnen sagt, was laut Plan als nächstes erforscht werden soll, und dann friert er noch Lebensmittel ein und taut sie nach einem halben Jahr wieder auf, um zu kosten, ob sie noch schmecken.« Das war eine kleine Notlüge, weil er das ja eigentlich nur noch mit Eiskrem machte. Aber ich versuchte, mich mit Bohnen, Erbsen und Möhren zu retten, das war wie der Unterschied zwischen Arbeiterklasse und Intelligenz. Die Arbeiterklasse war das Hauptgericht und die Intelligenz der Nachtisch, den man nicht unbedingt zum Leben braucht.

»Den größten Teil seiner Arbeitszeit verbringt mein Vater in einer Kühlzelle, die mindestens –18 Grad Celsius hat. Und 16 Uhr geht er wieder nach Hause.«

»Friert er denn da nicht?« fragte Xenia, die sich das als Seifensiedertochter nicht so richtig vorstellen konnte.

»Er muß nur Handschuhe anziehen, damit er nicht an den Gefrierkonserven klebenbleibt.«

»Komische Arbeit«, sagte jetzt sogar Frau Blumenstein. »Aber wie wäre es, wenn wir Herrn Kobe mal fragen würden, ob wir eine Betriebsbesichtigung machen können? Was hältst du davon, Annja?«

»Von mir aus«, sagte ich und bekam eine Eins.

Ich hätte es am besten gefunden, wenn mein Vater kategorisch Nein gesagt hätte zu dem Vorschlag von Frau Blumenstein, aber er war überhaupt nicht abgeneigt. Ich bat ihn nur, nichts von der Versuchsreihe mit der Eiskrem zu sagen, sonst würde die ganze Klasse an sein Fenster im Institut klopfen, und er müßte an alle Eis verschenken, was das Volkseigentum schmälern würde. Er versprach, etwas ganz Spannendes zu zeigen.

Drei Wochen später war es dann soweit. Nach der Mathestunde sammelten wir uns und gingen mit Frau Blumenstein an der Spitze über den Deich in Richtung Brücke. Die Alte Elbe hatte schon eine Eisschicht, und Klaus König fragte mich, ob mein Vater im Winter die Kühlzellen abstelle, denn da könne man die Bohnen doch auch draußen gefrieren.

»Aber doch nicht bei 0 Grad! Die Lebensmittel müssen bei –18 Grad gefroren sein. Außerdem ist das alter Käse, wir leben doch nicht mehr im 19. Jahrhundert«, sagte ich ein bißchen schnippisch.

Beim Sarghändler bogen wir nach rechts ab und gingen die Mittelstraße entlang bis zur Badstraße. Frau Blumenstein ließ uns aber kurz vor dem Institut anhalten, um uns noch darüber aufzuklären, daß am Ende der Straße mal eine Badeanstalt gewesen sei, weshalb die Straße auch so heiße.

»Iih«, sagte Leticia Arno, »in der Plörre haben die gebadet.«

»Ja«, sagte Frau Blumenstein, »damals gab es noch keine Bäder in den Wohnungen«, wobei sie völlig vergaß, daß die meisten meiner Mitschüler immer noch in Wohnungen ohne Bad lebten. »Naja«, sagte Roberto Arno, der Bruder von Leticia, der sitzengeblieben war und deshalb jetzt mit seiner Schwester in eine Klasse ging, »das Wasser soll damals noch sauberer gewesen sein.« Frau Blumenstein wollte sich von einem Sitzenbleiber aber nicht belehren lassen und sagte nur: »Mitnichten! Der Kapitalist hat nur an seinen Profit gedacht und keinen Gedanken an Filteranlagen verschwendet, so daß das Wasser dreckiger war als heutzutage.«

Wir schwiegen, obwohl wir uns gut daran erinnerten, daß in diesem Frühjahr Unmengen von Fischen tot auf der Alten Elbe herumgeschwommen waren, was unsere Lehrerin zu der Notlüge veranlaßt hatte, die Russen hätten mal wieder mit Handgranaten gefischt. Daraufhin hatte Genosse Glabotki einen geharnischten Brief an die Direktorin geschrieben, von wegen Verleumdung des großen Brudervolkes, das uns vom Joch des Faschismus befreit hatte. Und Frau Blumenstein mußte zugeben, daß sie sich geirrt habe, wahrscheinlich habe ein Chemiebetrieb in Hamburg Gift in die Elbe geleitet. Da hatte sie aber nicht mit unseren Binnenschifferkindern gerechnet, die triumphierend herausposaunten, die Elbe fließe von unten nach oben, also von der ČSSR über die DDR in den Westen. Darauf hatte Frau Blumenstein kapituliert und gemeint, dann wisse sie auch nicht, was es sei. An den sozialistischen Ländern könne es jedenfalls nicht liegen. Wir hörten dann eine Woche gar nichts mehr, bis die Direktorin eines Montags zum Appell klingelte, auf dem uns die Biologielehrerin lang und breit erklärte, daß die Fische nun mal keine Grenzen kennen und auch gegen den Strom schwimmen würden. Ein paar wären durch die Abwässer einer niedersächsischen Chemiefabrik im Westen krank geworden, hätten aber trotzdem noch in den Osten schwimmen können, um dort die Eier zu befruchten.

Frau Blumenstein klatschte jetzt in die Hände und führte uns zum Eingang des Institutes, wo uns mein Vater empfing. Wir gingen in den Speiseraum, weil Vater meinte, bevor wir zur Besichtigung kämen, wolle er uns noch ein bißchen von seiner Arbeit erzählen.

»Die wichtigste Aufgabe, die vom Kälteingenieur zu lösen ist, ist die Berechnung und der Entwurf einer Kühlanlage und ihrer Einzelteile. Diese Aufgabe zeigt ein vollkommen anderes Gesicht als der Entwurf einer Werkzeugmaschine, eines Autos, eines Elektromotors, mit dem vielleicht eure Eltern beschäftigt sind. Die Kühlanlage dient stets demselben Endzweck, der Erzielung eines tieferen Temperaturniveaus, als es die Umgebung bietet. Der Aufbau der Kühlanlage hängt von dem zur Verwendung gelangenden Kältemittel ab. Kälte wird für die chemische Industrie, für Bewetterung, für Eisfabrikation, für die Konservierung von Lebensmitteln usw., also für die Erfüllung von Forderungen verlangt, die ein ausgedehntes Gebiet umfassen.«

Frau Blumenstein unterbrach ihn und sagte in ihrem süßlichsten Ton, die Kinder seien erst zehn und würden sich in physikalischen und technischen Fragen noch nicht auskennen.

»Laß mich mal, Klaus«, sagte Luise Gladbeck. »Wißt ihr, Kinder, wie man Möhren einfriert?«

Es meldeten sich ein paar meiner Mitschüler, und Frau Blumenstein nahm Simone II dran, weil sie wahrscheinlich was Intelligentes sagen würde.

»Also, wir zu Hause kochen zwar nur ein, aber es gibt in unserem Kühlschrank ein kleines Gefrierfach, da muß man wohl die Möhren geschnitten und in eine Plastetüte verpackt reinlegen, damit sie einfrieren.«

»Ja, das kommt der Praxis schon sehr nahe«, sagte Luise. »Und wieso ist es im Kühlschrank kalt?«

»Weil ich 'n Stecker in die Steckdose stecke«, schrie Klaus König.

»Richtig. Der Strom ist die Energie, die zugeführt wird, aber wieso gefriert es dann und heizt nicht wie beim Heizkörper?«

Das wußte natürlich niemand, außer mir, aber ich wollte heute kein Sterbenswörtchen sagen. Luise Gladbeck machte einen großen Bogen, bevor sie den eigentlichen Teil der Frage beantwortete: »Früher fuhr der Eismann Stangeneis zu den Haushalten, wo man in der Küche einen Eisschrank hatte und dort das Eis oben in eine Box tat, wo es die Lebensmittel kühlte.«

»So einen haben wir heute noch, bei uns kommt auch jeden Montag der Eismann«, sagten die Geschwister Arno wie aus einem Munde, und Luise Gladbeck sah sie an, als seien sie geradewegs aus dem 19. Jahrhundert gekommen und wollten jetzt stänkern. »Heute ist in den meisten Haushalten nicht mehr das Eis auf der Schulter des Eismannes das Kältemittel, mit dem gekühlt wird, sondern der Kühlschrank selber, mit Kompressor und Verdampfer, den ihr vielleicht als Tiefkühlfach kennt, und mit Hilfe verschiedenster Kältemittel wie Ammoniak oder Fluorkohlenwasserstoffe wandelt das Gerät in einem Verdampfungsverfahren Wärme in Kälte um.«

Ich sah zwar, daß die meisten schlau guckten, aber verstanden hatten sie es wohl nicht. Tante Luise setzte noch einmal nach: »Kälte erzeugen, heißt Wärme entziehen, das werdet ihr später im Physikunterricht noch genauer erklärt bekommen. Aber sicherlich habt ihr schon einmal Kölnisch Wasser auf die Haut getropft. An der Stelle, wo das Parfüm auf die Haut kommt, entsteht ein Kältegefühl, weil das Kölnisch Wasser als leicht flüchtiger Stoff schnell verdampft. Dazu benötigt es Wärme, und die entzieht das Kölnisch Wasser der Haut. Praktisch der gleiche Vorgang spielt sich im Kühlschrankverdampfer ab.« Es gab ein paar Kinder, die jetzt »ah« sagten, aber die meisten hörten nicht so richtig zu. Luise gab Vater wieder das Wort, der nun etwas ganz Spannendes zeigen wollte und gerade dabei war, einen Behälter so groß wie eine Milchkanne heranzurollen. Luise Gladbeck kam mit einem Hut, und sie wetteten um ein Stieleis für jeden, daß sie den Hut im Handumdrehen einfrieren könnten. Alle schrien: »Nein, das schaffen Sie niemals«, auch ich, weil ich nicht wieder als Besserwisserin dastehen wollte. Natürlich war der Hut, nachdem sie ihn reingeworfen und wieder rausgeholt hatten, stocksteif und so kalt, daß die Hand von Rainer Hockauf daran klebenblieb. Sie hatten die Wette gewonnen, und meine Mitschüler waren sauer.

»In den dreißiger Jahren war, außer in Amerika, an den Kühlschrank noch nicht zu denken. Da hat man Experimente mit Trockeneis gemacht wie wir hier«, versuchte Vater die Stimmung wieder auf seine Seite zu bringen.

Luise und Vater erklärten dann, sie wollten das gewonnene Eis nicht von uns haben, sondern wir würden jetzt das Eis kosten dürfen, was sie selbst in langen Versuchsreihen entwickelt hätten.

»Was?« sagte Hansi Dohm. »Das hat Annja uns aber nicht gesagt, daß Sie auch Eis machen!«

»Nur zu Forschungszwecken, und jetzt seid ihr die Forscher und müßt uns sagen, ob es euch schmeckt.«

Jeder bekam eine Portion und alle sagten, daß es wunderbar sei, nur Simone II hat mir, nachdem wir alle Kühlzellen besichtigt hatten, ins Ohr gezischt, daß es das furchtbarste Eis gewesen wäre, was sie jemals gegessen hatte. Ich konnte nicht wissen, daß das Eis, was wir verkostet hatten, für Jahre das beste gewesen sein würde, das aus dem Forschungsinstitut in meinen Mund gelangte.

23. Kapitel

Kürbis
Sommerkürbis mit nicht zu harter Haut wird geschält, in Würfel von 12 bis 15 mm Kantenlänge geschnitten, gewaschen, blanchiert und abgekühlt. Das Kühlwasser tropft etwa 2 min lang ab. Dann werden die Kürbisstücke luftdicht verpackt und gefroren.

Luise Gladbeck mochte Eiskrem nicht. Ich sah es genau, wenn das Kollektiv im Verkostungsraum saß und Luise dran war, einen Löffel Versuchseis in den Mund zu schieben, das Produkt langsam auf der Zunge zergehen zu lassen, die Geschmacksnerven zu aktivieren, mit der Zunge die Konsistenz zu prüfen, den Rest hinunterzuschlucken und dann ein Urteil abzugeben. Luise Gladbeck schluckte das Eis nie hinunter, sondern spuckte es in das Waschbekken und spülte mit Wasser nach. Ich sah, daß sich in ihrem Innern die Person Luise mit der Wissenschaftlerin Gladbeck stritt. Die Person Luise erklärte, sie habe als Kind schon nicht verstanden, warum ihre Freunde immer die Butter- und Zuckermarken gespart hätten, um sich beim Bäcker ein Eis zu kaufen. Lieber würde sie Bier verkosten. Die Wissenschaftlerin Gladbeck spuckte aus und sagte »käsig«, und Vater trug das Wort in eine Tabelle ein.

Vater ging zum Eisverkosten wie zu einem Kampf. Er hielt den Löffel in der rechten Hand und tranchierte das Eis in kleine Stücke, so daß man Angst haben mußte, es spritze gleich Blut durch den Raum. Er nahm einen winzigen Happen und bewegte die Zunge schnell. Die Augenbrauen verzog er zu einem Strich, es gab keine leere Mitte mehr über der Nasenwurzel, und drei tiefe Falten bildeten sich auf der Stirn. Inzwischen war das Eis in seinem Mund längst getaut. Er behielt es aber noch eine Weile darin, um sich den Geschmack, wie er sagte, auf der Zunge zergehen zu lassen. Im Gegensatz zu Luise schluckte er seinen Happen herunter und spülte erst dann den Mund. Dann war Luise wieder dran.

Ich war jetzt öfter im Institut, weil die Öl- und Margarinewerke versucht hatten, uns Hortkinder mit der Schulspeisung zu vergiften. Mutter arbeitete inzwischen wieder halbtags im Chemiewerk und machte abends das Abitur nach, und darum mußte ich in den Hort.

Zum Essen gingen wir in Zweierreihen an den Kasernen und bröckeligen Abrißhäusern entlang in eine Kneipe, über deren Eingang das Schild »Zur schönen blauen Donau« hing. Es gab einen Streit zwischen Klaus und Simone II, warum die Kneipe so hieß. Klaus meinte, weil die Leute, die darin sitzen, hinterher immer wären wie sein Vater, der dort Stammgast war. Simone II bestritt das und brachte eine Postkarte aus Passau mit, auf der die Donau wirklich blau aussah. Ich gab Klaus recht und behauptete, daß die im Westen den Fluß auf der Postkarte bestimmt blau angemalt hätten. Die Elbe sei schließlich auch nicht blau, und wenn hier nicht, dann auch in Hamburg nicht, und es gab einen kleinen Streit darüber, ob man die Elbe mit der Donau vergleichen könne. Die Schulspeisung wurde, je nachdem ob es Suppe oder Kartoffeln mit Fleisch gab, in zwei oder drei grünen Thermophorbehältern angeliefert, denn Vaters wissenschaftlich einwandfrei gefrorene Schulspeisung war schon vor meiner Einschulung wieder abgeschafft worden. Hinter dem Tresen klatschte die Essenfrau die Kelle mit den verklebten Kartoffeln lustlos auf den Plasteteller und kippte braune Soße darüber. Aber eines Tages verwechselten sie in den Öl- und Margarinewerken Speiseöl mit Maschinenöl und verkochten das in der Kohlsuppe. Es war ihnen offensichtlich nicht einmal aufgefallen, vielleicht hatten sie vergessen zu kosten. Ein Kind nach dem anderen legte den Löffel aus der Hand und wollte nicht mehr weiteressen, aber die Hortnerin drohte: »Hier wird nichts weggekippt.«

»Die Suppe schmeckt eklig«, traute sich Klaus zu sagen, aber die Hortnerin sagte: »Papperlapapp, die Suppe schmeckt wie immer, ich esse sie auch.« Ich flüsterte leise in Simone IIs Ohr, daß mein Vater behauptet hatte, ab Mitte Vierzig würden die Geschmacksnerven schwächer, weswegen die älteren Kollegen in seinem Institut auch nicht mehr verkosten dürften. Die Hortnerin fragte böse, was ich zu flüstern habe, und ich nahm meinen ganzen Mut zusammen und sagte: »Ich esse diese Suppe nicht weiter«, stand auf und ging zum Abfallkübel, um das Zeug wegzukippen. Klaus meinte, wenn Annja Kobe die Suppe nicht aufesse, dann wolle er das auch nicht tun, und bald gab es eine Schlange vor dem Abfallkübel. Ich bekam eine Eintragung. Nachdem die Hortnerin das Heft zugeklappt hatte, mußte sie aufstoßen und rannte zur Toilette. Nach zehn Minuten schickten wir Simone II hinterher. Sie kam wieder und sagte: »Die kotzt, wir sollen schon mal vorgehen.« Die Hortnerin war drei Wochen krank. Inzwischen meldete mich Mutter im Hort ab, während Vater eine Eingabe in eigener Sache gegen die Öl- und

Margarinewerke schrieb, die danach kein Schulessen mehr kochen durften.

Ich ging nun jeden Mittag nach der Schule ins Institut, wo sie trotz der wirtschaftlichen Lage immer noch aus Assietten aßen. Hinterher durfte ich meine Hausaufgaben im Labor machen und wurde in die Urgründe der Eiskrem eingeweiht.

Allerdings durfte ich nur dabeisein, wenn ich still war. Einmal hatte ich morgens Mutters Parfüm benutzt und mußte nach Hause gehen, weil ich mit meinem Geruch die Neutralität des Ortes störte, der geruchsfrei zu sein hatte, dabei roch Gefrorenes überhaupt nicht, und der Geruch spielte für die Sensorikuntersuchung nicht die geringste Rolle. Ich wartete immer darauf, daß sie mit ihren Verkostungen zum Ende kamen, denn dann durfte ich den Rest aufessen, allerdings nur das Eis, das nicht überlagert war.

Einmal hatten sie drei Becher Vanilleeis vor sich. Der erste Becher sah aus wie ganz normales Eis, und Luise diktierte Vater: »Das Eis hat eine gleichmäßige, für die Benennung ›Vanille-Eiskrem‹ charakteristische Farbe sowie eine gleichmäßige, feinporige Oberfläche. Die Kristalle sind leicht sichtbar, und es ist frei von Haarrissen.« Sie kosteten und kamen zu dem Ergebnis, das Aroma sei der Benennung entsprechend, und die Konsistenz weise keine mit der Zunge fühlbaren Eiskristalle und Festbestandteile auf. Sie vergaben zweimal fünf Punkte. Dann sagte Vater: »Kommen wir zu dem etwas ekligeren Teil der Vorstellung.« Sie starrten auf den zweiten Becher. Diesmal diktierte Vater Luise: »Farbe unnatürlich uneinheitlich; leichte Kristallbildung, leichte Austrocknung an der Oberfläche, leichte Deformierungen.«

Luise Gladbeck verzog das Gesicht, als wüßte sie schon vorher, wie das Eis schmecken muß. Vater ließ sich den Geschmack nicht anmerken, schluckte aber diesmal den Happen nicht hinunter. »Konsistenz inhomogen«, sagte Luise, als sie wieder sprechen konnte. »Leicht leimig«, sagte Vater, »leicht bröckelig« Luise, »leicht körnig« Vater, »leicht flockig« Luise. Bei Geschmack meinte Luise: »Kochgeschmack« und Vater: »leicht alt«, Luise schickte noch das Wort »brandig« hinterher.

»Naja, brandig ist etwas übertrieben, ich würde sagen drei Punkte«, sagte Vater. Der Meinung war Luise auch, obwohl sie bei brandig blieb. Diesmal durfte ich das Eis nicht essen, kostete es aber doch heimlich, als sich beide umdrehten. Es schmeckte wie das Eis, das ich manchmal von meinem Taschengeld kaufte. Ich mußte das vor Vater und vor meinen Klassenkameraden verheimlichen. Letztere hätten nicht verstanden, daß ich Eis kaufte, wo mein Vater doch täglich welches machte. Ich war eher unglücklich darüber. Als mein Vater noch Erbsen, Möhren und Blumenkohl eingefroren hatte, gab er mir öfter fünfzig Pfennig, um an die Eisbude an der Brücke zu gehen. Damals war es ihm egal gewesen, wie das Eis schmeckte. Jetzt verbot er mir, das Speiseeis von der Brücke zu essen, denn das würde nicht den wissenschaftlichen Kriterien entsprechen, hätte keine ordentlichen Stabilisatoren, nicht genügend Luftaufschlag und sei voller schädlicher Mikroorganismen. Er hatte es extra einmal für mich gekostet. Ich war zur Brücke gelaufen, hatte fünf Kugeln für mich und eine für Vater gekauft, und Vater hatte gleich den ersten Happen ausgespuckt und sein vernichtendes Urteil abgegeben: »Müßte man zumachen die Bude.«

Aber ich ging immer wieder hin. Ich mochte die Muschelwaffeln, die Eisportionierer und das Schiffchen, das die Verkäuferin auf der Dauerwelle trug.

Die letzte Probe, die auf der Laborbank stand, sah aus wie das Eis am Grund der Kühltruhen, das Vater bei seinen Kaufhallenbesuchen angeekelt zur Verkaufsstellenleiterin trug, um sie anzuherrschen, daß beschädigtes Kühlgut aus der Truhe zu entfernen sei. Es sah wie vertrocknete Margarine aus.

»Entmischt, glasig und verschmutzt«, sagte Luise Gladbeck.

»Glatte null Punkte für Aussehen«, gab Vater zu Protokoll.

»Ich möchte das gar nicht in den Mund nehmen«, sagte Luise, und Vater übernahm das Verkosten, verzog aber sofort das Gesicht, als habe er mit seinen Zahnplomben auf Aluminium gebissen.

»Die Konsistenz ist sandig und ausgetrocknet, aber noch nicht entmischt, ich würde sagen, eins, nicht null.« Jetzt mußte Luise doch kosten, denn es gab offensichtlich einen Widerspruch zwischen Konsistenz und Aussehen. Luise hatte das Eis aber kaum im Mund, da spuckte sie schon.

»Das ist eine glatte Null«, sagte sie, nachdem sie ihren Mund gespült hatte, »das ist völlig ausgeflockt.«

»Und was sagst du zu Geschmack?«

»Ranzig.«

»Ich finde muffig«, sagte Vater noch, bevor Luise aus der Tür stürzte. »Und was fällt dir ein, Annja, wenn du dieses Eis siehst.«

»Es schmeckt bestimmt wie Seife.«

»Wie heißt das Adjektiv für Seife?«

»Seifig.«

So ging ein Wort von mir in das Bewertungsschema für die sensorische Qualitätsprüfung ein.

Wenn Vater mal wieder auf Dienstreise in Berlin oder Moskau war, ging Mutter jeden Tag mit mir zur Eisbude, und wir aßen fünf Kugeln um die Wette. Da ich geübter war, gewann meistens ich. Eines Tages aber stand an der Eisbude ein Schild: »Halbtags-Verkäuferin für Eiscafé gesucht«, und ohne uns davon zu erzählen, bewarb sich Mutter und wurde genommen. Vater konnte ihr das nicht verzeihen, redete aber nicht darüber. Im nächsten Frühjahr wurde die Eisbude an der Brücke nicht wieder aufgemacht. Mutter vermutete Vater dahinter, aber er meinte, damit habe er nichts zu tun.

24. Kapitel

Lebender Plattfisch
Zeitdauer der Lebendhaltung
In freier und stiller Atmosphäre läßt sich Plattfisch auf der Reifschicht einer Metallplatte von –5 bis –7 °C lebend erhalten. Der Fisch bleibt hierbei still liegen, und Fliegen meiden die Umgebung der Platte wegen der tiefen Temperatur.

»Ich höre die Drei, sie fährt stadteinwärts.«

»Das ist nicht mehr die Drei, das ist jetzt die Vier.«

»Wieso, das ist die Drei, ich höre sie genau, jetzt fährt sie an der Pestalozzistraße vorbei, und bald wird sie am Depot halten.«

»Sie haben die Nummern geändert, stand in der Zeitung.«

»Wieso verändern sie die Nummern?«

»Ich weiß es nicht, ich kenne mich hier nicht mehr aus. Im Januar werden auch viele Straßen umbenannt.«

»Auch meine?«

»Gegen Schneeglöckchen haben sie nichts.«

»Ich will das nicht.«

Sie schließt die Augen, und ich muß mich ganz nah zu ihrem Gesicht hinunterbeugen, um festzustellen, daß es nicht der letzte Satz in ihrem Leben war.

Großmutter sitzt im Sessel des Arbeitszimmers, denn heute ist so etwas wie ein Feiertag, obwohl es noch sechs Tage bis Weihnachten sind. Die Nachbarin hat mir zwei Eimer Kohlen vor die Tür gestellt, und ich habe Wohnzimmer und Arbeitszimmer durchgeheizt. Großmutter starrt mit großen Augen auf den Wandteppich und die Grubenlampe. Ich weiß nicht, wer zu welchem Anlaß einem Kälteingenieur eine Grubenlampe geschenkt hat. Wenn Großmutter tot ist, wird das alles auf den Müll wandern, denn was soll ich damit. Das Eßzimmer mit dem schweren Eichenbüfett werde ich verkaufen müssen, obwohl ein Stück Familiengeschichte daran hängt, denn es ist das, was 1948 beschlagnahmt wurde. Aber Großvater gelang es, nach der Währungsreform noch einmal 5000 Mark aufzutreiben, um die Möbel auszulösen. Dann ließ er Großmutter mit den Kindern und dem Eichenbüfett allein.

Als Großvater Anfang Juli 1948 in Berlin ankam, hatte sich die politische Lage gründlich geändert. Nacht für Nacht flogen die Blokkadeflugzeuge über das Dach seiner Pension, um einen halben Kilometer weiter auf dem Flughafen Tempelhof zu landen. Die Russen sprachen nicht mehr mit den drei westlichen Alliierten, Westberlin war von der Versorgung abgeschnitten, und das wenige Fleisch, was den Schlachthof verließ, kam in die Gulaschkanonen der Roten Armee und in die notdürftig hergerichteten Fleischverkaufsstellen Ostberlins, wo die Leute in langen Schlangen anstanden.

Zwei Monate vorher hatte es im Schlachthof einen Schauprozeß gegeben. Ein Abteilungsleiter des Haupternährungsamtes war von einer Polizeistreife mit einer Aktentasche voller Fleisch erwischt worden. Er war wegen Verbrechens gegen Artikel 1 des Kontrollratsgesetzes Nr. 50 zu zwei Jahren Gefängnis verurteilt worden.

Großvater galt unter den Schlächtern als Gesandter der Russen, der ihnen das einzige Privileg nehmen wollte, das sie mit ihrer Arbeit verbanden – an den Fleischtöpfen zu sitzen. Ihnen sah man den Hunger nicht an, der seit drei Jahren in Berlin herrschte. Sie wetzten ihre Messer über ihren Bäuchen, wenn er mit wehendem Kittel vorüberging, oder stellten ihm Eimer mit Blut in den Weg. Trotzdem kannte Großvater bald die Stelle im Schlachthof, an der sie an den Schlachtetagen halbe Schweine über die Mauer warfen. Aber er sagte nichts. Er sollte den Schwundverlust beim Gefrieren ermitteln, und je nachdem wie geschickt er es anstellte, würde der Verlust an Fleisch sich einzig und allein durch das falsche Gefrierverfahren ermitteln lassen. Die Russen hatten außer ihm noch Doktor Rasch verpflichtet. Rasch war als Oberregierungsrat beim Oberkommando des Heeres mit seinem Buch »Die Feldküchengerichte« berühmt geworden. Es war eine Zusammenstellung von 295 Eintopfgerichten für die in der Heimat Gebliebenen, die an den Eintopfsonntagen mit den Frontsoldaten aus demselben Topf essen sollten. Die Besatzungsmacht war so begeistert von seinem Buch, daß sie die Rezepte ins Russische übersetzte und Rasch in ihre Dienste stellte. Großvater war davon beeindruckt, daß es Rasch gelungen war, sein Buch »Ernährungsfragen des deutschen Volkes« 1947 in der fünften Auflage unter dem Titel »Wiederaufbau der deutschen Ernährung« mit Genehmigung der Sowjetischen Militäradministration neu zu veröffentlichen und dabei nur das Vorwort zu verändern, in dem die Verbeugungen nicht mehr den tapferen Wehrmachtssoldaten an der Front, sondern der Roten Armee galten. Zwar hatte er sich von der »Volk ohne Raum-Theorie« trennen müssen, und er sprach auch nicht mehr vom »Kampf um die deutsche Nahrungsfreiheit«, aber das Kapitel »Ausblick auf die Großraumwirtschaft« der vierten Auflage von 1942, das er angesichts der Geländegewinne der Deutschen Wehrmacht in der Sowjetunion angefügt hatte, brauchte er nur wenig zu modifizieren. Denn waren die Russen erst einmal in Deutschland, würden sie auch bald die Felder kollektivieren. Vor Rasch mußte Großvater auf der Hut sein. Wer so schnell sein Mäntelchen in den richtigen Wind hängen konnte, war gefährlich. Er ließ ihn die wissenschaftliche Arbeit machen und kümmerte sich um die praktischen Dinge.

Der Schlachthof war zu 90 Prozent zerstört, nur das Kühlhaus stand unversehrt am Bahnhof Landsberger Allee zwischen Trümmerhaufen. Großvater erkannte schnell, daß der Verlust, abgesehen von den Diebstählen, schon durch das erste Glied der Kühlkette, die Abhängehalle, zustandekam, in der die Schweine nach dem Schlachten ausbluteten. Die Halle wurde natürlich belüftet. Je trockener die Luft draußen, desto höher waren die Gewichtsverluste. Für eine gleichmäßige künstliche Lüftung bedurfte es einer elektrischen Anlage. Da die Deutsche Wirtschaftskommission, der Großvater offiziell unterstellt war, ihm kein Material besorgen konnte, mußte er seine alte Tätigkeit wieder aufnehmen. Auf dem Schwarzen Markt tauschte er Fleisch gegen Elektromaterial. Die Besatzungsmacht redete ihm vorerst nicht rein, sie brauchte ihn. Am Fabriktor wurde er nicht kontrolliert, er bekam ein Auto mit Chauffeur und konnte schließlich Trude Lummer als seine persönliche Sekretärin nach Berlin holen. Zu seiner Familie fuhr er selten.

Ein Jahr später aber, am 11. Mai 1949, verloren die Russen die Geduld. Paul wurde in das Gebäude der Deutschen Wirtschaftskommission Unter den Linden befohlen, wo zwei sowjetische Offiziere ihn in die Mangel nahmen, weil die Verluste an Fleisch nicht abgenommen hatten, seitdem er sie untersuchen sollte. Paul redete sich mit fehlendem Material heraus und erklärte den Offizieren die von ihm und Rasch entwickelte neue Methode, die noch ein wenig Zeit benötige. Er wurde schließlich aufgefordert, mit den beiden zum Schlachthof zu fahren. Als sie auf die Straße traten, lag Pauls Chauffeur ausgestreckt neben der Bordsteinkante. Eine Menschenmenge hatte sich um den leblosen Körper versammelt, aus dessen Schulter Blut rann. Der BMW war verschwunden.

Die Menschenmenge redete durcheinander. Großvater konnte dem Geschrei entnehmen, daß drei gutgekleidete junge Männer mit gepunkteten Schlipsen zu Rudi, der Zeitung las, in den Wagen gestiegen waren. Nach einer Weile hatte es einen dumpfen Knall gegeben, einer der Männer hatte den Chauffeur aus dem Wagen gezerrt, ihn an der Bordsteinkante abgelegt, sich selbst ans Steuer gesetzt und war mit den anderen beiden auf dem Rücksitz in Richtung Alexanderplatz weggefahren.

Großvater konnte nur hoffen, daß sie das Fleisch im Kofferraum finden und es auf dem Schwarzmarkt verhökern würden. Die Bande tat ihm den Gefallen. Denn als der Wagen einen Tag später am Müggelsee, ohne Räder und mit festgefahrenem Motor gefunden wurde, war von Fleisch im Kofferraum nicht die Rede. Einen Tag später wurde die Blockade aufgehoben. Die Russen hatten anderes zu tun, als Großvater weiter unter Druck zu setzen. Als die Bande schließlich gefaßt und drei ihrer Mitglieder zum Tode verurteilt wurden, war Großvater nicht mehr in Berlin. Rasch und er hatten das erste Glied der Kühlkette eliminiert. Die schlachtwarmen Tiere wurden nicht mehr abgehängt, sondern gleich abgekühlt. Die Gewichtsverluste sanken um 1 %. Doktor Rasch wurde mit seiner Theorie des Schnellabkühlens international bekannt, und als er in den fünfziger Jahren die DDR verließ, reichte es für eine neue Karriere im Westen.

Großvater aber bekam zum Dank ein Kälteinstitut in einer mitteldeutschen Stadt, die ihm vorkam wie Karthago nach dem Dritten Punischen Krieg. Vater hat ihm den Umzug nie verziehen.

Mehr als ein Vierteljahrhundert später verstand Großvater die Welt nicht mehr. Eigentlich aß er auch nur noch und bastelte oder las. Es waren immer dieselben Bücher, die Erinnerungen Alfred Wegeners an seine Zeit im ewigen Eis und »Vier Panzersoldaten und ein Hund«, über denen er meistens einschlief. Nur wenn Vater kam, war er wieder der alte.

»Wir waren Spitze im Weltmaßstab, und was macht ihr, ihr fahrt das Ding gegen den Baum. Sensorische Qualitätsprüfung für Eiskrem! Wir haben »Blitzkost« im Weltraum erprobt, wir haben die besten Kühlhäuser gebaut, wir waren dem Westen Längen voraus, und was macht ihr daraus? Eiskrem. Daß ich nicht lache. Versager seid ihr!«

»Das haben wir deinem Freund Mittag zu verdanken.«

»Mittag ist ein Reformer, die rechte Hand von Apel. Der kennt die Materie und hat uns damals immer unterstützt.«

»Das ist lange her, Vater, Mittag ist die rechte Hand von Honekker, da wird nur noch alles schöngeredet.«

Vater erzählte den Witz von den Kannibalen, die ins Zentralkomitee kommen und von den Sicherheitskräften gefragt werden, was sie wollen, und die Kannibalen antworten: »Mittag essen«. Während Vater schon beim Erzählen aus dem Kichern nicht herauskam, konnte Großvater darüber überhaupt nicht lachen.

25. Kapitel

Leichenkühlung
Leichenentkleideraum: +8 bis +10 °C (handelsübliche Praxis)
Leichengefrierzelle: –18 °C bis –20 °C
Leichenschauzelle: –5 bis –2 °C
Je Leiche ist der lichte Raumbedarf etwa 0,75 m Breite × 0,70 m Höhe × 2,00 m Tiefe mit einer Vordertür von etwa 0,60 m Breite × 0,50 m Höhe, die für den Körper auf einer ausziehbaren Bahre ausreichen. Für kriminelle und Gerichtsmedizinanlagen kommt eine Temperatur von –15 bis –17,5 °C in Frage.

Es war eigentlich ein Sonnabend wie jeder andere. Mutter hatte Szegediner Gulasch gekocht. Wir saßen am Tisch, und Vater sagte, er habe heute ganz besonders köstliches Eis für uns, eine neue Erfindung, Vanilleeis mit Apfelmus.

»Für mich nicht«, sagte Mutter. »Ich habe die ganze Woche über so viel Eis essen müssen. Der Chef macht jetzt Kaffeeeis.«

»Woraus macht er denn das?« fragte Vater.

»Aus Kaffeesatz«, mischte ich mich ein. »Er kippt das Sieb mit dem Kaffeesatz über dem Freezer aus und mischt ihn unter das Eis.«

»Ja«, sagte Mutter, »der Chef hat Annja extra in die Küche geholt, damit sie es dir weitererzählt. Auf solche Ideen kommt ihr nie.«

Vater legte Messer und Gabel beiseite.

»Du wirst mir doch wohl nicht weismachen wollen, daß das einer hygienischen Kontrolle standhält?«

Mutter schaute nur kurz von ihrem Essen auf und sagte mit vollem Mund: »Es ist bestimmt hygienischer als das, was in der Kaufhalle in den Kühltruhen liegt. Ich bringe dir mal welches zum Kosten mit.«

»Kannst du dir an den Hut stecken. Ich predige doch dem Kind nicht jahrelang, daß Streicheis eine technologische Sackgasse ist und noch dazu nicht frei von Bakterien, und dann fällt dir nichts Besseres ein, als in einer Streicheisbude anzufangen. Für wen hältst du mich eigentlich?«

»Für einen kleinen bornierten Möchtegernwissenschaftler. Über dich lachen ja schon die Hühner! Früher, ja da, da hast du noch die Welt verändern wollen mit deinen Großversuchen, und wo bist du gelandet? Mit gebeugtem Rücken in Kühltruhen rumfummeln und Verkäuferinnen ermahnen.«

Ich sah, wie Vaters Knöchel weiß wurden vor Wut, so sehr ballte er die Fäuste. Aber er sagte kein Wort, was Mutter noch mehr in Fahrt brachte.

»Ich habe mir das alles mal anders vorgestellt, Klaus, irgendwie aufregender. Daß es die einfachsten Zutaten für Eis nicht mehr gibt und der Chef nur noch mit Bestechung arbeitet, dafür kannst du vielleicht nichts, aber daß du das alles so mitmachst, und noch schlimmer, auch immer wieder ein Argument dafür findest, warum das alles so sein muß, das verstehe ich nicht.«

»Und ich verstehe nicht, warum du deinen Beruf aufgibst, um in einem x-beliebigen Eiscafé zu arbeiten, wo nur Asoziale hingehen.«

»Das sind keine Asozialen, das sind stinknormale Menschen, die im Gegensatz zu dir noch etwas wollen vom Leben, die charmant sind und nicht so stieselig wie du. Und Annja ist schon genauso. Das ist doch alles kotzlangweilig mit euch.«

Ich weiß nicht, was mich ritt, aber ich bekam eine Riesenwut und sagte nur ein Wort. »Eiskremhure!«

Kurze Zeit war es still. Vater hatte aufgehört zu essen. Mutter erstarrte. Spätestens in diesem Moment hätte er mich das erste Mal in meinem Leben schlagen müssen. Wenigstens eine kleine Ohrfeige, damit ich begriff, was ich da gerade gesagt hatte. Aber Vater saß da wie ein versteinertes Denkmal oder wie eine der Eisfiguren von Sapporo, die 1972 nach der Olympiade neben der Sprungschanze aufgestellt worden waren. Er schluckte noch nicht einmal den Bissen hinunter und hielt Messer und Gabel vorschriftsmäßig rechts und links vom Körper. Mutter warf die Serviette weg und stand auf. Wir aßen nach ihrem Abgang schweigend weiter. Es war wie in einem der Boulevardstücke, die sich Großmutter so gerne sonnabends im Fernsehen ansah, nur daß uns die zweite Tür fehlte, durch die Mutter hätte wiederkommen und sagen können: »Ich wollte nur mal wissen, wie ihr reagiert, wenn ich den Koffer herunterhole.« Warum ist keiner von uns beiden aufgestanden und hat ihr beruhigend den Arm auf die Schulter gelegt? Ich hatte nicht das Gefühl, mich entschuldigen zu müssen. Aber Vater hätte doch hingehen, ihr den gelbkarierten Luftkoffer wieder wegnehmen und sagen können: »Unsere Tochter ist in Fragen des Eisverkaufs eben etwas empfindlich«, oder irgendwas, was Erwachsene sich so sagen, um sich wieder zu versöhnen. »Bleib, oder willst du fünfzehn Jahre Ehe wegen schlecht verarbeitetem Eis aufgeben?«

Als wir die Teller zusammenräumten, klappte die Tür. Mutter war weg, und Vater sagte nur: »Dann werde ich mal den Nachtisch reinholen.« Ich hörte, wie in der Küche der Deckel der Kühltruhe mit einem lauten Schlag nach unten fiel. Schließlich kam er mit den Kompottschüsseln wieder herein. Neben meinen Löffel legte er schweigend ein Blatt Papier. Es war Mutters Abschiedsbrief, auf dem nichts weiter stand als: »Ich gehe und komme nie wieder. Barbara.«

Wortlos löffelten wir das Apfelmuseis. In Gedanken gab ich höchste Punktzahl.

»Die kommt wieder«, sagte Vater am Abend. »Die bleibt nicht weg, die ist noch nie länger als eine Nacht weggewesen.« Er sagte das wie zu sich selbst, während vor ihm der Fernseher mit den Sportnachrichten lief und Vater die Ergebnisse der Fußball-Oberliga mitschrieb. Dunkel erinnerte ich mich daran, daß Mutter schon einmal vor ein paar Jahren ihre Koffer gepackt hatte, aus welchem Anlaß wußte ich nicht mehr, an mir hatte es wohl nicht gelegen. Mutter war damals nach zwei Tagen wieder dagewesen. Ganz gegen ihre Art hatte sie nicht sofort alles Erlebte vor uns ausgebreitet, sie hatte, wenn ich mich recht erinnere, überhaupt nichts gesagt. Vater hatte nur kurz bemerkt: »Da bist du ja wieder.« Auf meine Frage, wo sie denn gewesen sei, hatte sie nur geantwortet: »Weg.«

»Kannst du dich erinnern, wo Mami damals gewesen ist?«

»Sie wollte nach Berlin, ist aber nur bis Burg gekommen.«

»Was hat sie denn in Burg gemacht?«

»Irgendwie wußte sie das nach ein paar Stunden auch nicht mehr, aber dann fuhr kein Zug, und so hat sie im einzigen Hotel von Burg übernachtet.«

»Und warum ist sie nicht länger geblieben?«

»Sie ist von einem Besoffenen bedrängt worden und hat die ganze Nacht sitzend im Bett verbracht, weil das Türschloß des Hotelzimmers kaputt war. Da war ihr Ärger schnell verflogen.«

»Worüber hatte sie sich denn geärgert?«

»Ich hatte ihre Meißner Vase zerschmissen. Rot Weiß Erfurt hatte gegen den 1. FC Magdeburg verloren.«

»Deswegen haut man doch nicht von zu Hause ab«, sagte ich, bevor ich von einem Torschuß Streichs abgelenkt wurde.

Der Sonntag war trübe, nicht nur, weil es regnete. Zu Mittag aßen wir nichts weiter als zwei Portionen Eis, weil Vater nur Eier braten konnte, die wir aber schon zum Frühstück aufgegessen hatten. Gegen drei wurde unser Hunger drückend, und Vater zählte seine Barschaft, die gerade noch für Schnitzel mit Mischgemüse im Stadthallenrestaurant gereicht hätte. Dort war schon Küchenschluß, und wir mußten uns mit einer Bockwurst auf den Seeterrassen begnügen. Als wir nach Hause radelten, sagte Vater: »Was mußtest du auch Hure zu ihr sagen.«

»War ja nicht so gemeint.«

»Naja, heute abend kommt sie bestimmt wieder.«

Als Vater am Montag von der Arbeit kam, schaute er, den Schlüssel noch im Schloß, mit erwartungsvollem Blick um die Ecke. Aber Mutter war noch nicht wiedergekommen und meldete sich auch am nächsten Tag nicht. Am Abend des dritten Tages stand Vater vor der Waschmaschine und studierte die Gebrauchsanweisung. Ich konnte ihm nicht weiterhelfen, interpretierte aber fleißig mit, bis wir merkten, daß es eigentlich ziemlich leicht war. Nur daß wir Buntwäsche mit Weißwäsche mischten und vergaßen, den Abflußschlauch über die Wanne zu hängen. Danach hatten wir wenigstens eine Aufgabe, die uns ablenkte, und das Bad war auch sauber. Die nächsten Tage lief Vater nach der Arbeit um das Telefon herum, aber wenn es klingelte, war immer nur Großmutter dran, die wohl Horrorszenarien beschreiben mußte, denn Vater wurde ungehalten: »Nein, die Polizei habe ich noch nicht benachrichtigt, ich mach mich doch nicht lächerlich. Halt dich da raus, wir haben keine Probleme. Du hast sie ja noch nie leiden können. Was hat das damit zu tun, daß sie aus kleinen Verhältnissen kommt. Nein, ihre Geschwister haben nicht nach ihr gefragt. Wieso wundert dich das? Es geht uns gut, mach dir keine Sorgen, du brauchst nicht kommen, wir kommen alleine klar, die Kleine brauchst du nicht bedauern, ich leg jetzt auf.«

Vater war so unfreundlich, daß ich Angst bekam, Großmutter könnte uns auch verlassen, aber die Angst war unbegründet, denn das Telefon klingelte erneut, und wieder war Großmutter dran, das wußte ich sofort, weil Vater nach dem erwartungsvollen Griff zum Hörer und einem frohen »Kobe, wer ist da« ein gefrorenes Gesicht bekam. »Mutter, ich bitte dich, ruf nicht dauernd an. Nein ... nein ... ja ... ja ... laß mich in Ruhe.« Diesmal knallte er den Hörer auf die Gabel.

Eine halbe Minute später klingelte es wieder. Diesmal nahm ich ab. »Hier Kobe«, sagte ich.

»Deine Stimme wird der deiner Mutter immer ähnlicher.«

»Weiß ich nicht.«

»Annja, du bist doch jetzt schon fast erwachsen.«

»Ja, wieso.«

»Weißt du vielleicht, warum deine Mutter weggefahren ist?«

»Sie ist nicht weggefahren, sie ist ausgezogen.«

»Naja, wir wollen das mal nicht beschwören. Und warum ist sie deiner Meinung nach ausgezogen?«

»Ich habe Eiskremhure zu ihr gesagt.«

»Was hast du gesagt?«

»Eiskremhure.«

Vater stand neben mir und verdrehte wütend die Augen.

»Kind!« Großmutters Stimme war jetzt reichlich vorwurfsvoll. »Was für schlimme Worte lernt ihr denn in der Schule.«

»Das Wort habe ich mir selber ausgedacht.«

»Und was ist deiner Meinung nach eine Hure?«

»Na eine, die sich verkauft«, sagte ich und legte auf.

Ich bereute längst, dieses blöde Wort gesagt zu haben, aber ich redete mich heraus, ich sei wütend gewesen, weil Mutter immer auf Vaters Arbeit herumhackte und auch nicht abließ, wenn Vater längst geschlagen auf der Erde lag.

»Großmutter geht das gar nichts an«, sagte Vater und legte wütend den Telefonhörer neben die Gabel. Ich fürchtete schon, er würde völlig ausrasten, aber dann zog er seinen Trainingsanzug an und verließ die Wohnung, ohne noch etwas gesagt zu haben. Nach drei Stunden kam er erschöpft wieder und fiel im Trainingsanzug auf sein Bett, um nicht vor Morgengrauen wieder aufzuwachen.

Als ich am darauffolgenden Montag von der Schule nach Hause kam, lag ein Brief ohne Absender im Kasten. Die Adresse war mit Schreibmaschine geschrieben, die üblichen grünen Briefmarken mit dem Palast der Republik klebten ordentlich an der rechten oberen Ecke. Auf dem Poststempel konnte ich mühsam BERLIN entziffern.

Ich platzte, noch außer Atem, in eine Beratung. Alle hatten ernste Gesichter. Der Direktor sagte zu meinem Vater: »Muß deine Tochter gerade jetzt kommen?«

»Entschuldigung«, sagte ich und hielt den Brief hoch.

Ich bemerkte, wie das Kollektiv vielsagende Blicke tauschte. Wir gingen in den Garten und setzten uns auf eine Bank. Vater machte den Brief mit solcher Heftigkeit auf, daß das darin liegende Blatt in der Mitte durchriß. So hielt ich den einen und er den anderen Teil, während wir lasen.

Für Klaus und Annja,

ich habe beschlossen, Euch für immer zu verlassen, und ich muß zugeben, daß es angenehm ist ohne Euch. Ich genieße es, mit fröhlichen, temperamentvollen Menschen und nicht mit solchen gehemmten Eisblöcken wie Euch zusammen zu sein.

»Ist ja gemein«, sagte ich, als ich an der Stelle war.

»Halt die Klappe«, sagte Vater.

Klaus, du wirst sicherlich irgendwann einmal eine Frau finden, die Deine Liebe zu Sport und zu Gefrorenem eher teilen wird als ich und sich damit abfindet, daß Deine Liebe zu diesen Dingen immer größer sein wird, als die zu den Menschen.

Annja, falls Du Schwierigkeiten mit der Pubertät haben wirst, dann weiß Du ja auch ohne mich, was zu tun ist: Lies ein Buch über Sexualität, mich hast Du ja eh nie gefragt, wenn Du Probleme hattest.

Ich habe meine Tätigkeit als Eiskremhure nicht wieder aufgenommen, sondern arbeite als Kartenverkäuferin in einem Kino und habe eine Wohnung in der Schönhauser Allee. Der Ort wird Euch nichts sagen, und Ihr braucht Euch nicht die Mühe zu machen, mich zu suchen, die Straße hat 184 Häuser. Scheidung habe ich eingereicht.

Barbara

Wir schwiegen eine Weile, bis Vater zu mir sagte: »Als ob ich nicht wüßte, wo die Schönhauser Allee ist, schließlich ist gleich um die Ecke unser wichtigster Eiskremhersteller.« Dann schwiegen wir, und bald ging Vater zurück in seine Versammlung. Ich klebte zu Hause den Brief zusammen und suchte den Stadtplan von Berlin heraus. Die Straßen grenzten im Norden, Süden und Westen an weiße Flächen, auf denen Berlin (West) stand. Es beruhigte mich, daß ich die Schönhauser Allee fand. Mutter war also nicht in den Westen abgehauen, wie ich insgeheim befürchtet hatte.

Irgendwie brachten wir die nächsten vier Wochen herum. Zwischendurch hatte uns Großmutter einen Besuch abgestattet und die Wohnung aufgeräumt, so daß wir hinterher nichts mehr wiederfanden. Wir ernährten uns am Wochenende von den Schätzen unserer Kühltruhe, aber alles schmeckte fade oder war überwürzt, je nachdem, wer mit Kochen dran war. Ich stellte die Nahrungsaufnahme langsam ein.

Im Spiegel konnte ich meine Rippen sehen, nur rechts und links standen zwei übergroß geschwollene Brustwarzen ab, die ich haßte. Meinetwegen konnten sie vertrocknen. Nach vier Wochen kamen die Scheidungspapiere, die Vater vor mir verstecken wollte, die ich aber nach kurzem Suchen dort fand, wo früher der Stadtplan lag, den ich über mein Bett gehängt hatte. Mutter verzichtete auf das Sorgerecht, was mir einen Stich in die Herzgegend versetzte. Nicht, daß ich Lust gehabt hätte, in eine so abweisende und mir unbekannte Stadt wie Berlin zu ziehen, aber insgeheim wünschte ich, sie hätte um mich gekämpft, und ich darum, bei meinem Vater zu bleiben. Vater willigte in die Scheidung ein. Irgendwie hatte er alle Kraft verloren. Einen Monat nach der Scheidung kündigte Mutter per Brief die Ankunft dreier Männer an, die ihre Sachen abholen würden. Sie bat auch darum, die Papiere nicht zu vergessen, einschließlich des Abiturzeugnisses, sie habe beschlossen zu studieren. Wir besorgten im Gemüseladen Kisten, die wir an den neugierigen Nachbarn vorbei nach Hause trugen. Ich schummelte noch ein paar Fotos von uns als glückliche Familie unter die Kleiderstapel, vielleicht würde es ihr dann doch leid tun. Am folgenden Wochenende hielt ein klappriger ROBUR-LKW vor unserem Haus, dessen Nummernschild mit I anfing. Drei bärtige, langhaarige Typen, die aussahen wie die auf unserer Insel, standen vor unserer Tür und sagten: »Barbara schickt uns, wir sollen die Klamotten holen.« Ich zeigte wortlos auf die Kisten. Vater stand schweigend hinter der Tür.

»Die Hälfte von der Anbauwand, und ihr Bett willse ooch haben. Und das Zwiebelmustergeschirr soll'n wir nich verjessen.« Vater zeigte auf den linken Teil der Anbauwand, dann zog er sich in mein Zimmer zurück.

Sie stapelten die Bücher auf die Erde und bauten die Möbel auseinander. Sie waren schnell und schwiegen bei ihrer Arbeit. Ich ging zu Vater, der auf meinem Bett lag und seinen Kopf in meinem Kissen vergraben hatte.

»Komm hoch«, schrie ich, »oder willst du, daß die alles mitnehmen?«

»Ist mir egal«, sagte Vater dumpf aus dem Kissen. Ich wartete im Flur, bis sie fertig waren und machte die Tür hinter ihnen zu.

Unten wurde der Motor angelassen. Ich fand Vater im halb ausgeräumten Wohnzimmer. Er wirkte wie erstarrt, bis er plötzlich anfing, alles rundherum zu zerstören, als ginge die Eiszeit durch unsere Wohnung und hinterließe beim Rückzug Geröll und Dreck. Zuerst trat er nur wie beiläufig gegen die Bücherstapel, bis sie zusammenkrachten. Dann ging er in die Küche, die Augen starr und den Mund zusammengepreßt, als verfolge er einen tödlichen Plan. Gleich wird er losschreien, dachte ich. Ich suchte mir einen Beobachtungspunkt an der Küchentür. Besser war es, ihm nicht in die Quere zu kommen. Aber er schrie nicht, sondern riß alle Küchenschränke auf und fing an, systematisch alles Geschirr auf den Fußboden zu schmeißen. Teller und Tassen im Sechziger-Jahre-Design. Die kegelige Kaffeekanne ohne jeden Schnörkel, aber mit gediegenem gelb-schwarzen Rand. Das Eßservice, sechsteilig mit grauem Rhombenmuster. Ein Kompottschälchen rollte mir genau vor die Füße. Es hatte nur einen kleinen Sprung, und ich schaffte es in mein Zimmer wie in eine Höhle. Als ich wiederkam, hatte sich Vater gerade auf die Kühltruhe gestellt, um die Töpfe mit mehr Schwung auf den Steinfußboden werfen zu können. Dann raste er, ohne mich neben dem Schuhschrank zu bemerken, ins Wohnzimmer. Dort riß er die geschliffenen Sektkelche und das Bowlenglas aus dem Schrank und schleuderte alles auf den Fußboden, so daß die Scherben durch den ganzen Raum flogen. Sogar das Glas mit der Aufschrift Rot Weiß Erfurt verschonte er nicht. Als er das Aquarium anhob schrie ich: »Nein«, und biß mir sofort auf die Zunge. Vater schaute hoch. Dabei lösten sich die Gummipfropfen des Deckglases, und die Glasscheibe rutschte auf den Teppich, Vater verlor die Kontrolle über das schwere Aquarium, und weil er es nicht mehr rechtzeitig abstellen konnte, glitt es ihm aus den Händen und zersprang. Die Guppys, Neons und Schwertfische zuckten auf dem Fußboden. Vater rannte ins Bad, wo er einen Plasteeimer mit Wasser füllte. Ich holte mir einen Neonfisch und verzog mich mit ihm in mein Zimmer. Er zuckte noch eine Weile zwischen meinen Händen. Ich ging ins Bad und spülte ihn ins Klo. In der Badewanne stand der Eimer mit den anderen Fischen, aber außer drei unverwüstlichen Guppys trieben alle tot an der Oberfläche.

Beruhigt hatte sich Vater noch nicht. In der Küche flog das Küchenradio auf die Fliesen. Es sendete noch eine Minute lang die Nachrichten von NDR 2. Der Nachrichtensprecher informierte uns noch kurz darüber, daß sich in Stuttgart-Stammheim drei Terroristen das Leben genommen hatten, dann riß Vater den Stecker heraus und gab dem Radio den Gnadentritt, so daß das Gehäuse zersplitterte.

Eigentlich hätte ich jetzt aufatmen können. Alles in Ordnung mit Vater. Er hatte den Stecker des Gerätes herausgezogen. Er würde weder den Gashahn aufdrehen noch Feuer legen. Aber als er anfing, gefrorene Hühner, Beutel mit Blumenkohl und Erdbeeren, an denen die kleinen Zettel mit der Versuchsnummer hingen, aus der Truhe zu werfen, schrie ich: »Papi, hör auf, die Nachbarn stehen schon alle an der Tür.« In diesem Moment klingelte es, und Vater schrie aus dem Wohnzimmer: »Es ist meine Privatsache, was ich mit meinem Geschirr mache, ob ich es aufesse oder anderweitig benutze, die sollen ihre Ohren von meiner Wohnungstür nehmen.« Inzwischen klingelte es Sturm, aber Vater verbot mir, an die Tür zu gehen. Es war das erste Mal in dieser Stunde, daß er mir in die Augen sah.

»Ach Annja.« Er nahm beide Hände vors Gesicht und strich mit allen zehn Fingern die Wangen entlang bis zum Kinn. Dabei hielt er die Augen geschlossen, und ich sah Falten unter seinen Augen und daß er sich offensichtlich schon mehrere Tage nicht mehr rasiert hatte.

In diesem Augenblick wurde die Tür eingetreten.

»Deutsche Volkspolizei«, schrie noch jemand, und dann nahm einer Vater in den Schwitzkasten.

»Lassen Sie mich los«, japste Vater mit hochrotem Kopf, der in einem uniformierten Arm klemmte, »ich bin Abgeordneter der Stadtbezirksverordnetenversammlung.« Versammlung kam nur noch in gurgelndem Ton, weil der Polizist den Schwitzkasten noch enger machte.

»Bürjer«, sagte der zweite, »nu beruhijen se sich erstma und kommse uns nich mit Fungsjonen. Ham se jetrunken?«

»Mein Vater trinkt nie, davon kriegt er immer rote Flecken«, sagte ich.

»Weeßte, Mädchen, wie oft ich das schon ausm Mund eines Kindes jehört habe? Jenausooft wie: Mein Vater hat mich nie jeschlagen.«

»Mein Vater ist nicht gewalttätig.«

»Und wer ist das hier jewesen? Hurrikan oder Hochwasser?«

»Ich war das. Meine Mutter ist einfach weggegangen und hat uns beide alleine gelassen.« Ich fing an zu heulen.

»Na, das wird sich ja klärn lassen. Ihre Papiere bitte«, sagte der Polizist zu meinem Vater.

»Wenn mich Ihr Kollege mal loslassen könnte«, japste Vater.

Der andere ließ los, und Vater faßte in die Gesäßtasche seiner Hose und gab dem Polizisten seinen Personalausweis.

»Ziehn Se sich Ihre Jacke an und kommen Se ohne Widerstand mit. Macht sonst 18 Monate. Und du wirst heute mal im Heim schlafen. Hol dir einen Schlafanzug.«

»Ich will zu meiner Oma.«

»Da kannst du hin, wenn die Sache hier geklärt ist.«

Wir gingen durch das Spalier der Nachbarn und schauten beide auf den Fußboden wie zwei Schwerverbrecher.

Vor dem Haus wurde Vater in ein Polizeiauto gesteckt. Mich brachte eine Frau die zweihundert Meter bis zum Kinderheim, wobei sie mich unsanft unter die rechte Achsel faßte, als würde sie annehmen, ich wolle ihr wegrennen.

»Die Kobe wird eingeliefert«, schrie ein Junge schon am Eingang. Die Nachricht ging um wie ein Lauffeuer, und bald standen alle Heimkinder der Schule vor mir, sogar ihre rotznäsigen Geschwister hatten sie zur Begrüßung mitgebracht.

»Seid bereit«, sagte Hansi Dohm, endlich haben wir Annja Kobe in unseren Reihen. »Das Essen ist furchtbar, sag ich dir gleich, kannst du mal was gegen unternehmen.«

Die Frau, die mich gebracht hatte, flüsterte dem Heimleiter etwas ins Ohr, tätschelte mir die Wange und verschwand. Sie erinnerte mich an die Pusseliese bei Pippi Langstrumpf.

Der Heimleiter sagte: »Da wirst du wohl mal die Nacht bei uns verbringen müssen. Warst du schon mal im Ferienlager?« Ich schüttelte den Kopf.

»Schade, so ungefähr mußt du dir das bei uns vorstellen.« Den anderen rief er zu: »Laßt die Annja in Ruhe, sie ist ein Heim nicht gewöhnt.«

Eines der Kinder mußte aber zugehört haben, als die Erwachsenen miteinander geflüstert hatten, und bald war es herum: »Der Kobe ihr Vater is ausjerastet.«

Die Großen winkten ab. »Nix Besondres, kenn wir.«

»Hat er dich verkloppt?« fragte ein Junge aus der Vierten.

»Mein Vater hat mich noch nie geschlagen.«

»Glaub ich nicht«, sagte ein Mädchen aus der Sechsten, »wenn dich dein Vater nie geschlagen hat, warum bist du dann hier?«

»Mein Vater hat nur das Geschirr zerschlagen.«

»Das tut man auch nicht«, sagte ein ziemlich Dicker aus der Zehnten.

Ich ging zum Heimleiter und fragte ihn, ob ich mal telefonieren darf.

»Nichts ist«, sagte der Heimleiter, »wo kämen wir da hin, wenn alle Kinder hier lustig rumtelefonieren würden.«

»Ich will aber zu meinen Großeltern.«

»Das wird das Jugendamt morgen geklärt haben. Jetzt geh zum Abendbrot, und morgen sehen wir weiter.«

In der Nacht machte ich kein Auge zu. Bei der Vorstellung, immer hier bleiben zu müssen, kamen mir die Tränen, und das Mädchen, das neben mir lag, strich mir übers Gesicht.

»Am Anfang habe ich auch geweint, aber irgendwann gewöhnt man sich dran.«

Am Morgen holte mich Großmutter ab.

»Dein Vater räumt auf«, sagte sie nur, »du bleibst erst mal bei uns.«

Als ich nach einer Woche wieder nach Hause kam, hatten wir zwar kein Küchenradio, kein Geschirr und kein Aquarium mehr, aber Vater hatte vor der Konfliktkommission des Institutes versprochen, nie wieder die Nerven zu verlieren.

Das Gerede aber hörte nicht auf. Immer, wenn ich die Wohnung verließ und an einem Grüppchen von Leuten vorbeikam, erstarben die Gespräche. Einmal fing mich Fräulein Gries vor der Haustür ab. Sie machte ein paar Bemerkungen zu meinen Pickeln und sagte dann, wie nebenbei: »Es ist nicht gut, Kind, als Mädchen nur mit seinem Vater zusammenzuwohnen. Die verlieren doch mal leicht die Contenance und betrachten ein Kindchen als Frau.« Ich wußte nicht, was Contenance bedeutete, und ließ sie einfach stehen. Am schlimmsten war es im Milchladen. Die Kundinnen schauten vielsagend zu Frau Schmalfuß, wenn ich hereinkam. Meinen Gruß erwiderte niemand. Sie bediente mich stumm, und wenn ich den Laden verließ, spürte ich die Blicke in meinem Rücken. Ich weigerte mich schließlich, in den Milchladen zu gehen, und wir kauften in den Kaufhallen ein, deren Kühltruhen Vater kontrollierte. Als Abgeordneter forderte er von der Stadt den Bau einer Kaufhalle auf der Insel, um den Milchladen auszutrocknen, wie er sagte. Er stellte einen Antrag auf Zuweisung einer neuen Wohnung, mit der Begründung, er könne mit seiner halbwüchsigen Tochter nicht in einer Zweiraumwohnung mit Durchgangszimmer leben. Wider Erwarten bekamen wir eine Zuweisung für das neue Hochhaus neben dem Kälteinstitut. Ein halbes Jahr später zogen wir um, und ich konnte mir nun Fräulein Gries, Pepe und Martin, Frau Schmalfuß und Luise Gladbeck von oben ansehen.

26. Kapitel

Mensch
Eine analytische Beziehung zwischen dem Gefühl der Behaglichkeit und den klimatischen Bedingungen wird durch folgende Gleichung gegeben: $B = 7{,}83 - 0{,}1 \times t_1 - 0{,}0968 \times t_w - 0{,}0372 \times p + 0{,}0367 \times \sqrt{w} \times (37{,}8 - t_1)$ mit t_1 = Wandtemperatur in °C, p = Lufttemperatur in mm Hg, w = Luftgeschwindigkeit in m/sec.

Am Freitag klingelt es an der Tür. Es ist die Nachbarin. Sie stellt zwei Eimer Kohlen vor mir ab und hält mir den Schlüssel zu ihrem Keller hin.

»Wir haben eine Gasheizung einbauen lassen. Wenn Sie wollen, können Sie die Kohlen verbrauchen.«

Ich bin überrascht von der plötzlichen Freundlichkeit. »Wie geht es denn Ihrer Großmutter?« fragt die Nachbarin.

Was soll ich darauf antworten? Den Umständen entsprechend? Ganz gut? Sie ist am Abkratzen? Oder etwas freundlicher: Wie soll es einer Sterbenden schon gehen? Ich entscheide mich für das höflich distanzierte Den-Umständen-Entsprechend. Vielleicht will sie ja doch nur in Großmutters Wohnung ziehen.

»Können Sie sich das überhaupt leisten, so lange hier bei Ihrer Großmutter zu bleiben?«

»Ich bin arbeitslos.«

»Hm«, sagt sie mit einem knurrenden Ton. Wahrscheinlich hält sie mich für eine ehemalige Pionierleiterin oder Schlimmeres, fragt dann aber doch, was ich denn früher gearbeitet hätte.

»Ich war Eisverkäuferin.«

»Ah ja«, sie ist etwas irritiert. »Da bekommen Sie wahrscheinlich nicht soviel Unterstützung.«

Soll ich ihr sagen, daß ich noch dazu einen Haufen Ärger habe, weil ich im letzten Sommer das Auto der Firma »Väterchen Frost« gegen den Baum gefahren habe?

Ich hatte hinterher meinem Chef gegenüber behauptet, es hätte an der Hitze gelegen, daß ich die Kontrolle über das Auto verlor, die Lenkung herumriß und den Lieferwagen seitlich gegen einen Baum setzte. Der wirkliche Grund war ein anderer. Ich hatte nicht mehr ertragen können, ein Eis zu verkaufen, das nicht meinen Qualitätsvorstellungen entsprach. Das Aroma war künstlich, und von der Farbe des Erdbeereises wurde mir schlecht, denn ich sah schon von weitem, daß es nur aus Ersatzstoffen bestand. Wir lebten aber nicht mehr in einer Mangelwirtschaft. »Väterchen Frost« wollte den Preis drücken, und ich machte auch noch mit, aber ich hatte nichts anderes gelernt und brauchte Geld.

Die Leute auf den Dörfern um Berlin, die ich belieferte, liebten das Eis. Sie bekamen allerdings auch nichts anderes mehr, denn die Konsumverkaufsstellen hatten überall pleite gemacht. Wenn ich auf dem Kirchplatz hielt und mit meiner Glocke bimmelte, kamen sie aus den Häusern; Alte am Stock, Familienväter in Jogginghosen und rotznäsige Kinder, die mir ihre verschmierten Finger mit dem Geld entgegenhielten und an Ort und Stelle die bunten Verpackungen aufrissen, hinter denen sich ein ebenso buntes Stieleis befand, in das manchmal noch kleine Plasteüberraschungen eingefroren waren, die nicht einmal bis zum Gartentor hielten.

Einmal klopfte mir ein leutseliger Betrunkener auf die Schulter und lallte: »Mann, erinnerste dich noch an det blöde Moskauer Eis.« Und ich antwortete: »Das kenne ich nicht, ich bin nicht von hier.«

»Macht ja nischt«, sagte er und begann, Moskauer Eis mit den schlechtesten Eigenschaften auszustatten, von denen nur eine der Wahrheit entsprach – daß die Waffeln nicht schmeckten.

Vor allem das Erdbeersorbet, das ich in Großverpackungen an die Familien brachte, erinnerte mich in Geschmack, Konsistenz und Aroma an das dunkelste Kapitel in Vaters Eiskremkarriere, das Ende der siebziger Jahre begann und erst abgeschlossen war, nachdem er das Moskauer Eis erfunden hatte.

Bis zu meiner Jugendweihe war noch alles in Ordnung. Vaters drei Hauptfeinde waren Sahna, Cama und Marina, die drei Margarinesorten, die in Eiskrem nichts zu suchen hatten. Er wollte deshalb nicht mit zur Feierstunde kommen, die im Festsaal der Öl- und Margarinewerke stattfand. Großmutter aber sagte, er könne nicht auch noch wegbleiben, wo schon die Mutter nicht komme, und so lief er drei Schritt hinter uns über das Werkgelände. Tagsüber diente der Raum als Kantine für die Öl- und Margarinewerker. Ich mußte dauernd an meinem neuen Kleid riechen, ob es den Essengeruch schon angenommen hatte, der wie eine Wand im Saal stand, während der Chor der Bauschaffenden »Euch zur Feier Euch zum

Ruhm« sang und das Bläserquintett des Volkseigenen Schwermaschinenbaukombinates »Karl Liebknecht« sehr eigenwillig die Nationalhymne interpretierte. Wir mußten mehrmals im Stehen den Satz »Ja, das geloben wir« sprechen, wobei ich den Baß von Klaus König heraushörte, der lauthals »Ja, das glooben wir« rief. Von der Bühne aus sah ich, daß Großvater ganz hinten an der Essenklappe inzwischen eingeschlafen war und von Großmutter gerüttelt wurde, was ihn aber gar nicht zu stören schien. Ich glaubte sogar, sein Schnarchen zu hören. Vater schaute währenddessen aus dem Fenster auf das Gebäude der Cama-Produktion.

Großvater hatte die Suite im Interhotel gemietet. Nach dem Essen stritt sich Vater mal wieder mit Großvater um einen Kühlhausbau, der Großvater mißfiel. Großmutter kamen dauernd die Tränen, weil ich doch jetzt erwachsen war. Vor Langeweile blätterte ich das Buch »Der Sozialismus Deine Welt« durch und blieb an dem Foto der Skulptur »Schwerter zu Pflugscharen« vor dem UNO-Gebäude in New York hängen. Ich wußte noch nicht, daß ich damit in drei Jahren den Parteisekretär der Erweiterten Oberschule »Johann Gottfried Herder« zur Weißglut bringen sollte, weil er Ernst wegen des Symbols auf seiner Jacke von der Schule verweisen wollte, ich aber das Buch mit in die Schule brachte und fragte, warum Ernst ein Staatsfeind sei, wenn das Symbol im Jugendweihebuch abgedruckt sei. Ich wußte in diesem Moment noch nicht, daß ich Ernst gleich kennenlernen sollte. Vater stand auf und verließ den Raum, um auf einen Mann zuzugehen, der in der Hotelhalle saß. Sie schüttelten sich die Hände. Der andere klopfte Vater auf die Schulter und wies auf den freien Platz neben sich. Ich kannte den Mann nicht. Vater hatte überhaupt keine Freunde, Vater hatte immer nur Arbeit, Politik und Sport, und deshalb wunderte ich mich, als ich ihn so vertraulich mit jemandem sprechen sah.

Als ich an den Tisch herantrat, stand Vater auf und stellte mich als seine Tochter vor, und der Mann sagte: »Sie kenne ich noch als Baby.« Er wies auf den jungen Mann neben sich: »Das ist Ernst, als ihr klein wart, habt ihr mal in einer Sandkiste gespielt.« Ich gab Ernst brav die Hand.

»Wir haben zusammen studiert«, sagte Vater, »Johannes ist am Obst- und Gemüseinstitut und macht Sterilkonserven.« Ich dachte, ein Glück, daß der nicht weiß, was Vater vom Einkochen hält. Offensichtlich unterhielten sie sich gerade über ihre Arbeit, denn Johannes erzählte, sie seien gerade dabei, mit Hilfe von Lebensmittelfarbe und Aroma aus Möhrenbrei Tomatenketchup zu entwickeln, scheiterten aber an der Konsistenz, da sich in den Gläsern im oberen Drittel immer eine Schicht Wasser bilde. »Die Bulgaren exportieren inzwischen fast alles in den Westen, den RGW kannst du inzwischen auch vergessen, und an uns bleibts dann hängen.«

»Bei uns im Institut sind sie jetzt dabei, aus grünen Tomaten Zitronat zu entwickeln, weil die frischen Zitronen in den Handel müssen«, sagte Vater. Ich saß steif neben Ernst und wußte nicht so richtig, worüber ich mich mit ihm unterhalten sollte.

Schließlich fragte ich Ernst, ob er heute auch Jugendweihe habe. »Nein, wir essen einmal im Jahr unsere Konsummarken auf.« Die Formulierung fand er so gut, daß er selbst lachen mußte. »Ich hab schon verstanden«, sagte ich, »aber von dem, was meine Großmutter am Ende des Jahres herauskriegt, kann nicht mal einer ein Menü bestellen.«

»Wir kaufen alles beim Konsum, selbst Möbel und technische Geräte. Wir müssen für jedes Stück Butter zwei Kilometer zur nächsten Konsum-Kaufhalle laufen. Du mußt aber wissen, mein Vater ist ein Geizhals, der würde auch zehn Kilometer laufen, wenn es sein müßte, Hauptsache, er schenkt dem Staat nichts.« Den letzten Satz sagte er leise und mit der Hand vor dem Mund, damit sein Vater es nicht hören konnte.

Bald kam seine Mutter, und Ernst und sein Vater verabschiedeten sich von uns. Schon ein halbes Jahr später sollte ich Ernst wiedersehen.

Im Sommer nach meiner Jugendweihe gingen mit Vater seltsame Dinge vor. Er fuhr in die Öl- und Margarinewerke und kostete Margarine. Ich entdeckte es nur aus Zufall, weil ich eines Abends in seinem Einkaufsbeutel nach Milch suchte und nur Plastedosen mit Margarineproben fand.

»Befehl von oben«, sagte Vater mit einem leichten Achselzucken, »wir müssen die ganze Produktion von Milchfett auf Pflanzenfett umstellen. Es gibt nicht genug Futter für die Kühe.«

»Und das machst du so einfach mit? Eis mit Pflanzenfett schmeckt doch scheußlich.«

»Wenn man es richtig anstellt, merkt man es fast gar nicht. Wirst du sehen.«

Manche Tage kam Vater abends nicht nach Hause, weil sie Tag und Nacht mit Pflanzenfetteis experimentierten. Die Ergebnisse mußte ich kosten. Es schmeckte mir nicht.

»Aber eigentlich ist Eis mit Pflanzenfett viel gesünder, der Cholesteringehalt ist nicht so hoch. Das belastet die Leber nicht so sehr.«

Ähnliches hatte ich schon einmal gehört, als Vater von »Rondo« auf »Kaffee-Mix« umgestiegen war. Ich glaube, er war der einzige Mensch in der DDR, der die Mischung aus Röstkaffee, Zichorie und Malz kaufte und der sich beschwerte, als sie nach ein paar Jahren wieder aus den Regalen verschwand – und er sich dann selbst eine Mischung zusammenmixen mußte.

Es wurde dann ein trauriges Jahr für Vater. Denn selbst im Sommer blieben die Kaufhallen auf seinem Eis sitzen, bis die Kühe im darauffolgenden Herbst wieder mehr Milch gaben. Dann aber fehlten die Aromastoffe, und Importe für Eiskremzutaten wurden streng verboten.

27. Kapitel

Milch
Ein schnelles Gefrieren führt zu einem Eisblock gleichmäßiger Zusammensetzung, ohne daß eine bemerkbare Bildung verschiedener Konzentrationsschichten auftritt. Langsames Auftauen ist besser als schnelles Auftauen, da das schnelle Auftauen die Emulsion des Kaseins zerstört und dadurch die Milch wolkig macht.

In der Nacht hole ich eine Axt aus dem Keller und schleiche mich auf den Hof. In der Nähe der Mülltonnen habe ich eine kleine Fichte entdeckt. Nach jedem Schlag horche ich, ob nicht irgendwo ein Fenster aufgeht. Über mir steht der Vollmond, der den Hof in ein mildes Licht taucht. Als Kind wollte ich zu gerne auf Großmutters Balkon schlafen, aber Großmutter hat es nie erlaubt, weil Vater mondsüchtig war und sie befürchtete, daß ich es geerbt haben könnte. Einmal hatte sie ihn vom Dach des Kühlhauses holen müssen, auf das er sich geschlichen hatte.

Das Häuserkarree um den Hof steht dunkel vor mir. Nur in Großmutters Küche brennt Licht.

Von hier unten sieht es aus, als wäre der Deckel der Kühltruhe offen. Eigentlich kann man die Truhe aus meiner Perspektive nicht sehen. Sie reicht nur bis zum Fensterbrett. Mein Herz schlägt heftig. Vielleicht hat mich jemand beobachtet, als ich die Wohnung verließ, und ist eingedrungen. Vielleicht habe ich vergessen, die Tür zu schließen. Ich lege die Axt beiseite und schleiche mich wie eine Verbrecherin zurück ins Haus. Die Wohnungstür ist verschlossen. Ich zittere, als ich versuche, den Schlüssel ins Schloß zu stecken. Hinter der Tür ist alles still. Ich taste mich an der Wand des Flurs bis zur Küche. Als ich um die Ecke sehe, bleibt mir fast das Herz stehen. Der Deckel ist wirklich offen, und Vaters Arm ragt wieder über den Rand hinaus. Ich stürze zur Truhe und schaue hinein. An Vaters Gesichtsausdruck hat sich nichts geändert. Aber so ein Arm bewegt sich nicht von allein. Es muß eine Erschütterung gegeben haben, die die Bewegung ausgelöst hat. Ich schleiche mich ins Schlafzimmer. Großmutter liegt noch in derselben Lage wie vor fünf Stunden. Ich suche die ganze Wohnung nach einer vierten Person ab, die sich versteckt haben könnte, aber ich finde niemanden. Vielleicht ist das das erste Zeichen dafür, daß Vater aus seinem Kälteschlaf erwacht.

Ich beuge mich über den Truhenrand und frage ihn, in welcher Ligamannschaft Steinbrück spielt. Es ist ein altes Spiel von uns. Ich schaute in der »Fußballwoche« in den Aufstellungen der Ligamannschaften nach, suchte einen Namen heraus, und Vater sagte mir, in welcher Mannschaft der Fußballer spielte. Aber Vater antwortet nicht.

»Komm schon, Chemiewerk bei Halle, sehr eigenwilliger Name für eine Fußballmannschaft.«

Aber er will mir nicht sagen, daß Steinbrück bei Buna Schkopau spielte. Vielleicht hat er es auch vergessen und will es jetzt nicht zugeben, denn es ist zehn Jahre her, daß wir das Spiel zum letzten Mal spielten. Ich hole das Heft hervor und notiere: 21. 12. 91, ca. 2.52 Uhr, Vollmond, Versuchsperson hat wahrscheinlich versucht, sich zu bewegen, dabei öffnete sich der Deckel der Kühltruhe.

Eine Stunde lang beobachte ich Vater, aber um 3.55 Uhr schreibe ich: Keine weiteren Bewegungsversuche. Beobachtung nach einer Stunde abgebrochen.

Ich lege den Arm, der mir schwerer als in unaufgetautem Zustand vorkommt, vorsichtig neben den Körper und schließe den Deckel.

Ich schleiche mich wieder auf den Hof, fälle den Baum und trage ihn ins Arbeitszimmer. Ich setze mich in den Sessel und starre den Schreibtisch an. Auf der Glasplatte steht immer noch ein Foto von Großvater. Er sieht aus wie ein vom vielen Essen aufgedunsener netter alter Herr. Die Unterlippe ist größer als die Oberlippe, was seinem Gesicht etwas Selbstzufriedenes gibt.

Einen Tag vor seinem 81. Geburtstag rief Großvater seinen ehemaligen Chauffeur Rode an und bat ihn um einen letzten Gefallen.

Rode ließ sich beurlauben, schob in der Nacht den alten Tatra des Institutes auf die Werkstattbühne, reparierte ihn bis morgens um fünf, ohne das Klappern der Motorhaube beheben zu können und stand um sieben im Anzug vor der Tür des Hauses. Großvater nahm den Mantel vom Garderobenhaken.

»Wo willst du hin?« fragte Großmutter scharf.

»Ich habe etwas zu erledigen.«

»Ich komme mit.«

»Du bleibst hier.«

»Du kannst nicht mehr alleine weg.«

»Wenn du mitkommst, lasse ich mich heute noch von dir scheiden.«

»Du kommst doch noch nicht einmal alleine die Treppe hinunter.«

»Wenn ich will, schaffe ich alles.«

»Was geht hier eigentlich vor?« fragte Großmutter den Chauffeur. Der zuckte mit den Schultern. »Ich will nicht indiskret sein, Frau Kobe, aber Ihr Mann hat mich bestellt, er habe etwas Wichtiges zu erledigen.«

»Was soll er denn noch Wichtiges zu erledigen haben?«

Ich half Großvater in den Mantel und sagte zu Großmutter: »Laß ihn gehen, er wird schon wiederkommen. Er ist doch immer wiedergekommen.«

»Aber diesmal kommt er im Sarg«, prophezeite Großmutter.

»Auf Wiedersehen, meine Damen, morgen bin ich wieder da.« Großvater ließ sich die Treppe hinunterführen.

Leider hat Großmutter recht behalten. Wir fuhren am übernächsten Tag ins Rostocker Krankenhaus und identifizierten Großvater.

Großmutter blieb sehr gefaßt, irgendwie war sie immer noch sauer, daß Großvater ohne sie gefahren war. Der Angestellte holte Großvater aus dem Kühlraum. Großvater guckte amüsiert, vielleicht lag es auch nur daran, daß er keine Zähne mehr im Mund hatte. »Er ist es«, sagte Großmutter, »wir nehmen ihn gleich mit.«

»Da müssen sicherlich noch ein paar Formalitäten erledigt werden. Ich fürchte, das wird dauern, heute ist Samstag.«

Der Angestellte rollte Großvater wieder in die Kühlzelle. Sie war in dem gleichen Betrieb hergestellt wie die, die im Institut standen. Ich fand das angemessen für Großvater, auch wenn er es nicht mehr spürte. Wir wurden in das Zimmer eines Arztes gebeten. »Herzliches Beileid«, sagte der Arzt. Großmutter setzte die Witwenmiene auf und fragte: »An welcher seiner Krankheiten ist er eigentlich gestorben?«

»An keiner. Wir haben es bei Ihrem Mann mit einem kleinen medizinischen Wunder zu tun. Jede seiner einzelnen Krankheiten hätte gereicht, ihn schon vor Jahren umzubringen, aber er ist an einem Herzinfarkt gestorben. Normal für sein Alter. Allerdings ist nicht ganz normal, was den Herzinfarkt ausgelöst hat.« Der Arzt schwieg.

»Sie können es mir ruhig sagen«, beruhigte ihn Großmutter. »Nach sechsundvierzig Jahren Ehe bin ich einiges gewohnt.«

»Naja, wie soll ich das sagen, er hatte eine Hotelangestellte bei sich, naja, was heißt eine Hotelangestellte. Sie wissen sicherlich, daß es in Interhotels gewerbsmäßig arbeitende Frauen gibt.«

»Sie können ruhig Nutten sagen.«

Ich war erstaunt darüber, daß Großmutter so ein Wort in den Mund nahm, noch erstaunter allerdings war ich, daß es solche Frauen in Rostock geben sollte, wo die Prostitution doch längst abgeschafft sein sollte. Ich traute mich aber nicht, den Arzt zu fragen, denn Großmutter fing jetzt an zu weinen. Nach einer Weile fragte sie: »Wann ist mit seiner Ankunft zu rechnen?«

»Wir werden noch eine Obduktion vornehmen, um ganz sicherzugehen, daß nicht Fremdverschulden vorliegt, ich denke, daß er in einer Woche zu ihnen überführt wird.«

Mir schwante, daß sie ihn nur auseinanderschneiden wollten, weil sie es mit einem interessanten Fall zu tun hatten, mich beschäftigte aber mehr, was er mit der Nutte angestellt hatte.

»Fahren Sie in das Hotel, dort ist, soviel ich weiß, noch eine Rechnung offen«, sagte der Arzt. »Die persönlichen Sachen Ihres Mannes können Sie gleich mitnehmen.«

Wir nahmen ein Taxi und fuhren nach Warnemünde. Am Strand wurde gerade der Tatra auf ein Kranauto gehoben. Von weitem sahen wir den Chauffeur, wie er beim Aufladen zusah. Wir stapften durch den Sand auf eine Gruppe von Spaziergängern zu, die neugierig stehengeblieben waren. »Das ist doch ein uralter Bonzenwagen, wie kommt denn der hierher?« fragte ein dicklicher Mann in Armeetrainingsanzug seine Frau. Die zuckte mit den Schultern.

»Vielleicht wird hier ein Film gedreht.«

»Und wo ist die Kamera?«

Wir schlichen an den Leuten vorbei. Als Rode uns kommen sah, sank er in sich zusammen.

»Es tut mir so leid, Frau Kobe.«

»Ist schon gut, sparen wir uns die Förmlichkeiten, ich habe Paul schon gesehen. Ich gebe nicht Ihnen die Schuld. Aber ich würde schon gern wissen, was hier abgelaufen ist.«

»Na, Sie wissen doch, ich habe Ihrem Mann nie einen Wunsch abschlagen können. Er wollte noch einmal sämtliche Kühlhäuser sehen, an deren Bau er beteiligt war. Vorgestern fuhren wir von Magdeburg nach Dessau, von da nach Halle, nach Leipzig, und als es dunkel wurde, waren wir in Erfurt. Von da aus sind wir nach Schloß Schönbrunn gefahren und haben dort übernachtet. Am nächsten Morgen sind wir wieder früh los und über Triptis, Gera,

Karl-Marx-Stadt, Dresden nach Berlin, wo wir aber nur in dem Kühlhaus am Schlachthof waren, denn die Zeit drängte. Den Südosten und Osten mußten wir auslassen, auch in Brandenburg und Wolmirstedt waren wir nicht. Wir sind dann über Neustrelitz und Demmin nach Rostock gefahren.«

»Da hatten Sie doch gar nicht viel Zeit, um in jedes Kühlhaus zu gehen«, sagte ich, denn ich hatte im Kopf die Entfernungen mitgerechnet. »Wir sind auch nur bis ran gefahren. Meistens ist Ihr Mann noch nicht einmal ausgestiegen. Er hat höchstens mal eine Bemerkung gemacht, ob das ein gutes Kühlhaus ist und welche Probleme es beim Bau gab. Als es dunkel wurde, kamen wir in Warnemünde an. Ihr Mann war schon sehr erschöpft, wollte aber unbedingt ans Meer, und ich konnte ihn doch nicht tragen, so schwer wie er war, da hat er gesagt, dann fahr mich bis ran.«

»Und dann ist das Auto steckengeblieben?« fragte ich.

»Dann hat sich der Motor festgefressen.«

»Am besten, wir frieren Großvater zusammen mit dem Tatra in einer Kühlzelle ein«, schlug ich vor.

»Laß uns ins Hotel gehen und die Rechnung bezahlen«, sagte Großmutter.

»Meinst du nicht, daß wir die Frau suchen sollten?«

»Die will ich gar nicht sehen.«

Das Foyer sah aus wie alle Interhotel-Foyers, die ich kannte.

Eine Sitzecke für die Gäste, eine Rezeption, an der dezent geschminkte Frauen in Kostümen standen, und Wände, an denen großflächige Gemälde hingen. Ich setzte mich auf einen der Sessel und beobachtete die Leute. Es waren nicht viele Gäste da an diesem Nachmittag. Großmutter ging zur Rezeption und schob Geld über den Tresen. In der Ecke der Halle standen zwei etwas auffälliger geschminkte Frauen und flüsterten miteinander. Dabei schauten sie zu mir herüber. Dann näherte sich eine der Frauen meinem Tisch. Beim Gehen klackten ihre Absätze. Sie setzte sich auf den Rand eines Sessels und schaute mich an.

»Bist du Annja?«

»Ja, woher wissen Sie das?«

»Ich habe deine Großmutter gerade bezahlen sehen. Außerdem hat mir dein Großvater von dir erzählt.«

»Was wollte er denn von Ihnen?«

»Nicht, was du denkst. Ich sollte nur ein bißchen Schreibmaschine schreiben.«

»Und er hat diktiert?«

»Naja, ich kann gar nicht Schreibmaschine schreiben, es hat ihm zu lange gedauert, und dann habe ich einfach drauflos getippt. Willst du mal sehen? Ein Testament ist es jedenfalls nicht.«

Sie holte einen Zettel aus ihrer Handtasche und zeigte ihn mir: *Njadnauhfduchflsnhdsaöakäyoöspoe,crtvutrmtzmuzidsruttjritjrizsrm ztmuvtiuzumviszui,uvtzi,irui,zsoivzuewopiuw9üipiwoüpOEEÜOWP OP* stand da.

»Seitdem tun mir die Sehnen weh, solche Arbeit ist nichts für mich. Dein Großvater hat sich an der Lehne des Stuhls abgestützt und mir über die Schulter geschaut. Nach fünf Minuten ist er weggekippt und war tot.«

Plötzlich standen zwei Männer an unserem Tisch, und einer von ihnen zeigte der Frau eine Klappkarte. Sie muß sofort verstanden haben, was das bedeutete, denn sie erhob sich und fragte: »Kann ich noch meine Sachen holen?«

»Sie haben fünf Minuten«, sagte der mit dem Ausweis.

Sie würdigten mich keines Blickes und wandten sich zur Rezeption. Die Frau stand auf und strich mir leicht über den Arm. Großmutter wartete vor dem Hotel auf mich.

»Und, hast du etwas erreicht?« fragte Großmutter. Hundert Meter weiter verschwand gerade das Kranauto hinter der Mole. Die Gruppe der Schaulustigen hatte sich zu Paaren aufgelöst und die liefen am Ufer entlang.

»Sie sollte Schreibmaschine schreiben, konnte es aber nicht.«

»Dafür hätte er aber auch zu Hause bleiben können.«

Von den beiden Männern mit der Klappkarte erzählte ich ihr nichts.

»Na, dann wollen wir mal den nächsten Zug nach Hause nehmen.«

Von diesem Tag an sah ich sie ein Jahr lang nur noch in Schwarz.

28. Kapitel

Pelzwerk
Saisonlagerung
Beim Einbringen von Pelzwaren in den Kühlraum ist die Temperatur für 3 bis 4 Tage auf –8 bis –10 °C abzusenken. Dann läßt man sie auf +8 °C bis +12 °C für 1 bis 2 Tage ansteigen, um sie anschließend wieder für 3 bis 4 Tage auf –10 °C abzusenken. Daraufhin erfolgt eine Einlagerung von –2 bis –5 °C. Dieses Verfahren tötet das Leben der Pelzmotte und sonstiger schädlicher Insekten in jeder Lebensform ab.

Über Nacht ist Schnee gefallen. Auf der Hofseite ist er liegengeblieben, auf der Seite zur Straße getaut. Das hatte mich schon als Kind fasziniert. »Der Hof ist einfach geschützter«, hatte Vater mir damals gesagt. Ich hätte Lust, einen Schneemann zu bauen, am liebsten mit Vater zusammen, wie wir es immer gemacht haben an den Sonntagen bei Großmutter, wenn Schnee gefallen war. Das Thermometer zeigt 3 Grad Celsius, bald wird auch auf dem Hof der Schnee getaut sein.

Ich fange an, im Arbeitszimmer den Weihnachtsbaum zu schmükken. Die Lichterketten und Weihnachtskugeln finde ich im Kinderzimmerschrank neben Vaters altem Stabilbaukasten. Mutter hat den Baum immer mit echten Kerzen geschmückt. Aber Vater hatte kaum seine Geschenke angesehen, schon pustete er die Kerzen aus, aus Angst, daß der Baum Feuer fangen könnte, worauf sich Vater und Mutter jedesmal stritten. Wenn Vater am 27. Dezember wieder zur Arbeit ging, entzündete Mutter die Kerzen und ließ sie an, bis sie heruntergebrannt waren. Als ich den Stecker der Lichterkette in die Steckdose stecke, passiert nichts. Auch das Deckenlicht geht nicht. Der Heizkörper im Schlafzimmer ist eiskalt. Ich schaue im Sicherungskasten nach, aber Sicherungen sind nicht herausgeflogen, wie ich erleichtert feststelle. Im Hausflur höre ich Stimmen und öffne die Tür.

»Ist bei Ihnen auch kein Licht?« fragt die Nachbarin aus der ersten Etage.

»Alles tot.«

»Das ist ja wie früher«, sagt sie. »Übrigens sind Sie mit der Hausreinigung dran.«

Erst jetzt entdecke ich die Karte, die an einem Bändchen an Großmutters Wohnungstür hängt.

»Würden Sie bitte noch vor Heiligabend putzen? Wir bekommen Besuch über Weihnachten. Und bitte laufen Sie doch in der Nacht nicht so heftig hin und her, wir können nicht schlafen. Ihre Großmutter war so eine ruhige Person.«

»Tut mir leid«, sage ich, »aber ich muß sie nun mal auch in der Nacht versorgen.« Dann knalle ich die Tür zu.

Ich mache Großmutter einen Apfel-Zwieback-Brei warm. Ich habe ihn aus der Kaufhalle mitgenommen, weil ich wissen wollte, ob er noch genauso schmeckt wie damals, als ich fünfzehn war und nichts weiter aß als diesen Brei in Gläsern. Vater bemerkte es nicht einmal, denn er war nur selten zu Haus.

Vater war am Tiefpunkt seiner Karriere. Eines Tages war er nach Hause gekommen und hatte mir stolz sein neuestes Produkt gezeigt. Es sei ein hochwertiges Sorbet, das ich unbedingt kosten müsse. Das Eis war so rot wie neue Arbeiterfahnen.

»Mit diesem Eis sind wir unabhängig von allen Jahreszeiten, Importen und Tierfutterproblemen«, sagte Vater.

»Und was ist außer Farbstoff noch drin?«

»Keine Butter, keine Margarine, keine Fruchtzusätze, kein Zucker, alles hochwertige Austauschstoffe. Und nur wenig Kalorien.«

Es schmeckte scheußlich. So ein schlechtes Eis hatte ich noch nie gegessen. Vor allem die leicht mehlige Konsistenz und der Nachgeschmack des Zuckeraustauschstoffes machten das Eis ungenießbar. »Mit diesem Eis gewinnen wir garantiert den 3. Weltkrieg. Ich würde es Katastropheneis nennen«, sagte ich nur. Ich stellte mir vor, Vater säße alleine mit seiner Kühltruhe, die an ein Notstromaggregat angeschlossen war, in seinem Bunker und würde seine Vorräte an Katastropheneis aufessen. Ich würde mich dann doch lieber den Trinkern anschließen, die bei Sirenenalarm sofort die Scheibe des nächsten Spirituosengeschäftes einschlagen würden. Sie stellten sich das in den schönsten Farben vor: Mit dem Atompilz vor Augen wollten sie drei Flaschen Wodka Kristall auf ex trinken. Das hatten sie jedenfalls am Kiosk vor der Brücke angekündigt, als die Meldung über neue Atomraketen und irgendwelche gescheiterten Rüstungskontrollverhandlungen im Radio kam. Vater sagte gar nichts mehr.

Ich versuchte, durch Beigaben von Zucker, Milch und zerstoßenen Himbeeren dem Eis noch irgend etwas abzugewinnen, aber immer wieder kam der scheußliche Geschmack des Aromas durch, und ich schmiß es weg. Ich hatte Eis satt.

Kurz darauf machte Vater den ersten und letzten Versuch auszubrechen.

Anfang der siebziger Jahre hatte der Außenhandel es geschafft, Albanien ein Kühlhaus aus DDR-Produktion zu verkaufen, denn auch Albanien produzierte Fleisch, das eingefroren werden mußte. Vater hatte ein seltsames Interesse an diesem Land. Wenn wir in den Urlaub fuhren, nahm er immer sein kleines Micki-Radio mit, natürlich um die Sportergebnisse zu hören. Aber jeden Abend suchte er auf Kurzwelle die deutschen Sendungen von Radio Tirana. Zuerst wurde auf den Imperialismus in Amerika und Westeuropa geschimpft, dann ging es noch einmal eine Viertelstunde gegen den Sozialimperialismus Chinas und der Sowjetunion nebst ihrer Trabanten. Jede Sendung endete mit einem albanischen Volkslied. Es war ein Ausflug in eine fremde Welt, die ich nicht verstand, ich hatte wenig von Albanien und noch nie etwas vom Sozialimperialismus gehört. Vater wußte auch nicht so richtig, wie er es mir erklären sollte. Kurz nachdem Mutter ausgezogen war, wandte sich die albanische Regierung mit einem Hilferuf an die DDR. Man komme mit dem Kühlhaus nicht zurecht, es stehe schon seit drei Jahren leer, und man brauche dringend einen deutschen Experten.

»Wollen wir nach Albanien?« fragte Vater. »Wir haben doch lange genug Radio Tirana gehört.«

»Ich weiß nicht«, sagte ich.

»Ich mach da meine Arbeit und du gehst in die Botschaftsschule. Es soll dort landschaftlich ganz interessant sein.«

Ich konnte mir das nicht so richtig vorstellen, zumal Vater wochenlang auf die Fußballergebnisse warten müßte, aber er meinte, schließlich gäbe es Radio Berlin International.

Vater besorgte sich erst einmal ein Buch von Enver Hodscha aus der albanischen Botschaft in Pankow, bevor er sich bewarb, aber sie nahmen ihn nicht, weil wir nicht in ordentlichen Familienverhältnissen lebten. Ich hätte zu Hause bleiben müssen, aber das wollte Vater nicht.

Es fuhr dann Malte Großmann, Mitarbeiter der Abteilung Planung und Projektierung des Institutes. Im Hauptberuf war er immer Soldat geblieben, genauer gesagt, Feldwebel, und die Antifaschule im Kriegsgefangenenlager hatte aus ihm einen sozialistischen Feldwebel gemacht, der rechtzeitig in die Partei eingetreten war. Warum er nicht bei der Nationalen Volksarmee gelandet war, sondern im Institut meines Großvaters, wußte wohl nur mein Großvater, der ihn in den Außendienst schickte, wo er es mit seinen militärischen Methoden schaffte, daß jedes Kühlhaus einen Monat früher als geplant fertig wurde. Weil für die Arbeit in Albanien Durchsetzungsvermögen gefordert war, hielt man ihn für den Richtigen, und Vater sagte nur: »Die armen Albaner!« Malte Großmann fand ein eigenartiges Land vor. Es gab kaum Autos, alle gingen zu Fuß. Woran er sich am wenigsten gewöhnen konnte, war die Eigentümlichkeit, daß es keine Uhren gab. Die zehn Mann, die ihm zugeteilt wurden, kamen, wann sie wollten, und legten sich dann erst mal in den Zelten schlafen, weil es inzwischen Mittag war und Zeit zu ruhen. »Mit mir nicht«, sagte sich Malte Großmann und probierte seinen Kasernenton. Der war für Menschen, egal welcher Nationalität, auf Dauer nicht zu ertragen, aber Malte brauchte drei Monate, bis er klargemacht hatte, daß die Arbeitszeit bei Sonnenaufgang beginnt und bei Sonnenuntergang endet. Nur zwei Stunden zu Mittag gewährte er ihnen, weil er sich um diese Tageszeit selbst vorkam wie Rommel in der Wüste. Als die Männer es nach einem dreiviertel Jahr geschafft hatten, das Kühlhaus in Gang zu bringen, war eigentlich Malte Großmanns Mission beendet, und er bekam den Befehl zur Rückkehr an die Heimatfront. Die albanische Republik aber schickte eine von Enver Hodscha persönlich unterzeichnete Depesche an die DDR, mit der Information, Malte Großmann hätte der albanischen Revolution einen großen Dienst erwiesen, und man gäbe ihn nicht wieder her. Er solle sämtliche Industriebetriebe mit seiner unverwechselbaren Art wieder auf Vordermann bringen. Dazu allerdings hatte Malte Großmann keine rechte Lust, und es bedurfte einiger diplomatischer Finessen, ihn nach einem Jahr endlich auszulösen.

Am Abend muß ich die Nachbarin bitten, mich telefonieren zu lassen. Großmutter hat den ganzen Tag nichts zu sich genommen, auch den Apfel-Zwieback-Brei wollte sie nicht. Die Tage zuvor hatte sie wenigstens noch etwas getrunken, aber jetzt verweigert sie alles, was ich ihr einzuflößen versuche. Mit offenen Augen döst sie vor sich hin.

Mir fällt nur Doktor Messerschmidt ein, bei dem Großvater früher Privatpatient war. Obwohl Großvater den Errungenschaften des Sozialismus durchaus positiv gegenüberstand, weigerte er sich doch, in Polikliniken zu gehen. Dank Großvaters zahlreicher Leiden hatte sich Doktor Messerschmidt ein schönes Haus in der Millionenstraße kaufen können, wo ehemalige Fabrikbesitzer wohnten, die nicht in den Westen abgehauen waren.

Ich konnte ihn seit dem Tag nicht mehr ausstehen, seit dem er bei mir einen Haltungsschaden festgestellt hatte.

»Das Kind ist ganz verkrümmt«, rief er damals entzückt. »Eine S-förmige Skoliose wie aus dem Lehrbuch. Na, da werden wir mal ein Gipsbett verschreiben. Ja, ja, Haltungsschäden, das kommt davon, daß man sich in diesem Land immer so verkrümmen muß, um aufrecht zu gehen.«

Wider Erwarten ist Doktor Messerschmidt sofort bereit zu kommen. Keine zehn Minuten später steht er vor der Tür. Ich habe vorsichtshalber die Küchentür geschlossen, denn die Kühltruhe steht doch etwas deplaziert im Raum, und ich kann sie nicht von der Stelle bewegen.

»Ach, die kleine Annja Kobe«, sagt er beim Eintreten und gibt mir die Hand.

»Was macht die Skoliose? Ach, ich seh schon, nach wie vor ein Problem. Nicht zu schwer heben und keine Dauerläufe, dann können Sie damit sehr alt werden. Wo ist denn unsere Patientin?« Ich gehe ins Schlafzimmer voraus.

»Die gnädige Frau Kobe«, sagt er sehr laut zu Großmutter und bittet mich, doch mal das Fenster zu öffnen.

Großmutter halluziniert und redet ihn mit Paul an.

»Die Sauberkeit läßt zu wünschen übrig«, sagt Messerschmidt, als er sich über Großmutter beugt. »Ich habe kein Geld«, sage ich. »Ich lebe hier seit drei Wochen von gar nichts. Wenn ich wenigstens richtige Windeln hätte. Die Bettpfanne nimmt sie schon seit drei Wochen nicht mehr an.«

»Na, die müssen sie auch auf die Heizung stellen, so kalt würde ich die auch nicht benutzen wollen. Warum haben Sie sie denn nicht in ein Pflegeheim gegeben?«

»Ich wollte, daß sie zu Hause stirbt.«

»Das ist sehr löblich von Ihnen, aber ich weiß nicht, ob sie es hier besser hat.«

»In der Zeitung stand ein Artikel über die Zustände dort. Da hat sie es bestimmt nicht besser. Hier hört sie wenigstens meine Stimme, auch wenn sie mich nicht erkennt. Ich möchte, daß Sie ihren wundgelegenen Rücken behandeln und mir sagen, wie lange das jetzt noch dauern wird.«

»Holen Sie mir mal eine Schüssel heißes Wasser.«

Als ich wiederkomme, ist er dabei, Großmutter zu untersuchen und die Wunde auf dem Rücken zu versorgen. »Ich denke mal, eine Woche, höchstens vierzehn Tage wird sie noch leben. Geben Sie ihr ausreichend zu trinken, auch wenn sie die Hälfte wieder ausspuckt. Wenn etwas ist, dann rufen Sie an, und drehen Sie Ihre Großmutter öfter auf die Seite. Hier ist noch ein leichtes Schlafmittel, das Sie in Wasser auflösen können. In welcher Krankenkasse ist Ihre Großmutter?« Ich zucke mit den Schultern. »Naja, ist auch egal. Ich war ja quasi immer der Hausarzt der Familie.«

Ich bedanke mich artig und begleite ihn zur Tür.

»Und der Herr Vater, was macht der so?«

»Kälteversuche im Ausland.«

»Jaja, die Welt ist eben größer geworden. Aber gehen Sie nicht immer so krumm. Frohe Weihnachten!«

»Zu Befehl!« sage ich, als ich die Tür hinter ihm zugeschlagen habe.

29. Kapitel

Nuß
Nüsse nehmen sehr leicht unerwünschte Gerüche an und dürfen deshalb nicht zusammen mit Äpfeln, Kartoffeln usw. eingelagert werden.

Es ist Heiligabend, die Straße liegt in der Dämmerung. Hinter den Gardinen auf der gegenüberliegenden Straßenseite ist das Licht gedämpft, fast überall stehen geschnitzte Schwippbögen mit elektrischen Glühbirnen in den Fenstern.

Ich wünschte mir, Vater würde aus der Truhe kommen und sagen: »Machen wir vor der Bescherung noch einen Spaziergang«, wie jedes Jahr, wenn Mutter sich ab Mittag im Wohnzimmer einschloß, um den Baum zu schmücken und die Geschenke einzupakken. Auch als Mutter nicht mehr da war, haben wir jeden Heiligen Abend die Insel umrundet. Wir hatten sie ganz für uns. Von der Zollbrücke bis zur Friedensbrücke trafen wir selten jemanden. Zuletzt schaute Vater im Institut nach dem Rechten und gab den Fischen im Aquarium ihr Weihnachtsmahl.

Ich habe den Baum umsonst geschmückt. Großmutter will nicht ins Arbeitszimmer getragen werden. Ich drücke zwei Schlaftabletten aus der Perforierung und löse sie in Wasser auf. Vielleicht träumt Großmutter von Weihnachten.

Als sie schläft, schleiche ich mich aus der Wohnung. Die Tür fällt lauter ins Schloß, als mir lieb ist. Ich bleibe noch eine Weile im Hausflur stehen und horche an der Tür, aber nichts regt sich.

Leider geht mein Plan schon an der nächsten Straßenecke nicht mehr auf. Jemand hat meine Reifen zerschnitten und »Berliner rauß!« in den Staub auf der Karosse geschrieben. Mir bleibt nichts weiter übrig, als die Straßenbahn zu nehmen. Die Linie kenne ich im Schlaf, auch wenn die Numerierung nicht mehr stimmt.

Es war oft sehr spät, wenn wir sonntags nach dem Besuch meiner Großeltern auf die Insel zurückkehrten. Mir fielen manchmal die Augen zu, und nur die heftigen Kurven und das Geräusch der Züge, die über die Bahnbrücken fuhren, unter denen die Straßenbahn durch mußte, um ins Zentrum zu kommen, ließen mich wieder aufwachen. Hinter dem Hauptbahnhof sagte Mutter immer:

»Annja, nicht einschlafen, es ist nicht mehr weit, wir sind schon in der Stalinallee.« Eigentlich hieß sie seit zwanzig Jahren Wilhelm-Pieck-Allee, aber die wenigsten nannten sie so. Sie sieht aus wie alle Stalinalleen der Welt, nur ist sie etwas zu groß geraten für die Innenstadt. Auf dem der Straßenbahnhaltestelle gegenüberliegenden Haus war damals eine Reklame der Staatlichen Versicherung. Es waren ein großer Vater, eine etwas kleinere Mutter mit Rock bis zum Knie und ein Kind, von dem man nicht sagen konnte, ob es ein Mädchen oder ein Junge war. Über die Familie spannte sich ein großes Dach, das die Familie vor dem Regen schützte. Um sie herum war eine Mauer aus Buchstaben, die das Wort STAATLICHE VERSICHERUNG ergaben. Daneben leuchtete eine Schrift: Versichert – Gesichert. Erst ging Versichert an, dann Gesichert, bis Versichert ausging und nur noch Gesichert leuchtete. Die Ampelschaltung war langsam an dieser Kreuzung, und ich zählte mehr als dreißigmal Versichert – Gesichert, ehe die Bahn weiterfuhr. Jetzt blinkt eine andere Reklame. Erst COCA, dann COLA und dann COCA COLA, dreimal größer als Versichert – Gesichert.

Über die Gleise der Strombrücke fährt die Straßenbahn in Schrittgeschwindigkeit. Die Elbe fließt dunkel und träge dahin. In diesem Jahr wird es kein Frühjahrshochwasser geben. Der Pegel zeigt 1,54 m.

Ich bin die einzige, die auf der Insel aussteigt. Ich gehe an der Stelle vorbei, an der damals die Eisbude stand. Nach hundert Metern bin ich an unserem alten Haus. Ich schaue auf dem Klingelbrett nach und finde den Namen Paulsen. Ich wechsle die Straßenseite und steige auf die Kaimauer. Paulsen steht aufrecht vor einem riesigen Weihnachtsbaum. Mir scheint es, als habe er sich in den letzten fünfzehn Jahren nicht verändert, im Gegensatz zu Vater, der von Jahr zu Jahr gebeugter ging. Neben ihm steht seine Frau. Sie sagt etwas, was Paulsen offensichtlich in Rage bringt, denn er geht einen Schritt auf sie zu und schreit ihr etwas ins Gesicht. Frau Paulsen macht eine Geste, als wolle sie unter ihm abtauchen. Dann dreht er sich um und entzündet die Kerzen des Weihnachtsbaumes. Ein Fenster weiter stehen zwei jüngere Männer vor der geschlossenen Tür. Sie halten jeweils ein Kind auf dem Arm und scheinen zu warten, daß sie hereingebeten werden. Es können nur Pepe und Martin sein. Im Vordergrund sieht man die Hinterköpfe von zwei Frauen. Zu gerne würde ich wissen, ob Pepe und Martin noch Offiziere sind, wenn auch einer anderen Armee verpflichtet als der, der sie einen Eid geleistet haben.

In die Gruppe am rechten Fenster kommt Bewegung, denn Frau Paulsen hat die Tür geöffnet. Herr Paulsen steht vor dem Weihnachtsbaum und erwartet seine Schafe. Ich springe von der Kaimauer und überquere die Straße. Dann klingle ich Sturm und renne um die Ecke. Meine Schritte hallen. Ich stoppe erst, als ich auf Höhe des Milchladens bin. Die Jalousien sind seit Jahren nicht mehr geöffnet worden. In der ganzen Häuserzeile gibt es nur noch einen Laden. Es ist ein Schnäppchenmarkt, der alle Waren für 99 Pfennige anbietet. Wenn es nicht ein paar erleuchtete Fenster gäbe, könnte man meinen, die Insel sei völlig ausgestorben. Nur ein paar vergessene Plakate der letzten Kommunalwahl hängen an den Laternenmasten. Vater ist nicht unter den Kandidaten. Nach ein paar Schritten stehe ich vor dem Haus, in dem Rainer Hockauf gewohnt hat. Immer, wenn ich hier vorbeigehe, muß ich zu den Fenstern hinaufsehen. Wahrscheinlich ist die Wohnung nie wieder vermietet worden. Rainer Hockaufs Vater hatte sich als Abschnittsbevollmächtigter der Volkspolizei verpflichtet, pro Jahr zwei Pioniernachmittage für uns zu organisieren. Zu den Pioniernachmittagen zog er nie seine Uniform an, sondern kam im karierten Hemd, das nach einer Stunde durchgeschwitzt war. Er hatte mehr Kinne als mein Großvater; ich zählte vier, Simone II fünf, weil sie meinte, man könne die Falte kurz unter dem Mund auch als Kinn gelten lassen. Seine grauen Locken hingen ihm wirr ins Gesicht, und nach zwei Stunden war das Hemd aus der Hose gerutscht. Hockaufs Lieblingspioniernachmittag war Luftgewehrschießen. Wir standen im Werkraum hinter den Bänken und schossen in Richtung Tafel auf ein Metallkästchen, in das bei jedem Schützen eine neue Scheibe eingelegt wurde, auf der in der Mitte eine Gestalt zu sehen war, der wir in Kopf oder Brust schießen sollten. Hockauf machte es gerne vor, hielt auch den ganz Ungeschickten manchmal den Lauf und überprüfte, ob Kimme und Korn übereinstimmten. Er traf fast immer ins Schwarze. Eines Tages schickte er seine Söhne zum Fußball, die Mutter hatte ihnen noch eine neue blau-weiße Fahne genäht, schloß sich ein und schoß erst seiner Frau und dann sich selbst mit der Dienstpistole in den Kopf. Die Zeitung schwieg über den Vorfall, aber auf der Insel wütete die stille Post. Mal war es ein Liebesdrama, dann wieder ein politisches. Rainer Hockauf konnten wir nicht mehr fragen. Er kam nicht mehr in unsere Schule. Auf dem Appellplatz hätte ich gerne die Fahne auf halbmast gesetzt, aber ich durfte es nicht, denn Hockauf war nicht in Ausführung seines Dienstes gestorben.

An der Schifferkneipe hängen die Rollos schief herunter. Die Fensterscheiben der Wohnung des Försters im Nebenhaus sind eingeschlagen. Der Förster war kein Förster, er hieß nur so, weil er zu jeder Jahreszeit einen Jägerhut trug. Bei anderen hieß er auch der kleine Hitler, weil er den Bart wie Adolf Hitler rasierte und immer, wenn jemand zu nah an ihm vorbeiging, »Heil Hitler, mein Führer« schrie. Er war im Krieg drei Tage verschüttet gewesen und nun nicht mehr ganz dicht, wie Mutter sagte, dabei war sie selbst als Kind unter Trümmern begraben gewesen und schrie nie »Heil Hitler, mein Führer«.

Ich schaue zwei Häuser weiter in die Fenster von Jeannett Klaasen, aber auch sie ist schon lange weggezogen. Mit zwölf war ich oft hier, denn ich hatte die Patenschaft über sie und mußte ihr zweimal in der Woche bei den Hausaufgaben helfen. Die Wohnung hatte nur zwei Zimmer, und dauernd turnten ihre kleinen Geschwister um uns herum. Ihre Mutter war inzwischen Schichtarbeiterin in der Kantine des Thälmannwerkes und hatte sich von ihrem Binnenschiffer scheiden lassen. Nun brachte sie alle paar Wochen einen anderen Mann mit nach Hause, die alle Liebling genannt wurden. Irgendwann hatte Jeannett angefangen, sie zu zählen. Bei Liebling 22 fing meine Nachhilfe an. Nach zwei Jahren war sie bei Liebling 40. Einmal zeigte sie mir, wie man die schlecht verpackten Kondome unbemerkt öffnen und wieder verschließen kann und mit winzigen Nadeln kleine Löcher in das Gummi sticht. Ich sagte ihr, daß das doch Quatsch sei, dann bekäme sie noch mehr Geschwister und müsse auf die auch noch aufpassen. Sie hielt es aber trotzdem für eine gute Idee. Kurz danach zog ihre Mutter mit ihr und ihren Geschwistern zurück nach Thüringen, wo sie hergekommen waren.

Neben den Kleingärten an der Böschung taste ich mich zum Ufer vor und setze mich auf den Ast einer Weide. Von hier aus bin ich einmal heimlich über das Eis zur Schule gegangen. Unter meinen Füßen riß es, und ich traute mich weder vor noch zurück. Vor Angst rutschte ich auf dem Bauch ans andere Ufer. Vor mir brach jemand ein und wurde von den anderen aus dem Uferschlick gezogen. Jetzt hat sich nur an den geschützten Uferrändern eine Eisschicht gebildet. Der Regen, der in winzigen Tropfen auf die Wasseroberfläche fällt, ist mit Schnee vermischt. Gegenüber in den Kasernen brennt kein Licht mehr. Auch die Schule ist seit Jahren geschlossen, weil es nicht mehr genügend Kinder gibt in den Abrißhäusern rechts und links der Alten Elbe.

Durch die Böschung am Ufer schlage ich mich bis zur Badstraße durch. Als ich auf die Straße treffe, habe ich Kletten im Haar und friere. Ich laufe bis zum Hochhaus und fahre mit dem Fahrstuhl in die 18. Etage. Hinter den dünnen Türen sind Weihnachtslieder zu hören. Vorsichtig schleiche ich über den Flur und schließe so leise wie möglich die Tür auf. Als erstes gehe ich in die Küche und schaue im Mülleimer nach. Er ist leer, aber ganz unten finde ich drei Glasröhrchen, an deren Innenseiten eine puderartige Schicht zurückgeblieben ist.

Wenn meine These stimmt, dann kann nur Luise Gladbeck die Tabletten geschluckt haben, und zwar nachdem sie Vater in den Kälteschlaf befördert hat.

Ich beginne, die Fächer des Schreibtisches durchzuwühlen. Zuerst stoße ich auf einen Hefter, auf dem »Elternaktiv, Klasse 3a« steht. Es ist die Schrift meiner Mutter. Unter »Aufgaben des Elternaktivs« lese ich:

Maßnahmen zur politisch ideologischen und moralischen Erziehung:

Im Mittelpunkt unserer Arbeit steht in diesem Jahr die Vorbereitung des 50. Jahrestags der Gründung der UdSSR sowie der X. Weltfestspiele der Jugend und Studenten in Berlin. Dabei unterstützen wir die Kinder bei der Erfüllung des Pionierauftrages: »Mit guten Taten überall – voran zum X. Festival.«

Das E. A. stellt sich im einzelnen folgende Aufgaben:

– unmittelbare Einflußnahme auf die klassenmäßige Erziehung der Schuljugend

– Durchführung von Kontrollen, besonders über die Entwicklung der einzelnen Schüler und der Klasse als Kollektiv

– Einflußnahme auf die übrigen Eltern durch eine planmäßige pol.-ideolog. und pädagog. Propaganda bei Elternversammlungen

Besonderes Augenmerk ist auf die Förderung der Arbeiter- und Bauernkinder zu legen, da sie befähigt werden müssen, ihre gesellschaftliche Stellung zu nutzen.

Das Elternaktiv traf sich nur wegen des vorzüglichen Eierlikörs häufiger bei uns. Mutter machte ihn für diesen Abend extra stark aus hundertprozentigem Alkohol, den sie aus ihrem Chemielabor geklaut hatte. Wenn Ei und Sahne dazugerührt waren, hatte er noch mindestens 45 %, und somit reichte es im allgemeinen, zwei Gläschen pro Person auszuschenken, das erste auf dem Eis meines Vaters verkippt, das zweite als Nachschlag auf ex, um die Runde aufzulockern. Sie leckten dann immer noch mit ihren Zungen die

Gläser aus. Danach waren sie eigentlich nur noch lustig und schwatzten über ganz andere Dinge als über Rahmenpläne für das neue Schuljahr.

Meistens tauschten sie Rezepte oder unterhielten sich darüber, was sie ihren Kindern zu Weihnachten oder zum Geburtstag schenken wollten. In späteren Jahren unterhielten sie sich auch darüber, welches Mädchen schon ihre Regel hatte oder sich mit Jungs herumtrieb. Kurz bevor meine Mutter zu später Stunde noch einmal nachgoß, sagte Frau Blumenstein: »Jetzt müssen wir aber mal noch zum Ernst kommen«, und sie fing an, Mutter einen von diesen Sätzen zu diktieren, immer wieder unterbrochen durch Polizistenwitze, die Hockauf erzählte, bis Frau Blumenstein sagte, das müßte eigentlich reichen, und sie nach drei weiteren Schnäpsen nach Hause wankten.

Ich sollte den Hefter Mutter schicken, die schließlich Kulturwissenschaftlerin ist und vielleicht mal über die Geschichte der Elternaktivbewegung forschen könnte. Eine Schublade darüber finde ich einen Schlüssel.

Unter ihm liegt ein Schreiben mit dem Briefkopf der Treuhand:

Als Bevollmächtigter der Abwicklung Ihres Kälteinstitutes bitten wir Sie, das Gebäude besenrein zu verlassen und den Schlüssel am Montag, dem 30.12. im Gebäude der Treuhand, Zimmer 324, abzugeben.
Dr. Hubertus Klein

Ich nehme den Schlüssel und verlasse die Wohnung. Bevor ich das Institut aufschließe, sehe ich mich noch einmal um. Die Straße ist leer. Die Eingänge des Hauses gegenüber dem Institut sind vermauert. Ammoniakgeruch schlägt mir entgegen, als ich den Vorraum betrete. Der Geruch ist mir vertraut, nur war er damals nicht so stark. Ich stehe vor dem Pförtnerhäuschen, von dem aus Hanna Mausolf immer meinen Vater angerufen und nachgefragt hat, ob ich hochkommen kann. Aber Hanna Mausolf ist schon vor drei Jahren gestorben. Als ich die Pförtnerbude betrete, riecht es nach Hannas Veilchenparfüm, vermischt mit Zigarettenrauch. Auch das Schlüsselbrett ist noch da. Ich nehme alle Schlüssel auf einmal, sie haben kleine Plasteanhänger, auf denen die Zimmernummern stehen. Jetzt tut es mir schon leid, daß ich nicht tagsüber hergegangen bin, denn es ist stockdunkel, nur durch die Glasbausteine im Treppenhaus fällt das Licht der Straßenlaterne. Als ich mich umdrehe, sitzt plötzlich Hanna Mausolf mit ihrem massigen Körper auf dem

Stuhl, der eben noch leer war. Sie zieht an ihrer Karo und sagt, während der Rauch aus ihrem Mund entweicht: »Ich habe es genau aufgeschrieben. Dein Vater ist seit 1961 8758 Minuten zu spät gekommen.«

»Das geht ja noch, sage ich.«

»Er hält den Rekord.«

»Er hat einfach zu nah am Institut gewohnt«, versuche ich zu beschwichtigen, »er hat gedacht, er schafft es in einer Minute. Dabei ist er immer erst beim Ton des Zeitzeichens losgegangen.«

»Alle anderen waren pünktlich.«

»Wer ist sonst noch im Haus?«

»Alle«, sagt sie, »der Strom ist ausgefallen. Sie arbeiten am Notstromaggregat.«

»Ist mein Großvater auch da?«

»Selbstverständlich, soll ich ihm Bescheid sagen? Du warst so lange nicht hier.«

»Nein, es ist eine Überraschung. Aber ist denn niemand gestorben in der Zeit, wo ich nicht da war?«

»Nein, warum denn, das ist doch hier ein Institut der Kältekonservierung. Wir leben ewig. Nur du mußt sterben, weil du keinen Arbeitsvertrag mit dem Institut hast.«

»Aber ich verkaufe doch Eis.«

»Das gilt nicht. Man muß drei Stunden am Tag in den Kühlzellen des Institutes verbracht haben. Und das zwanzig Jahre lang.«

»Dann müßten Sie doch auch sterblich sein.«

»Ich habe genug Ammoniak eingeatmet.«

Sie drückt auf den Summer, und ich trete ein.

Ich gehe nach links und trete auf weiches Linoleum. Ich taste mich zum Ende des Ganges und öffne die Tür.

»Ach, die Annja. Eine richtige Dame ist unsere kleine Prinzessin geworden«, sagt Ottilie und klatscht verzückt in die Hände.

»Wo ist mein Großvater?«

»Tja, der Großvater, da will ich doch gleich einmal nachsehen.«

Ich schiebe sie zur Seite und öffne die Tür selbst. Sie ist innen mit Leder gefüttert. Wenn Großvater einen Mitarbeiter anschrie, war es nicht durch die Tür, sondern durch die Wand zu hören.

»Muß ich das jetzt noch mal betonen?« fragt Großvater drei Männer, die am Konferenztisch sitzen, »ich habe euch nicht bei den Russen ausgelöst, um mit euch in der 2. Liga zu spielen. Da muß mindestens der Europapokal herausspringen, wenn ihr wißt, was ich meine. Raketeningenieure, daß ich nicht lache. Ihr seid keine

Raketeningenieure mehr. Hat sich ausgeschossen mit der V2, ihr seid jetzt Kälteingenieure und baut hier die Maschine.«

Die drei stehen stumm auf und deuten gleichzeitig eine Verbeugung an. Dann machen sie auf dem Absatz kehrt und gehen im Gleichschritt hintereinander aus dem Zimmer wie Roboter.

An der Wand hinter dem Schreibtisch hängt Wilhelm Pieck. Er lächelt freundlich.

»Großvater«, sage ich, »erkennst du mich?«

»Wieso sollte ich dich nicht erkennen? Hier, ich habe dir etwas mitgebracht.« Er geht zu einem Schrank, der in der Ecke des Zimmers steht, und holt ein Bündel Kleider heraus. Dem Schnitt und dem Stoff nach sind sie aus den vierziger Jahren.

»Komm steig auf den Tisch und zeig, ob sie dir stehen.«

»Kann es sein, daß du mich mit jemandem verwechselst? Mit Trude vielleicht?«

»Papperlapapp, Trude! Wenn du die Kleider nicht anziehen willst, dann hilf mir wenigstens, die Pläne für das Flachkühlhaus zu suchen. Man kann hier einfach nichts finden bei der Dunkelheit.«

»Zu Befehl«, sage ich und verlasse das Zimmer. Die Kleider lasse ich liegen. In dem Rahmen über dem Schreibtisch ist Walter Ulbricht zu sehen. Wenn ich noch fünf Minuten länger bleibe, ist es wahrscheinlich Honecker vor blauem Hintergrund.

»Annja!« schreit er mir noch hinterher, »die Weihnachtsfeier ist im Essenraum. Wartenberg ist diesmal der Weihnachtsmann. Ich habe ihm verboten, die Rute mitzunehmen, und Kinder, die den Text vergessen, müssen in diesem Jahr auch keine gefrorenen Erbsen essen.«

Ich renne über den Gang in Richtung Haupthaus. Der Boden bewegt sich unter meinen Füßen.

»Langsam, langsam«, ruft Ottilie hinter mir her, »du bist ja immer noch so ein Trampel!«

Ich haste die Treppe nach oben.

Die Empore steht voller Kerzen.

In der Mitte steht Malte Großmann und schreit: »Die Albaner, die haben keine Uhren, die können die Zeit weder vor- noch zurückdrehen.« Mit einem Stock zeigt er auf die Losung über seinem Kopf: »Kühlgut ist Volksgut«. Die gefriergetrockneten Erdbeeren in der Vitrine auf dem Zwischengang saugen sich wie von selbst mit Wasser voll und werden dunkelrot.

»Gehe nicht ins verbotene Zimmer«, schreit Malte Großmann.

Aber ich habe die Tür schon geöffnet und trete in die Halle, in der drei Leute an einer Maschine tüfteln.

»Was ist das?«

»Das ist der Rundgefrierer, den wir heimlich nachgebaut haben. Er macht uns frei von Importen. Aber uns fehlen noch zwei Zentimeter Kupfer, die wir nicht zugeteilt bekommen.«

»Aber wozu braucht ihr diese Maschine noch, es gibt doch jetzt alles im Überfluß.«

»Frag deinen Vater«, sagt der, der unter der Maschine liegt.

Ich haste die Treppe herunter und um die Ecke zu den Kühlzellen.

»Hey, hey«, sagt Chauffeur Rode, »hier ist die Eskimo-Abteilung. Ohne Mütze kein Zutritt.«

Er stülpt mir eine Pelzmütze über den Kopf.

Ich stürze in Vaters Zimmer. Er steht an seinem Aquarium und holt mit dem Kescher tote Neonfische aus dem Wasser. Er schaut sie kurz an, dann öffnet er das Fenster und schleudert sie in die Büsche. »In fünf Minuten läuft der Countdown«, sagt Vater. »Setz dich in die Kühlzelle, Luise wartet schon auf dich. Ich werfe nur die Fische noch schnell weg. Sie sollen den anderen nicht in die Hände fallen.«

»Was geht hier vor?«

»Das Institut startet in den Kosmos. Die Raketeningenieure haben den Antrieb endlich hinbekommen. Seit 1951 arbeiten sie daran.«

»Dann ist der Rundgefrierer in der Maschinenhalle nur eine Tarnung?«

»Wozu brauchen wir noch einen Rundgefrierer. Die ganze Eiskremforschung war nur eine Tarnung. Wir haben vierzig Jahre darauf hingearbeitet, daß wir eines Tages mit unseren gefriergetrockneten Produkten in den Weltraum fliegen und dort eine neue Gesellschaft errichten können. Es war ein Forschungsprojekt im Sinne der Kybernetik. Sollte es mißlingen, werden wir ein Komet in der Vortschen Wolke.«

»Na, dann viel Spaß«, sage ich.

»Willst du denn nicht mitkommen?«

Ich schüttle den Kopf.

»Fliegt alleine. Wenn ihr als Sternschnuppe herunterfallt, dann werde ich mir etwas wünschen.«

»Wenn du schon nicht mitkommen willst, könntest du dann wenigstens die Kühlzelle hinter uns schließen? Du weißt doch, wie das Rad zu drehen ist.« Ich nicke.

Vater hebt den Arm zum Abschied. Dann betritt er die Kühlzelle. Im Nebel sehe ich sie alle noch einmal: Großvater, Vater, Ottilie, Luise Gladbeck, Rode, Hanna Mausolf, Großmann und Wartenberg.

Dann schließe ich die Tür und drehe das große Schwungrad bis zum Anschlag.

Als ich das Institut verlasse und zweimal hinter mir abschließe, ist es Tag. Ich gehe zu dem Fenster, hinter dem das Büro meines Vaters war. Ich kann die Neonfische nicht finden, die er aus dem Fenster geworfen hat. Ich bin mir nicht sicher, ob ich geträumt habe. Wie dem auch sei, die Frage ist, was ich mit dem Schlüssel machen soll. Ich könnte ihn in den Gully werfen. Oder ich könnte ihn zu Vater in die Truhe legen, vielleicht würde ihn das beruhigen. Wenn der Schlüssel aber nicht bei der Treuhand ankommt, dann werden sie Vater suchen lassen, notfalls von der Polizei. In der Wohnung finde ich ein Blatt Papier mit dem letzten Briefkopf des Institutes und stecke ihn in einen Umschlag. Bei Großmutter werde ich mir die Schreibmaschine nehmen und den Brief an die Treuhand schreiben:

Sehr geehrter Herr Dr. Klein, leider war es mir in den letzten Tagen aus gesundheitlichen Gründen nicht möglich, persönlich bei Ihnen vorbeizukommen. Hiermit übergebe ich Ihnen den Schlüssel des von mir als persönlichem Beauftragten abgewickelten Forschungsinstitutes für Kältewirtschaft. Mit freundlichen Grüßen

Klaus Kobe

Vorher müßte ich noch ein bißchen üben, um die Unterschrift nachzumachen. Als Kind mußte ich das nicht können.

Im Geheimfach des Schreibtisches finde ich neben meiner ersten Geburtsurkunde, auf der mein Vorname fehlt, einen handschriftlichen Bericht. Das Papier ist noch nicht vergilbt. Es ist eindeutig Vaters Schrift.

Bericht vom Ende

Anfang 1991, die Vereinigung war drei Monate her, ist festgelegt worden, daß unser Institut evaluiert wird. Wie überall in den neuen Bundesländern wurden auch in Sachsen-Anhalt Evaluierungskommissionen gebildet, deren Mitglieder aus den Bundesministerien für Wissenschaft und Landwirtschaft kamen. Die Kommissionen besuchten unser Haus im Juni 1991. Wir haben uns wochenlang auf diese Prüfung vorbereitet und unser Institut auf den neuesten Stand gebracht. Vor dem Besuchstermin ließen wir einige Experten aus westlichen Instituten zu uns kommen, die uns Hinweise gaben, worauf wir uns vorbereiten sollten. Darunter waren auch kuriose Dinge: Es wurde uns angeraten, aus den Labors die Spiegel zu entfernen, weil es nicht üblich sei, daß sich Laborantinnen während der Arbeitszeit im Spiegel angucken oder sich frisieren, wenn sie arbeiten. Es wurde uns angeraten, alle Grünpflanzen aus dem Labor zu entfernen, weil das ungünstig sei für einen exakten Laborbetrieb. Wir haben das eigentlich in keiner Weise eingesehen, uns aber dann doch an die Empfehlungen gehalten. Die ganze Sache erinnerte uns sehr stark an einen Besuch von Politbüromitgliedern in den siebziger Jahren in unserem Institut, wo auch vorher eine Kommission durch das Institut gegangen war und uns darauf hingewiesen hatte, was für Bilder in den Labors zu hängen hätten. Damals mußte der Staatsratsvorsitzende aufgehängt, mußten die Blumenbilder abgehängt werden.

Die Kommission kam dann auch, die Mitglieder erinnerten mich in ihrem Habitus stark an die damaligen. Unser Institut wurde als sehr gut und förderungswürdig eingestuft.

Wir hatten uns mit den anderen drei Instituten, dem Institut für Fleischwirtschaft, dem Institut für Obst- und Gemüseverarbeitung und dem Institut für Ölwirtschaft geeinigt, ein gemeinsames Institut für Ernährungswirtschaft zu bilden, weil uns klar war, daß wir getrennte Einrichtungen nicht weiterbestehen lassen konnten, und haben unseren Entschluß auch schriftlich vier Wochen vorher an die Evaluierungskommission gegeben, mit Prüfungsberichten aus allen Instituten. Dieses Ergebnis wurde akzeptiert, und in dem Endergebnis der Evaluierung wurden alle vier Institute als gut eingeschätzt. Der Vorschlag der Zusammenlegung zu einem Institut für Ernährungswirtschaft wurde bestätigt. Wir hatten klare Vorstellungen, wie es weitergehen könnte. Wir hatten Absprachen mit dem Landtag getroffen, aber leider gab es einige Personen im Ministerium für Landwirtschaft, die diese Dinge nicht akzeptiert und die Gründung des Institutes für Ernährungswirtschaft nicht befürwortet haben. Als einziges Institut sollte das Ölinstitut weiterbestehen. Unser Institut wurde trotz der guten Evaluierung abgewickelt und mußte zum 31. 12. 91 seine Tätigkeit beenden.

Wir haben damals protestiert, aber alle unsere Pläne wurden uns als undurchführbar dargestellt. Wir hatten dann noch einmal ein Gespräch mit der damaligen Ministerin für Landwirtschaft, das aber auch zu nichts führte.

Die Immobilie wurde an einen Investor verkauft, der daraus eine völlig forschungs- und institutsfremde Einrichtung bilden wird. (Spielhölle)

Das gesamte Mobiliar wurde verschrottet, nur wenige Dinge aus den Labors gingen an einige weiterbestehende Labors.

Ich hatte das »Glück«, ich schreibe das hier bewußt in Anführungsstrichen, für unser Institut zum Leiter der Abwicklung ernannt zu werden. Ich konnte noch zwei Monate länger dort arbeiten und Gehalt beziehen. Die letzten Wochen habe ich damit verbracht, Container zu beladen und sie auf die verschiedensten Müllkippen zu fahren, und die Dinge, die noch verwendungsfähig waren, wie Chemikalien oder Glasgeräte, anderen Einrichtungen anzubieten. Die Kühlgeräte wurden zur Entsorgung vorbereitet und auf dem Hof für den Abtransport bereitgestellt. Als alle Gegenstände verschwunden waren und die Räume leer vor mir lagen, habe ich Raum für Raum gekehrt, denn ich muß alles besenrein der Treuhand übergeben.

Fast auf den Tag genau war ich dreißig Jahre an diesem Ort beschäftigt …

Mit diesem Satz bricht das Schreiben ab.

Ich nehme es an mich und verlasse die Wohnung. Vorher horche ich noch, ob jemand auf dem Flur ist. Dann schleiche ich mich zur Treppe und renne die 288 Stufen hinunter.

Warum ist mir gestern nicht aufgefallen, daß der Weg von Ost nach West durch die Stadt mit alten Kühlschränken vollgestellt ist? Wie traurige Demonstranten stehen sie an den Ecken, mal alleine, mal zu dritt oder zu viert. Am häufigsten ist der »Kristall 130«, auch in seiner späteren Form als »FORON H 130«. Die meisten sind weiß, aber es gibt auch den einen oder anderen mit einer Dekorplatte in Teak-Holz-Imitation, wie es in den achtziger Jahren Mode war. Ab und an sieht man auch den »Kristall 63« mit seiner bauchigen Tür und dem Griff, der dem des Wartburgs ähnelte. Er hat fast dreißig Jahre gehalten, im Gegensatz zum »Kühlautomat 320«, den ich an der Ecke zur Karl-Marx-Straße entdecke. Daneben stehen die kleinen Gefrierschränke, das erste Modell, der »H 55 TK« aus den siebziger Jahren, häufiger als der »GS 150«, den sich nur wenige leisten konnten. Vielen fehlt die Tür. Die Tür war immer ein Ärgernis für Vater. Das Magnetprofilband hielt nicht lange, und die Dichtungsgummis leierten viel zu schnell aus, aber jetzt ist vielen die Tür mutwillig abgerissen worden, als habe jemand seinen ganzen Frust an einem Kühlschrank abreagieren müssen. Es hat etwas Schamloses, den Kühlschränken in ihr Inneres zu schauen. Die hellgrünen Klappen des »H 170« hängen herunter oder sind ganz verschwunden, manchmal fehlt auch das Butterfach oder die Ablage für die Eier. Bei einigen ist die Plasteverkleidung mit der Zeit nachgedunkelt, und man sieht die Flecken, die sich irgendwann mit Fit nicht mehr entfernen ließen. Auf dem Weg von der Straßenbahn zu Großmutters Wohnung öffne ich die eine oder andere Tür der unbeschädigten Kühlschränke. In manchen liegen noch Lebensmittel. Es riecht streng.

Vierter Teil

30. Kapitel

Obst und Gemüse
Beim Gefrieren auf Metallbändern ist das Haftenbleiben des Gefriergutes an der Metallfläche so weit wie möglich zu vermeiden, weil sonst das gefrorene Produkt beim Abbrechen beschädigt wird.

Den ganzen Weg über ist mir, als habe ich dieses Bild der aufgeschichteten Kühlschränke schon einmal gesehen. Erst als ich an der Ruine der Gaststätte »Zum elektrischen Funken« vorbeikomme, fällt es mir wieder ein. Es war Ende der siebziger Jahre, als die ersten Berichte aus Kambodscha an die Öffentlichkeit kamen. Vater konnte mir nicht erklären, warum Kambodscha zur sozialistischen Welt gehörte, wo man dort doch alle Kühlschränke aus den Häusern geholt und zu großen Scheiterhaufen gestapelt hatte wie später auch die Ermordeten. Ich glaube, er bereute, mich auf die Erweiterte Oberschule geschickt zu haben. Auf der Insel waren die Fragen, die ich gestellt hatte, überschaubar gewesen. Sie betrafen uns und unsere kleine Welt, die sich zwischen Eiskrem mit Milchfett und Eiskrem mit Pflanzenfett bewegte.

Als ich in den Korridor trete, sehe ich sofort, daß etwas nicht stimmt. Die Tür zum Schlafzimmer steht offen. Ich weiß genau, daß ich sie gestern geschlossen habe, bevor ich die Wohnungstür hinter mir zuzog. Großmutters Bett ist leer. Ich finde sie in der Küche neben der Kühltruhe. Sie liegt eigentümlich verrenkt auf dem Boden, das Nachthemd ist ihr hochgerutscht. An den Rippen sind Blutergüsse, die offensichtlich von dem Sturz herrühren. Ich bewege ihre Glieder, aber sie scheint sich nichts gebrochen zu haben. Neben ihrem Körper liegt ein Stuhl. Er stand gestern noch im Arbeitszimmer. Als ich Großmutter hochhebe, macht sie die Augen auf und starrt mich böse an. Ich trage sie zurück in ihr Bett. Ihr Gesicht mit den eingefallenen Augenhöhlen sieht streng aus, als würde sie alle Muskeln anspannen und die Zähne aufeinanderbeißen, die sie gar nicht mehr im Mund hat. Sie zieht sich die Decke übers Gesicht. Ich gehe in die Küche zurück und schaue in die Kühltruhe. Vaters Lage hat sich nicht geändert.

Vielleicht sollte ich Vater mitsamt seiner Kühltruhe auf die Straße stellen. Ich könnte den Deckel wieder zukleben und ein paar FORON- oder dkk-Kühlschränke darüberstapeln. Ich weiß nicht, ob sie die Kühlschränke noch einmal auf hinterlassene Lebensmittel überprüfen oder sie gleich in die Schrottpresse geben. Ich gehe ins Arbeitszimmer und schreibe mit der Schreibmaschine den Brief an die Treuhand auf dem Papier des Forschungsinstitutes. Ich muß ein paar Stunden üben, bevor mir Vaters Unterschrift leicht von der Hand geht. Dann verlasse ich das Haus und werfe den Brief in den nächsten Kasten. Er ist leer, und das Geräusch des Schlüssels klingt noch eine Weile nach.

Ich mußte jeden Tag quer durch die Stadt, um zur Erweiterten Oberschule zu kommen. Über den Häusern hing jeden Morgen ein dreckiger Dunst, der manchmal ätzend roch, vor allem wenn das Kaffeewerk röstete. Der Geruch wehte bei Westwind in Richtung Schule und verursachte Kopfschmerzen, so daß man selbst bei größter Hitze die Fenster schließen mußte.

Meine Mitschüler waren Kinder von Direktoren oder von »Helden der Arbeit«. Gleich am ersten Tag fragte Kornblum, der sich uns als neuer Klassenleiter vorgestellt hatte, nach den Genosseneltern. Fast alle meiner neuen Mitschüler meldeten sich. Hinter meinem Namen schrieb Kornblum Vater Doppelpunkt Demokratische Bauernpartei Deutschlands und guckte streng über seine Halbbrille.

»Dafür daß du ein Bauernkind bist, hast du aber ein bißchen zu wenig Fett auf den Rippen.«

»Ich bin kein Bauernkind«, sagte ich trotzig, »mein Vater ist Kälteingenieur.« Es half nichts, ich hatte meinen Spitznamen Bauernkind weg. Er überstand die ersten drei Wochen nicht, weil er zu lang war. Außerdem gab es auf dem Festland die Angewohnheit, alle Spitznamen mit i enden zu lassen. Ich hieß dann eine Weile »Strichi«, weil ich so dünn war.

Ich traf gleich am ersten Tag Ernst wieder, der hier aber nicht Ernst, sondern Luschi hieß, was eine Ableitung seines Nachnamens Palluschek war. »So sieht man sich wieder«, sagte er, »schau dich um, das ist vom Geist einer ehemaligen Klosterschule übriggeblieben. Beton und ein Schulneubau Typ Erfurt, bei dem du die Fenster nicht aufmachen kannst, ohne daß sie dir als Ganzes entgegenfallen. Mit Kultur darfst du hier nicht rechnen. Mit klugen Lehrern nur ausnahmsweise.«

Ich hatte Ernst mitten auf dem Schulhof getroffen, auf dessen Betondecke im Rechteck die Stellplätze der Klassen aufgemalt waren.

In meiner alten Schule war der Appellplatz von Bäumen umgeben gewesen, hier gab es weit und breit keinen Baum.

Ständig kamen andere Jungen und begrüßten Ernst mit Handschlag. »Na, baggerst du das Frischfleisch aus der Neunten an«, fragte einer. »Das ist Steff«, sagte Ernst zu mir, »kennt sich gut in DDR-Recht aus, sein Vater ist Staatsanwalt.«

»Und was macht dein Vater?« fragte Steff, um von sich abzulenken. »Mein Vater macht Eis.«

»Wie, was Eis? Hat er 'ne Eisbude?«

»Nee, eine Erzeugnisgruppe.« Ernst grinste. »Aha«, sagte Steff nur, »eine Erzeugnisgruppe, sehr interessant. Mann, da kenne ich einen guten Witz. Es ist 1. Mai, alle haben geflaggt, nur einer, der im Erdgeschoß wohnt, hängt eine Eisfahne raus. Da kommt eine Familie und klopft an die Scheibe. ›Vier Eis bitte.‹ – ›Is alle‹, sagt der Mann und holt die Fahne rein.«

Unser Lachen klang nicht besonders überzeugend.

»Na, da will ich dich mal mit deiner neuen Freundin lieber alleine lassen«, sagte Steff und ging betont lässig in Richtung Turnhalle.

»Mach dir nichts draus«, sagte Ernst, »die sind hier alle so. Kaum wächst ihnen ein Bart, spielen sie verrückt. Die Tücken der Pubertät.« Ernst kam mir seltsam abgeklärt vor, ganz anders, als ich ihn in Erinnerung hatte.

»Wir haben hier einen ganz guten Klub im Keller. Vorwiegend Blues. Wenn keine Lehrer dabei sind, hören wir manchmal auch Renft oder Biermann.«

»Ist der nicht verboten?« fragte ich flüsternd. »Natürlich ist der verboten, aber er ist urst gut, nur leider hat einer aus meiner Klasse sich von Kornblum erwischen lassen, und jetzt sitzt er zur Bewährung in der Produktion. Also, hüte dich vor Kornblum. Der ist ein harter Bursche, mit dem darfst du es dir nicht verderben. Der war mal Fremdenlegionär.«

»Fremdenlegionär?« fragte ich. »Wie kommt der dann hierher?«

»Das wird er euch bestimmt noch selbst erzählen.«

Kornblum pflegte ein Ritual. Jede neunte Klasse, die er übernahm, mußte mit ihm noch vor den Herbstferien in eine Jugendherberge im Harz fahren, wo er am ersten Abend alle Schüler um sich versammelte und seine Geschichte erzählte. Es war die wundersame Wandlung eines jungen verführten Menschen, der sich in den Wirren der Nachkriegszeit zur Fremdenlegion meldete und in den französischen Kolonialkrieg gegen Vietnam geschickt wurde. Er war überzeugt davon, auf der richtigen Seite zu kämpfen, aber dann wurde er nach einem Gefecht von Vietnamesen gefangengenommen und in den Dschungel verschleppt. In der Gefangenschaft lernte er, daß er an einem Eroberungskrieg teilgenommen hatte und kämpfte fortan auf der anderen Seite, bevor es ihn als Lehrer in unsere Stadt verschlug. Das klang für unsere Ohren alles ein bißchen seltsam, aber Kornblum nötigte uns, mit ihm Schnaps auf die Freundschaft mit dem vietnamesischen Volk zu trinken, denn er war der Meinung, ausreichende Trinkfestigkeit schütze in Situationen, in denen jemand versuche, uns mit Hilfe von Alkohol gefügig zu machen. Am Ende des Abends waren wir alle betrunken und wußten am Morgen nicht mehr so richtig, was er uns eigentlich erzählt hatte.

Jahre später wurde Kornblum mit Salut und Trauerrede des stellvertretenden Sekretärs der Bezirksleitung begraben und tauchte ein halbes Jahr später wieder auf. Es konnte kein anderer als Kornblum sein, denn Ernst, der ihn auf der Straße einer anderen Stadt gesehen haben wollte, berichtete von der trotz des Vollbartes gut sichtbaren Narbe am rechten Kinn. Die berühmte Narbe, die von einer Kugel stammte, die eine Vietcong-Frau ihm dort hingeschossen und mit ihr sein Umdenken in Gang gesetzt hatte. Ich habe damals über den seltsamen Vorfall nur kurz nachgedacht und ihn dann vergessen, weil ich die Zeit mit Kornblum aus meinem Gedächtnis streichen wollte.

Kornblum nahm mich kurz nach den Herbstferien des Jahres 1978 zur Seite, als ich mal wieder das Schulessen in den Kübel kippte.

Dabei kam er einem nicht mit den hart arbeitenden Genossenschaftsbauern, die traurig seien, wenn man nicht aufesse. Kornblum sagte nur: »In meiner letzten Klasse hatte ich eine Schülerin, die verhungert ist.« Von ihm hörte ich zum ersten Mal das Wort Magersucht. Ich hatte mir nie Gedanken gemacht, daß es für mein Aussehen einen Namen gab. Auf Kornblums Frage, ob ich nach dem Essen brechen müsse, konnte ich nur mit »Nein, wieso?« antworten. »Was ißt du denn den ganzen Tag?« Ich zuckte mit den Schultern. »Schau doch mal in den Spiegel, du hast mindestens zehn Kilo Untergewicht. Findest du das schön?«

»Interessiert mich nicht.« Erst die Klingel zur nächsten Stunde erlöste mich. Ich hatte keine Lust, mir über meinen Körper Gedanken zu machen.

Wir hatten auch keinen Spiegel mehr, der bis zum Boden reichte, seit Vater in der alten Wohnung gewütet hatte. Vater knotete sich seinen Schlips seitdem vor dem Badezimmerspiegel. Er bemerkte nicht, daß ich immer dünner wurde, nur Großmutter sagte manchmal: »Kind, du mußt mehr essen, du siehst ja aus wie die Kinder in Afrika.« Sie ging mir auf die Nerven, und ich weigerte mich, bei ihr zu wohnen, wenn Vater unterwegs war.

Er war jetzt oft weg. Ein Jahr lang reiste er durch die ganze DDR. Schon er hatte in der Schule gelernt, daß eine Kette immer so stark ist wie ihr schwächstes Glied (Ernst Thälmann). Die Kühlkette, die er verwaltete, war gerissen, und er bekam den Auftrag, sie wieder zu schließen. Die Kette war der Weg, den das Eis von der Produktion zu dem von Vater Verbraucher genannten Eisesser nahm. Zwar gab es wieder Milchfett als Zutat und ab und an ein paar Früchte, sie hatten es geschafft, Butterabpackmaschinen so umzubauen, daß man in dem Pergamentpapier Eis einpacken konnte, und Vaters Abteilung hatte dafür den Titel »Kollektiv der sozialistischen Arbeit« bekommen. Sie hatten die großen Kühlhäuser aus Großvaters Zeiten, die Deutsche Reichsbahn war mit Kühlwagen ausgerüstet, und für den Langstreckenverkehr auf der Straße waren Kühlfahrzeuge aus dem Westen importiert worden. Nur bis in die Verkaufsstellen kam das Eis nicht. Denn es gab nicht genügend kleine Kühlfahrzeuge, die das Eis aus den Kühlhäusern in die Geschäfte transportieren konnten. Also mußte man ungekühlte Fahrzeuge nehmen. Vaters Aufgabe war es nun, zusammen mit einem Hygieneinspektor in einem ungekühlten Fahrzeug eine bestimmte Strecke abzufahren und dann zu prüfen, ob das Eis, was aus den Autos geholt wurde, noch genießbar war. Vater hatte sein Thermometer und der Hygieneinspektor ein Mikroskop mit, mit dem er die Charge auf Mikroorganismen untersuchte. Eingerechnet werden mußten auch Reifenpannen, denn die Fahrzeuge waren meist schon sehr altersschwach, und nur jeder dritte Transport erreichte sein Ziel ohne Panne. Die Temperatur durfte nicht über –10 Grad steigen. Vater fuhr vom Erfurter Kühlhaus bis nach Arnstadt, wo das Eis noch genießbar war, aber schon in Gotha sah es nicht mehr so gut aus. Bis Friedrichroda war nicht mehr als eine zerflossene Masse übrig. Der Hygieneinspektor schüttelte bedenklich den Kopf, und so gab es im Sommer im Thüringer Wald nur das Streicheis von der Bude, und die Gegend um Gotha bekam einen weißen Kreis auf der Landkarte der DDR. Am Ende war Vater in die entlegensten Nester der DDR gefahren, und die Landkarte war über und über mit weißen Kreisen bedeckt. Die abzuarbeiten sah er inzwischen als seine Lebensaufgabe an. Da blieb kaum Zeit für die Probleme eines pubertierenden Kindes. Kornblum hatte ein einziges Mal Elternbesuch gemacht, aber sie hatten sich fast nur über Vaters Arbeit unterhalten, denn an meinen Leistungen gab es nicht viel auszusetzen, sah man einmal von Mathematik ab.

Bald darauf brachte Vater eine neue Eissorte mit und fragte mich vorsichtig, ob ich nicht wenigstens kosten wolle. Ich konnte ihm den Wunsch nicht abschlagen, denn zum ersten Mal seit Monaten war es dem Aussehen nach mit fünf Punkten zu bewerten. Vater sagte, sie hätten lange nach einem Namen gesucht und sich dann für »Moskauer Eis« entschieden, denn es hätte richtig viel Milchfett, 12 Prozent, fast soviel wie ein Eis in Moskau. Es schmeckte mir so gut, daß ich wieder heimlich mit einem Löffel an die Kühltruhe ging und naschte.

Einige Stellen an meinem Körper wurden in den nächsten Monaten zunehmend runder. Ab und an pfiffen mir Männer hinterher, aber ich drehte mich nicht um. Eines Tages, ich war fünfzehn, holte Kunze, der Biologielehrer, mich an die Tafel und prüfte meine Leistungen in Bakterienkunde, bis mir der Schweiß auf der Stirn stand und ich mich an alle meine Stunden im Labor erinnern mußte, wo ich unter dem Mikroskop die schönsten Bakterienkulturen hatte sehen können. Aber Kunze hatte mich nicht wegen der Bakterien nach vorne geholt. Er sagte mir vor versammelter Klasse, daß ihm mein Äußeres ganz und gar nicht gefalle und er würde einen Kasten Bier wetten, daß mein Beruf eines Tages sein würde, mit einer kleinen roten Schultertasche an der Ecke zu stehen und meinen Körper zu verkaufen. Dabei grinste er über das ganze Gesicht, als habe er einen guten Witz gemacht. In der Klasse war es so still, daß man die Tiere im nahegelegenen Zoo hören konnte. Ich stand wie angewurzelt vor der Tafel und konnte mich nicht rühren, bis mich Kunze unsanft an der Schulter nahm und mich an meinen Platz führte. Dann trug er mir, immer noch grinsend, eine Zwei ins Klassenbuch ein. Abends erzählte ich Vater davon, aber er fragte nur: »Was soll ich jetzt machen, soll ich da hingehen und ihm eine runterhauen? Zieh dir lieber etwas anderes an.« Vater schrieb eine Beschwerde an den Direktor, aber der rief ihn an und sagte, es habe bisher noch nie Klagen über seinen besten Biologielehrer gegeben, und Vater hatte keine Zeit, sich weiter darum zu kümmern.

Eines Tages entdeckte ich bei Großmutter im Kleiderschrank einen ganzen Stapel langer Hemden von Großvater. Großmutter hatte sie nicht wegwerfen können, denn sie waren von ausgezeichneter Qualität. Großvater hatte alle seine Sachen im Maßatelier

Schreiber & Bögelmann fertigen lassen. Ich band sie mit Bindfaden ab und färbte sie in der Waschmaschine. Sie waren mir viel zu groß, aber ich hatte ein bißchen das Gefühl, in ihnen zu wachsen. Am 1. Mai wollte ich nach der Demonstration in den Stadtpark. Ich hatte mich mit Ernst zu einem Bluesknonzert verabredet. Aber ich kam gar nicht bis in den Park. Schon an der Strombrücke hielt mich ein Polizist an und verlangte meinen Ausweis. Ich fragte, was gegen mich vorliege, und der Polizist antwortete: »Wir sind jederzeit berechtigt, die Ausweise von verdächtigen Personen zu kontrollieren.«

»Was ist denn an mir verdächtig?« fragte ich. »Das Hemd, mein liebes Fräulein, pflegen wir in unseren Breiten in die Hose zu stecken.«

»Aber es ist eine Erinnerung an meinen Großvater.«

»Das ist mir scheißegal, Gammler kommen nicht in den Park. Wenn ich Sie noch mal erwische, kommen Sie mit auf die Wache.«

Ich kehrte um und lief über die Anna-Ebert-Brücke am Ostufer entlang bis zum Wasserfall. Der Wasserstand war niedrig, und ich hoffte, unbeschadet über die Überlaufrinne in den Park balancieren zu können. Dort warteten aber schon ein paar Langhaarige und kamen nicht hinüber, weil am anderen Ende Polizei stand. Einer, der es trotzdem versucht hatte, wurde gerade von zwei besonders rüden Polizisten ins Wasser gestoßen. »Typisch Bepo«, sagte einer, »die sind ja nur neidisch, weil man ihnen die Haare geschnitten hat.« Ein Teil der Leute war schon ziemlich besoffen, eine Schnapsflasche kreiste, und ich sah, daß sich uns ein Polizei-LKW näherte. Die Menge stob in alle Richtungen auseinander. Ich fand mich mit einem älteren Bärtigen, den alle Pitti nannten, an den Elbterrassen wieder. »Kannste schwimmen?« fragte er. »Ja«, sagte ich, »seit ich vier bin.«

»Kommste mit rüber? Müssen wir aber noch 'n Stück laufen, damit sie uns nich gleich sehn.« Ich fragte ihn, ob das immer so sei bei Bluesknonzerten, und er meinte, es sei heute vergleichsweise ruhig. Vor fünf Jahren hätte man sie ohne Vorwarnung eingesackt und ihnen im Polizeirevier die Haare geschnitten. »Naja, bei mir lohnt sich das heute nicht mehr«, sagte er und zeigte auf seine Halbglatze.

Die Hälfte seiner Kumpels saß wegen Nichtigkeiten im Knast. »Die meisten 18 Monate, so lange wie Armee. Das geht ratzbatz, du stehst vor Gericht und egal, was du für einen Anwalt hast, es ist immer das gleiche Urteil.«

»Und wofür?«

»Meistens haben sie nach der fünften Ausweiskontrolle einen Bullen niedergeschlagen oder sind auf den Interzonenzug aufgesprungen, um in den Westen abzuhauen. Neulich haben sie zwei meiner Kumpels verhaftet, die kriegen bestimmt mehr. Die hatten ihr Paßbild im Ausweis mit einem Porträt von Karl Marx überklebt, weil der im Prinzip ja auch nicht anders aussah als sie. Die Bullen haben den Spaß aber überhaupt nicht verstanden und haben zugelangt. Irgendwann waren die beiden so auf achtzig, daß der eine gesagt hat: ›Das Kommunistische Manifest ist ein schöner Text, der sechzig Jahre lang verfilmt wurde.‹ Und der andere hat ergänzt: ›Mit Laiendarstellern‹, worauf der erste erwiderte: ›Mit beschissenen Regisseuren‹, und der andere meinte: ›Und das Schlimmste: Ohne ausreichenden Etat.‹ Die beiden wurden dann gleich von den anderen Verhafteten getrennt und kriegen eine Anklage wegen Verunglimpfung der Staatsorgane.«

Wir liefen weit in die Kreuzhorst hinein. »Hier müßte es gehen«, sagte Pitti und fing an, sich auszuziehen. Er zeigte mir, wie man seine Sachen zu einem Bündel knotet und beim Schwimmen mit einem Arm über den Kopf hält. Wir wateten in die Alte Elbe, die noch ziemlich kalt war, und schwammen in ruhigen Stößen ans andere Ufer. »Machst du das öfter?« fragte ich, als wir aus dem Wasser stiegen. »Ich mach das sogar im Winter und am liebsten über die Stromelbe. Das hat so einen gewissen Kick, vor allem, wenn dicke Kähne kommen.« Wir stanken, als hätten wir in einer Kloake gebadet. Ich mußte mich mit meinem Hemd abtrocknen, das hinterher graue Streifen hatte. Als wir an der Freilichtbühne ankamen, hatte die Bereitschaftspolizei die Bühne abgesperrt. Über Lautsprecher wurde bekanntgegeben, daß das Konzert ausfallle und wir uns in Richtung Parkausgang zu bewegen hätten. Einzelne Langhaarige wurden über den Berg gejagt. Die anderen verstreuten sich im Park. Nur die Besoffenen, die in den Büschen im Koma lagen, rührten sich nicht von der Stelle. Ernst fand ich nicht, und so machte ich mich auf den Heimweg.

Als ich nach Hause kam, saß Vater vor dem Fernseher und schaute eine tschechische Serie. »Fräulein Susanne, Fräulein Susanne«, rief eine dickliche Verkäuferin gerade: »Kommen Sie. Wir müssen das Fleisch umschichten, die Kühlanlage ist ausgefallen.« Vater lachte meckernd.

31. Kapitel

Ozon
Ozon wirkt keimtötend, hat aber keine Tiefenwirkung und wird relativ schnell vom Fleisch absorbiert. Fette werden in ozonhaltiger Luft leicht ranzig.

Als ich das Schlafzimmer betrete, liegt die Decke immer noch über Großmutters Kopf. Ich ziehe sie weg. Großmutter liegt mit offenen Augen da. Ihre Lider sind entzündet. Ich setze mich auf den Bettrand und nehme ihre Hand, die von dicken Adern durchzogen ist. Sie ist immer noch so feingliedrig wie in den Jahren, als ich Kind war und ihren Körper betrachtete, wenn wir die Nächte in Hotelzimmern verbrachten. Ihre Hände hatten mich immer am meisten beeindruckt. Ich streichle ihr leicht über den Handrücken. Ich habe es in den letzten Wochen viel zu selten gemacht.

Ich weiß nicht, ob Großmutter je wirklich berührt worden ist. Vielleicht in den Nächten am Steigerwald. Großmutter entzieht mir ihre Hand und versucht sich wegzudrehen, aber es gelingt ihr nicht mehr. Sie hat große Hämatome am Becken. Die Neigung zu blauen Flecken habe ich von ihr geerbt.

Großmutter sieht mich an, als blicke sie in die Augen einer Mörderin. »Du hast Günther umgebracht«, sagt sie. Ich verstehe nicht. »Wie kommst du auf Günther, der ist seit zwanzig Jahren tot, wir waren vor ein paar Tagen an seinem Grab, erinnerst du dich?«

»Ihr habt ihn eingefroren, du und dein Vater.«

»Du hast schlecht geträumt, Omi, wirklich. Wo soll ich ihn denn eingefroren haben.«

»In der Küche, in meiner Küche«, murmelt sie. »Beruhige dich, Omi, es ist alles in Ordnung, du träumst nur.« Ich löse eine Schmerztablette in Wasser auf und gebe Zucker dazu. Während ich mit einer Hand rühre, öffne ich den Deckel der Kühltruhe. Es liegt immer noch Vater darin und nicht Günther. Sie sahen sich nie ähnlich.

In der Nacht träume ich, daß ich mein Abitur noch nicht gemacht habe. Kornblum steht vor mir und sagt: »Solche wie Sie wären früher nicht zum Abitur zugelassen worden.« Ich nehme meine

Sachen und verlasse den Raum. Plötzlich liege ich mit Jan in einem Bett, und er küßt mich an die Stelle neben dem linken Ohr. Er sagt: »Ich habe dich erwartet, so wie du mich erwartet hast.« Wir schlafen miteinander, ohne uns auszuziehen. Hinterher hat er Samenflecken auf seiner Hose. Es ist die Hose, die mir Mutter zur Jugendweihe geschickt hat, und die er jetzt trägt. An den Stellen, wo sie durchgescheuert ist, sind Lederflicken aufgenäht. Ich höre einen Schlüssel, der sich im Türschloß bewegt. Es ist Vater, der uns eingeschlossen hat. Ich fliehe durch einen Saal und gelange in eine große Halle mit Fenstern bis zum Boden. Links von mir steht auf einem Hügel eine gotische Kirche. Ich lege mich auf die Erde, um sie von unten zu sehen. Hinter mir steht Jan und fordert mich auf, aufzustehen. Ich sage, daß ich liegenbleiben und mir die Kirche ansehen will. »Du gehörst zu mir«, schreit er und drückt mich auf den Boden. Sein ganzes Gewicht liegt auf meinem Kiefer, bis es knackt und ich aufwache.

Mein Kiefer ist verrenkt, und ich muß ihn erst knacken lassen, bevor ich ihn wieder bewegen kann.

Welcher Tag ist heute? Auf der Straße ist alles ruhig. Ich nehme an, daß Sonntag ist. Im Briefkasten liegt neben den Zeitungen auch ein Brief. Er ist an mich gerichtet und trägt keinen Absender. Ich bin erst beruhigt, als ich den Briefkopf Mahn- und Gedenkstätte Buchenwald lese.

Sehr geehrte Frau Kobe,

das Archiv der Gedenkstätte Buchenwald verfügt nur über wenig Originalunterlagen aus der Registratur des KZs Buchenwald. Gerade im Bereich der Lebensmittelbelieferung besitzen wir so gut wie kein Sammlungsmaterial. Über eine Belieferung des KZ-Lagers und des Speziallagers ist uns nichts bekannt. Es tut mir leid, daß wir Ihnen leider nicht weiterhelfen können.

Ich werde also nie erfahren, ob Ilse Koch, die Frau des Kommandanten, in der Milch gebadet hat, die Großvater kühlte. Es gibt mehrere große Unbekannte in der Geschichte. Mit den Unbekannten hatte ich immer meine Probleme, vor allem in der Mathematik. Vielleicht träume ich deswegen einmal im Jahr, daß mir das Matheabitur noch fehlt. Dabei habe ich es in meinem Leben nie gebraucht. Die ganzen Anstrengungen waren nutzlos. In der Zeitung lese ich, daß heute die Vierschanzentournee beginnt. Es wäre ein guter Anlaß für Vater, wieder aufzutauen. Er hat in seinem Leben noch keine Vierschanzentournee verpaßt. Vater trug Haltungsnote, Weite und Punktzahl jedes Springers in seine große blaue Sportkladde ein, in die er auch minutiös die Ergebnisse der Schwimmweltmeisterschaften und der Olympischen Spiele einschrieb. Am nächsten Tag überprüfte er seine Aufzeichnungen mit den Ergebnissen im »Sportecho«, und wehe, wenn sie sich in einer Haltungsnote geirrt hatten.

Nur am 6. Januar konnte er die Direktübertragung nicht im Fernsehen verfolgen, weil er da keinen Urlaub mehr hatte. In den ersten Jahren mußte Mutter für ihn mitschreiben. Aber sie war saumselig, schaltete zwischendurch oft um, weil Skispringen sie langweilte, und es gab am Abend immer Krach, weil sie Männchen zwischen die Ergebnisse gemalt oder Programmhinweise für Sendungen im Westfernsehen eingetragen hatte. Als ich schreiben konnte, bekam ich den Job. Ich machte ihn gewissenhaft, bis ich sechzehn war. Danach konnte ich Leistungssport nicht mehr ertragen.

32. Kapitel

Pilz
Die Pilze müssen sofort nach dem Sammeln frisch gefroren werden. Sie werden sauber gereinigt und beschädigte oder vom Wurm befallene Stücke herausgeschnitten. Nach dem Waschen sind die Pilze zu blanchieren und im Wasser abzukühlen. Werden die Pilze nicht im eigenen Saft gefroren, so hat das Gefrieren in einer Kochsalzlösung stattzufinden. Trocken gefrorene Pilze fallen beim Auftauen zusammen.

Ich stand schon den ganzen Vormittag an der Reißleine. Es hatte noch nicht einmal einen Fehlstart gegeben.

Den Posten mochte ich nicht. Man hatte viel Verantwortung und die ganze Zeit nichts zu tun. Ich kam mir vor wie ein Orchesterpauker, der den ganzen Abend hinter seinem Instrument sitzt und sich langweilt, und wenn er unaufmerksam ist, verpaßt er seinen einzigen Einsatz am Abend, der das schon eingenickte Publikum mit einem Schlag wieder aufweckt.

Die Atmosphäre in der Halle war fiebrig und angestrengt. Es war Kinder- und Jugend-Spartakiade, und am Beckenrand strolchten ehrgeizige Väter herum und waren nicht zu bewegen, wieder hinter die Traverse zurückzukehren und das Wettkampfgeschehen nicht durch ihr Gehabe durcheinanderzubringen. Sie hatten sich mit roten oder weißen Handtüchern bewaffnet und trieben ihre Kinder selbst dann noch an, wenn die, schon im Wasser, mit überhasteten Stößen versuchten, die Spitze des Wettkampffeldes zu erschwimmen. Man sah die Angst in den Augen der Kinder, wenn sie an der Wende von einem handtuchschwingenden Vater erwartet wurden, der ihnen zurief: »Schneller, du schaffst es, Kräfte einteilen«, was bei ihnen nur als gurgelnde Drohung ankam, den Rest verschluckte das Wasser. Vor allem die Brustschwimmer, die darauf achten mußten, nicht zu tief mit dem Kopf unter das Wasser zu geraten, um nicht disqualifiziert zu werden, waren ihren Vätern an der Wende schutzlos ausgesetzt. Die Freistilschwimmer hatten es besser. Sie konnten einfach ihren Kopf zur anderen Seite drehen und versuchen, so schnell wie möglich mit einer tiefen Rolle am Beckenrand zu entkommen.

Viel lieber als Reißleinenbewacherin war ich Wenderichterin. Heute hat das Wort eine andere Bedeutung, es gibt ja inzwischen genug Leute, die über die Wende richten und Zensuren verteilen. Dabei hatte eine Wenderichterin nichts weiter zu tun, als mit einer Kelle in der Hand die Ankunft der Schwimmer am Beckenende zu erwarten, um über das Wasser gebeugt zu beobachten, ob sie mit den Füßen auch wirklich den Beckenrand berührten, bevor sie in entgegengesetzter Richtung wieder zum Ausgangspunkt schwammen.

Vor ein paar Monaten saß ich vor dem Fernseher und guckte eine Talkshow, wo eine dieser selbsternannten Wenderichterinnen saß und auf die ehemaligen DDR-Bürger schimpfte. Ab und an wurden ihr Name und ihr Beruf eingeblendet, der mit »Opfer« angegeben war. Ich stellte mir vor, wie sie weißgekleidet am Beckenrand steht und die Wenden der DDR-Bürger begutachtet. Manche machen eine hohe Wende und gewinnen an Geschwindigkeit, andere belassen es bei der flachen, die ihnen wichtige Zehntelsekunden nimmt. Etliche schlucken Wasser, weil sie eigentlich nicht schwimmen können, andere klammern sich an die Stange des Startblocks, hustend und nach Luft ringend, und werden disqualifiziert, wieder andere verlieren die Orientierung, knallen mit dem Kopf an die Kacheln und kommen nie ans Ziel.

Damals mußte ich mich bei jeder Wende für die rote oder die grüne Kellenseite entscheiden. Rot hieß Disqualifikation vom Wettkampf, grün zeigte den ordnungsgemäßen Ablauf an. Hinter mir standen die Väter mit den weißen oder roten Handtüchern, ständig auf dem Sprung, dem möglichen negativen Urteil der Kampfrichter auf jede erdenkliche Weise zu widersprechen, denn es ging um nichts weniger, als daß ihre Kinder erreichten, was ihnen nie gelang, das Land zu verlassen, auch wenn die Sportler von den fremden Ländern nichts weiter sehen würden als Schwimmhallen und Olympische Dörfer.

Als ich an der Reißleine stand, schrieben wir das Jahr 1980, und ich verdiente mir sechs Mark, die am Ende vom Wettkampfleiter ausgezahlt wurden und ausreichten für einen Abend im Diskokeller mit Eintritt und zwei Cola.

An diesem Tag fing ich mir Jan mit der Reißleine ein.

Der Wettkampf war schon weit fortgeschritten, jetzt kamen die Ältesten an die Reihe. Auf dem Startblock in der Mitte, der für denjenigen reserviert war, der die beste Vorlaufzeit hatte, stand ein Junge, dessen Badehose zwar schöner als die üblichen blau-weißen der anderen Starter, aber viel zu klein war. Als der Hallensprecher den Namen Jan Leskowski sagte, stieg er betont lässig auf den Startblock und fummelte an der Schwimmbrille herum. Er hatte blonde, vom vielen Chlorwasser leicht grün schimmernde Haare, die bis auf die Schultern fielen. Der Schiedsrichter schrie, er solle sich auskäsen, er wäre hier nicht auf einem Schönheitswettbewerb, aber der Favorit ließ sich nicht aus der Ruhe bringen. Die Haare waren das erste, was mich für ihn einnahm. Er war der einzige im Starterfeld, der die Haare lang trug und der sich nicht dazu überreden lassen hatte, eine dieser peinlichen Badekappen aufzusetzen.

Es war das 100-Meter-Schmetterlings-Finale, und schon als die Füße sich vom Startblock lösten, wußte ich, daß er den Start verpatzt hatte. Er war eine Zehntelsekunde zu früh ins Wasser gesprungen, und der Schiedsrichter pfiff ab. Als er nach einem langen Tauchzug aus dem Wasser kam, hatte ich die Reißleine gezogen, und er, der den Pfiff nicht gehört hatte, wurde erst von der Leine gestoppt. Ich war ganz ruhig. Ich hielt die Leine in der Hand, in der sich seine Arme verfangen hatten. Er fluchte und kraulte an den Beckenrand. Noch auf der Treppe schrie er mich an: »Wieso ziehst du die Leine?«, aber ich blieb ganz ruhig und sagte mit Blick auf seine Badehose: »Achte lieber auf deine Körperteile, da hat sich was selbständig gemacht.« Er wurde rot und ging, im Gehen am Bändchen der Badehose nestelnd, zum Startblock zurück. Ich zog die Leine wieder über den Stab, und der zweite Start klappte. Er kam dann auch als erster wieder zurück, schlug an und bekam seine 22. Spartakiademedaille. Es war ein Pyrrhussieg, denn er war gerade aus dem Olympiakader geflogen, weil er keine Lust mehr gehabt hatte, den ganzen Tag im Wasser zu liegen und keine Freundin haben zu dürfen. Er sollte seine Kraft für den Sieg aufsparen und nicht für das Absondern seiner Körpersäfte in den Becken von Damen, wie seine Trainerin sich unmißverständlich ausgedrückt hatte. Aber das wußte ich noch nicht, als ich an der Reißleine stand.

Jans Vater war nicht mehr in der Halle. Die älteren Kampfrichter erzählten in den Wettkampfpausen immer gerne die Gruselgeschichten von Leskowski senior am Beckenrand, dessen ganzer Lebenssinn darin bestand, bei einer Olympiade eines seiner Kinder einmal auf dem obersten Treppchen zu sehen. Hinter einem Leskowski würde die DDR-Fahne aufgezogen, dazu erklänge die Hymne. Es war sein zweiter Versuch gewesen, wenigstens ein Kind an die Spitze des DDR-Schwimmsports zu katapultieren, und mit dem zweiten hatte sich die Mühe fast gelohnt. Jan hatte es zum

DDR-Jugendmeister im Schmetterlingsschwimmen gebracht, und auch wenn er noch zu jung war für die Olympiade in Moskau, so würde er doch bei der nächsten in Los Angeles starten können. Aber eines Tages haute Jan einfach ab. Er setzte sich in eine Kneipe und betrank sich. Auch am nächsten Tag kam er nicht zum Training. Er hatte sich entschieden, lieber Lehrling im Thälmannwerk zu werden, und seitdem sprach sein Vater nicht mehr mit ihm, wie er schon seit etlicher Zeit nicht mehr mit seinem ältesten Sohn redete, der eine absolute Schwimmniete gewesen war und nun seine Zeit mit den Kellnerinnen aus der Broilerstube verbrachte.

Ich traf Jan noch am Abend desselben Tages in der Unterführung des Bahnhofs. Er ging mit seinem Freund zum Fasching, beide waren als Musketiere verkleidet und trugen einen Degen an der linken Hüfte. Am Ende des Tunnels drehte er sich nach mir um und zog mit einer eleganten Bewegung die Plasteklinge aus der Scheide. Ich war erstaunt, daß er mich erkannte, denn ich hatte mir das Gesicht mit schwarzer Schuhkrem beschmiert, weil ich als Afrikanerin zum Fasching in der Stadthalle gehen wollte. Dort tanzte ich mit einem Papst, und als es an die langsamen Tänze ging, ließ ich mich von ihm mit Zungenschlag küssen. Es war an der Zeit, auf diesem Gebiet Erfahrungen zu machen. Ich hatte nach dem Kuß nicht mehr als einen salzigen Geschmack im Mund.

Eine Woche später ging ich in den Diskokeller. Es war langweilig dort, und es gab nur Cola zu trinken, aber was sollte man an diesen Sonnabenden in der Stadt schon machen. Ich tanzte mit Ernst, und wir unterhielten uns über Gedichte. Ernst hatte gerade Christian Morgenstern für sich entdeckt und rezitierte Fisches Nachtgesang, indem er mit seinem Mund Grimassen schnitt. Ich kannte das Gedicht aber schon und beobachtete die Leute, die in den Raum hinein- und hinausgingen. Da sah ich plötzlich Jan allein auf dem Tisch neben dem Eingang sitzen, ein Bein lässig angewinkelt und den Blick auf mich gerichtet. Die Musik setzte aus, und das Licht wurde angeschaltet. Ernst unterbrach seine Rezitation. Die Ordnungsgruppe ging durch den Raum, um die Ausweise zu kontrollieren und alle unter sechzehn rauszuwerfen. Seit einer Woche durfte ich bis Mitternacht bleiben, und auch Jan saß nach seiner Kontrolle noch auf dem Tisch. Es war, als würde eine unsichtbare Kraft mich von Ernst weg zu Jan ziehen. Ich ließ Ernst sitzen, der seine Rezitation wieder aufgenommen hatte und am Ende des Gedichtes angekommen war. Den Mund in die Breite gezogen, schaute er mir etwas entgeistert hinterher. Ich steuerte auf den Tisch zu, setzte mich auf die Kante und fragte Jan, ob er noch sauer sei wegen des verpatzten Starts, aber er sagte nur: »Vergiß es.« Ich nahm ihn an die Hand und zog ihn auf die Tanzfläche. Neil Young sang »Hey, Hey, My, My«, und schon in der zweiten Strophe verfingen sich meine Hände, als würden sie nicht zu mir gehören, in seinen Haaren; wir küßten uns, was mir weitaus besser gefiel als mit dem Papst, bis Stille einsetzte, weil der Titel vorbei war und alle verlegen auf der Tanzfläche herumstanden. Nach dem Ende der Veranstaltung brachte er mich nach Hause. Als wir auf der Mitte der Brücke waren, fragte ich ihn, ob er hineinspringen und Schmetterling bis nach Hamburg schwimmen könne, aber er sagte, die Elbe mache ihm angst, er sei Hallen gewöhnt. Im Fluß gäbe es nichts, woran er sich abstoßen könne nach fünfzig Metern. Er umarmte mich, stemmte seine Oberschenkel gegen meine Hüfte und bog meinen Oberkörper über das Geländer. Über mir sah ich die Sterne, und unter mir hörte ich das gurgelnde Geräusch des Wassers. Er fragte: »Soll ich dich loslassen?«, und ich sagte: »Nur, wenn du hinterherspringst.«

Am nächsten Morgen fragte ich Vater, ob er schon einmal den Namen Jan Leskowski gehört habe, und er hielt mir einen kleinen Vortrag über das große Talent, dessen Entwicklung er schon seit längerem verfolge. Wenn Leskowski so weitermache, könne er vielleicht schon im Sommer bei der Olympiade in Moskau starten, bis ich ihn bremste und sagte: »Er macht nicht mehr weiter.«

»Das ist schade«, sagte Vater, »Schmetterlingsschwimmer haben wir nicht so viele.«

Von da an sah ich Vater selten. Ich trieb mich mit Jan in der Stadt herum. Aber es gab keine Orte, wo wir ungestört waren. In den Kneipen wurden wir nach dem zweiten Bier nicht mehr bedient, und die Kinofilme, die ihm gefielen, langweilten mich. Als es Frühling wurde, nahm ich ihn mit in den Stadtpark. Ich kannte dort verborgene Ecken, wo nie jemand hinkam.

Jan war behutsam. Es reichte schon, daß er mir ganz leicht in den Nacken pustete oder mit seinen Fingern zwei Zentimeter über meinem Rückgrat entlangfuhr. Nach einem halben Jahr kannte ich jeden Leberfleck, jede Narbe und die Geschichte zu jeder Narbe, bis ich meinte, ich hätte seinen Körper schon immer gekannt – die unnatürlich ausgebildeten Trizeps vom Schmetterlingsschwimmen, die schmalen Hüften und die langen Beine, die weichen Züge in seinem Gesicht und die Locken, auf die er so stolz war, daß er nach jedem Kämmen die ausgefallenen Haare zählte und jedem einzelnen hinterhertrauerte.

Wenig später aber bekam sein Gesicht einen brutalen Zug, und als ich später das erste Paßbild, das ich von ihm bekam, mit dem verglich, das ich ihm kurz vor unserer Trennung stahl, kam es mir vor, als hätte ich zwei verschiedene Menschen mit dem gleichen Namen gekannt.

Vater machte kaum noch Dienstreisen, und wenn, dann nur nach Berlin. Für Leute wie ihn hatte die Deutsche Reichsbahn eine Expreßlinie eingerichtet, die im Volksmund Bonzenschleuder hieß. Für mich war sie eher ein Bumerang als eine Schleuder. Denn frühmorgens schleuderte sie Vater um 6.53 Uhr nach Berlin, um ihn um 17.46 Uhr wieder zurückzuholen. Bis dahin mußten wir wieder angezogen sein.

Bevor wir miteinander schliefen, mußte ich Jan immer erst den Rücken einrenken, sonst konnte er sich nicht bewegen. Er legte sich auf den Bauch und ich setzte mich mit meinem ganzen Gewicht auf seine Wirbelsäule, bis es knackte. Jan war ein guter Liebhaber. Zwölf Jahre hatte die DDR weder Kosten noch Mühe gescheut, ihm beizubringen, unter Ausnutzung des günstigsten Kräfteverhältnisses sein Becken so auf und ab zu bewegen, daß er sich mit ihm vorwärtsbewegen konnte. Jetzt benutzte er sein Talent nicht mehr für das horizontale Durchpflügen einer Wasserfläche, sondern für das vertikale Besteigen eines Berges, an dessen Gipfel wir uns gegenseitig den Mund zuhalten mußten, denn die Wände in der Neubauwohnung waren zu dünn. Nachdem mein Vater beim Pinkeln ein Kondom im Toilettenbecken entdeckt hatte, wollte er seiner Verantwortung als Vater nachkommen und verbot mir mit vielen blumigen Umschreibungen die Ausübung des Geschlechtsverkehrs in unseren vier Wänden. Er fand aber nicht die richtigen Worte, um mir zu erklären, daß ich noch zu jung sei für so etwas. »Papi, ich bin sechzehn, und ich bin die letzte.« Das war eine glatte Lüge, ich war erst die zweite in meiner Klasse. Die anderen träumten noch davon, während sie an ihren Stiften kauten, nur Melli Bein hatte ein halbes Jahr vor mir Vollzug gemeldet, aber sie gab auch gleich die offizielle Verlobung mit ihrem Klausi bekannt und trug von da an einen Verlobungsring, den sie für zwanzig Mark im Centrum-Warenhaus erstanden hatte. Seitdem nahm Melli die Pille und bekam davon größere Brüste, die sie uns im Umkleideraum der Turnhalle zeigte. Ich konnte mich nicht dazu durchringen, zum Arzt zu gehen, denn ich wußte, daß ich mich niemals dem Diktat eines kleinen grünen Kügelchens aussetzen konnte, das jeden Morgen geschluckt werden wollte. Kurz vor dem ersten Mal ging ich zum Drogisten in der Schiffstraße und kaufte ihm drei Packungen »Mondos feucht« ab. Er schaute mich mit leicht ironischem Blick an, und ich ahnte, daß bald die ganze Insel davon reden würde, daß die Kobe jetzt auch fickt, dabei hatte man doch geglaubt, sie würde ihr ganzes Leben nur Bücher lesen.

Als der Winter kam und Vater nicht zu bewegen war, die Wohnung zu verlassen, machten Jan und ich es im Stehen im Treppenhaus, das selten jemand benutzte, weil alle mit dem Fahrstuhl fuhren. Wir schlichen uns durch die Feuertüren und horchten auf die Geräusche, während wir uns hastig gegenseitig die Hosen herunterzogen. Manchmal saßen wir noch Stunden später im Treppenhaus und konnten uns nicht loslassen, bis Vaters Schritte in der Dunkelheit zu hören waren, und wir die Treppen hinunterrannten, damit er keine blöden Fragen stellte.

Irgendwann bekamen wir heraus, daß sich der Fahrstuhl mit Hilfe einer Haarnadel manipulieren ließ. Er fuhr zwischen Keller und 19. Etage hin und her, ohne die Türen zu öffnen, und zu den Bewegungen unserer Becken kam noch das Auf und Ab des Fahrstuhles hinzu, das uns alles, was sonst um uns geschah, für eine kurze Zeit vergessen ließ.

33. Kapitel

Radieschen
Zum Gefrieren nicht geeignet.

Am Nachmittag bin ich mir unschlüssig, ob ich Vater nicht doch den Gefallen tun und mit Stift und Schreibblock auf dem Schoß im Autoradio die Übertragung der Vierschanzentournee verfolgen soll. Großmutter atmet noch, aber sie zeigt keine andere Regung mehr. Ich hätte ihr gerne noch etwas Liebes gesagt, irgend etwas, was man zu Menschen sagt, mit denen man eine ganze Weile des Lebens verbracht hat. Aber ich weiß nicht, ob ich nicht nur noch gegen eine Wand rede oder mich nur selbst beruhigen will. Großmutters Leben geht einfach zu Ende.

Im Auto finde ich eine Schachtel Zigaretten und rauche gierig zwei hintereinander. Dann suche ich im Radio nach einer Übertragung der Vierschanzentournee, aber ich finde keinen Sender, der sie live überträgt. Wahrscheinlich wird Jens Weißflog das Springen gewinnen, obwohl er eine Knieoperation hinter sich hat. Jan hätte dringend eine Therapie der Wirbelsäule benötigt, aber er war freiwillig aus dem System ausgeschieden, und kein Sportarzt kümmerte sich mehr um die Gesundheit. Ich steige aus dem Auto und laufe langsam die Straße hinunter. Nach einer Viertelstunde stehe ich vor dem Stadtbad. Es ist eine Ruine. Aus den zerstörten Fenstern des Büros hängen Reste von Perlongardinen. Die Türen sind zugemauert, aber ich finde ein offenes Kellerfenster.

Im Gebäude riecht es modrig. Schon vor zwölf Jahren hatte es den Anschein, als würden die Steine, die den Bau zusammenhielten, in nächster Zeit nachgeben. Durch die großen Fenster an der Stirnseite flogen die Tauben ein und aus und kackten manchmal ins Wasser, wo wir unsere Runden zogen. Jan mußte auf der Nebenbahn abtrainieren, aber manchmal war er so betrunken, daß die Trainer ihn nach Hause schickten, weil er sich bei jedem zweiten Zug in der Leine verfing.

Ich laufe im Becken entlang. Die Kacheln sind mit einer dünnen Schlammschicht bedeckt. Ich habe es in der einbrechenden Dunkelheit nicht bemerkt und rutsche aus und gleite die Schräge bis zur tiefsten Stelle hinunter. Im letzten Licht sehe ich, daß die Geländer der Galerie herausgebrochen sind. Aber die Schränke stehen noch da, vor denen sich Jan immer umzog. Es würde mich nicht wundern, ihn dort zu finden, aber im Bad bewegen sich nur die Türen, die der Wind hin- und herstößt.

Nachdem wir nach einem halben Jahr das erste Mal miteinander geschlafen hatten und ich wie traumwandelnd durch die Gegend gelaufen war, gingen in Jan seltsame Wandlungen vor sich. Er kam mir manchmal vor wie ein unruhiges Kind, das sich plötzlich, aus einem ruhigen Zustand heraus, in die Pfütze wirft und aus Gnatz nicht mehr aufstehen will. Im nachhinein kann ich mir sein behutsames Zögern mit mir nur damit erklären, daß er den Augenblick der Vereinigung so weit wie möglich hinauszögern wollte, vielleicht weil er ahnte, daß die Euphorie, die damit verbunden war, nur kurz andauern würde. Er hatte mich den Weltrekorden und Olympiasiegen vorgezogen, nach denen die Fernsehkameras aus aller Welt auf ihn gerichtet worden wären. Je mehr Zeit zwischen Jans Entscheidung, das Wasserbecken zu verlassen, und dem Alltag, den er nun lebte, verging, desto rührseliger wurden die Erinnerungen, desto sicherer war er sich, eine Chance vertan zu haben, die nicht mehr wiederkommen würde. Ich aber war verfügbar, und das Leben, das er eingetauscht hatte, um die Liebe zu bekommen, verbrauchte sich in ewig wiederkehrenden Schichten an Feile und Schraubstock und ein paar glücklichen Sekunden in Fahrstühlen oder Treppenhäusern.

Eines Tages holte ich Jan von einem Treffen mit seinen ehemaligen Trainingskameraden ab. Die Kneipe befand sich in einem Abrißviertel der Stadt. Über dem Schild »Zum schönen Schluck« gähnten die leeren Fensterhöhlen. Als ich die Tür öffnete, stand ich im Zigarettenqualm, der so dicht war, daß ich die Leute, die dort saßen, nur schemenhaft erkennen konnte. Ich brauchte eine Weile, ehe ich sah, daß es alte Männer waren. Einer hielt ein Skatblatt im Haken seiner Handprothese. Er spielte geschickt, als täte er seit dem Krieg nichts anderes. Die Männer schauten nur kurz auf von ihrem Spiel und deuteten mit dem Kopf zum Ende des schlauchartigen Raumes, wo es um die Ecke ging. Dort stand noch ein einzelner Tisch, an dem die drei Jungen saßen, die mich nicht bemerkten. Ich blieb hinter einem Garderobenständer stehen. Jan stand mit wirren Haaren auf dem Stuhl und hielt sein Bierglas in die Höhe: »Trinken wir auf unsere Siege«, sagte er, und die anderen erhoben ihr Glas und riefen zackig und mit tiefen Stimmen: »Auf unsere

Siege.« Dann tranken sie auf ex. Der Kleinste der drei rief lallend: »Nächste Runde, Herr Ober.«

»Wißt ihr noch, wie wir die Knoten in die nassen Zipfel der Handtücher gemacht und Thomas durch die Halle gejagt haben?« fragte Jan.

»Thomas ist ein Weichei«, sagte der dritte, ein schlaksiger Typ mit langen strähnigen Haaren, »und ausgerechnet der hat's geschafft. DDR-Meister! Wenn wir geblieben wären, wären wir die beste 400 Meter-Lagen-Staffel der Welt gewesen. Die wären alle vor uns in die Knie gegangen. Thomas Rücken, Jan Schmetterling, ich Brust und Uwe Freistil. Die hätten alle vor uns gezittert. Die hätten vor Deutschland gezittert.« Der Wirt brachte drei Bier. Als er an mir vorbeiging, tat er so, als wäre ich nicht vorhanden. »Letzte Runde«, sagte er, als er das Tablett abstellte, »ihr habt genug.«

»Weißt, wen du vor dir hast?« fragte Jan. »Nee«, sagte der Wirt, »interessiert mich auch nicht.« Er nahm die leeren Gläser und schlurfte hinter seinen Tresen zurück. »Ich sag euch, wenn wir in Amerika leben würden, hätte jeder von uns seine eigene Bahn und 'ne Menge Kohle gehabt. Das liegt nur an diesem Scheißsystem, daß wir rausgeflogen sind«, lallte Uwe. »Echt, und jetzt muß ich mir von dem Scheiß-Lehrausbilder sagen lassen, daß ich zwei linke Hände habe.« Er schaute seine Hände an. »Diese Hände haben das Wasser durchpflügt, daß es keinen Widerstand mehr entgegenzusetzen wagte.«

»Alles Scheiße«, lallte der Blonde. »Und alles nur wegen dem Fickverbot«, sagte Jan. »Ey komm«, sagte der Blonde, »hättest es doch heimlich machen können. Hätte keiner was gemerkt von. Du hattest einfach keine Lust mehr.«

»Aber ich sag euch, als Sieger am Beckenrand anzuschlagen ist zehnmal besser als Ficken.«

»Mußte dir eben 'ne neue Käthe suchen.« Uwe stand auf und wankte in Richtung Klo. Ich duckte mich und riß dabei den Garderobenständer um. Jan sprang über Uwes Stuhl auf mich zu. Ich rannte aus der Kneipe.

Je öfter Jan betrunken nicht mehr Herr seiner Sinne war, desto klarer stand mir vor Augen, daß ich die einzige war, die ihn retten konnte. Immer häufiger gerieten wir in Streit, denn alles und jedes, was ich ohne ihn unternahm, machte ihn eifersüchtig. Einmal saßen wir am Ufer der Elbe und redeten über unsere Zukunft. Ich sagte, ich würde am liebsten nach Berlin gehen und dort Literatur oder

Archäologie studieren. Jan starrte auf das Wasser und sagte nichts. Nach einer Weile stand er auf und ging weg. Ich lief ihm hinterher und fragte, warum er einfach abhaue. »Du willst mich verlassen«, sagte er, »du brauchst nur einen zum Ficken, der dir die Zeit bis zu deinem Studium so angenehm wie möglich macht.« Ich sagte, er könne doch mitkommen, auch in Berlin gebe es Betriebe, wo er arbeiten könne, aber er sagte, wenn er die Stadt verlasse, dann höchstens Richtung Westen.

Eines Nachts, wir waren betrunken und standen auf dem Parkplatz vor dem Stadtbad und stritten uns, hob er plötzlich den Arm und schlug mir mitten ins Gesicht. Ich war so erstaunt, daß ich gar nicht daran dachte, mich zu wehren. Mein Gesicht brannte, ich konnte mich nicht erinnern, jemals im Leben eine Ohrfeige bekommen zu haben. Ich hatte das Gefühl, eine unsichtbare Kraft zöge mir den Boden unter den Füßen weg. Erst dann schrie ich laut auf. Plötzlich standen zwei Polizisten vor uns. Sie kontrollierten die Ausweise und fragten mich, ob ich Anzeige erstatten wolle, aber ich versicherte, es sei nichts passiert, und außerdem ginge es sie nichts an. »Es ist immer dasselbe«, sagte der eine zum anderen, »immer nehmen die Frauen ihre schlagenden Männer in Schutz, und am Ende kann man die Leiche aus der Wohnung tragen.« Ich rannte weg. Den ganzen Weg nach Hause heulte ich. Ich war mir meiner Gefühle nicht mehr sicher. Am nächsten Tag kam Jan und entschuldigte sich, es sei ein Ausrutscher gewesen, er wolle das nie wieder tun, und ich versuchte, den Vorfall zu vergessen. Aber bald war er wieder betrunken und wieder gab es Streit in irgendeiner dunklen Ecke der Stadt, und ich wollte nicht nachgeben, denn Kobes gaben nie nach, ich sagte ihm, daß jetzt endgültig Schluß sei, und er drehte mir die Hand auf den Rücken, wickelte mir die Haare um den Hals, ließ mich vor ihm knien und schrie: »Sag, daß du mich liebst und daß du mich nicht verlassen wirst«, und ich gurgelte: »Nein, sag ich nicht.« Er drehte fester zu: »Sag es«, und ich sagte es noch einmal nicht, und dann kugelte er mir den Arm fast aus, schlug meinen Kopf auf die Erde und fragte: »Willst du noch mehr?«

»Nein, hör auf«, schrie ich, und dann sagte ich leise und wie aufgezogen, daß ich ihn liebe und ihn niemals verlassen werde. Er lokkerte den Griff, ich riß mich los und rannte über die Brücke, ohne mich umzusehen. Als ich unter mir den Strom träge in Richtung Hamburg fließen sah, war ich drauf und dran, vor Scham und Schmerz in die Elbe zu springen. Vor dem Fahrstuhl wurde mir schlecht. Ich rannte ins Treppenhaus und kotzte. Nach ein paar Sekunden schlug der Schwall im Keller auf. Ich traute mich nicht in die Wohnung. Ich wußte, hinter der Tür wartete Vater.

Danach sah ich Jan zwei Wochen nicht. Aber als ich hörte, daß er mit einer anderen getanzt und sie mitten auf der Tanzfläche geküßt hatte, ging ich ihn suchen. Ich fand ihn betrunken in einer Ecke des Diskokellers und schleppte ihn nach Hause. Er heulte und umarmte mich unterwegs, warf sich auf die Erde, und als ich abweisend blieb, schrie er, ich sei die einzige, die er hätte auf der Welt, und weigerte sich, von der Straße aufzustehen. Er lag mitten in einer Pfütze am Rande eines Feldes. Plötzlich sah ich ganz in der Nähe Panzer auf uns zurollen. Ich schrie ihn an, er solle aufstehen, aber er rührte sich nicht. Ich versuchte, ihn aus der Pfütze zu ziehen, aber er war zu schwer. Die Panzer kamen immer näher. Erst als ich brüllte: »Die Russen kommen«, reagierte er schwach und verlagerte sein Gewicht, so daß ich ihn im letzten Moment zur Seite rollen konnte, ehe vier Panzer gespenstisch an uns vorüberfuhren. Wo eben noch die Pfütze gewesen war, war die Erde von Panzerspuren zermalmt.

Ich machte meine Hausaufgaben jeden Morgen in der Straßenbahn. Ich schlief fast ein im Unterricht und ließ mich häufig wegen Kopfschmerzen nach Hause schicken. Aber bald glaubte man es mir nicht mehr, und auch als ich ein Attest brachte, daß ich nur vier Stunden dem Unterricht folgen könne, durfte ich nicht nach Hause, sondern wurde in den Frauenruheraum geschickt, wo ich bis zum Klingelzeichen um 13.30 Uhr schlief.

Einmal kam Jan zu mir nach Hause, als ich gerade in ein Buch vertieft war und keine Lust hatte, mit ihm wegzugehen oder mit ihm zu schlafen. Ich lag auf dem Bett und versuchte, mich auf die Zeilen zu konzentrieren, als Jan mir plötzlich das Buch wegnahm und anfing, die Seiten herauszureißen und aus dem Fenster zu werfen. Wie kleine Segel schwebten sie in Richtung Alte Elbe, von leichten Windböen immer wieder nach oben getrieben, bis sie dann doch im Fluß versanken.

»Hast du 'ne Scheibe, tickst du jetzt völlig aus?« schrie ich. Jan warf den Rest des Buches aus dem Fenster, ging zum Regal, nahm ein Buch nach dem anderen heraus und warf es auf mein Bett.

Plötzlich stand Vater mitten im Zimmer und hielt die Bronzefigur, die er Mutter mal von einer Reise mitgebracht hatte, wie eine Waffe in der Hand. »Raus«, sagte er zu Jan, »sofort verlassen Sie meine Wohnung, sonst vergesse ich mich.«

»Arschloch«, sagte Jan und ging aus der Wohnung.

»Du hast das falsch verstanden«, sagte ich, als die Wohnungstür zuschlug. »Ich habe alles sehr gut verstanden«, erwiderte Vater und stellte die Bronzefigur ins Regal zurück. »Merkst du denn nicht, daß du kaputtgehst an dieser Beziehung? Die besteht doch nur aus Bett und Streit. Hast du das nötig? Hattest du nicht noch etwas anderes vor in deinem Leben?«

»In meinem Leben?« fragte ich, »hier in dieser Stadt? Weißt du, was mich hier erwartet? An jeder Straßenecke wirst du angehalten und mußt deinen Ausweis zeigen, jeder blöde Bulle kann dich mit aufs Revier nehmen. Das ist doch alles verlogen hier.«

»Das ist jetzt überhaupt nicht das Thema, mal abgesehen davon, daß das auch kein Wunder ist, so wie du rumläufst. Ich meine die blauen Flecken und den ständigen Streit. Du kannst mir nicht erzählen, daß du gegen eine Tür gelaufen bist, wenn dein Auge blau geschlagen ist. Ganz so blöd bin ich auch nicht. Du kommst fast jeden Abend angetrunken nach Hause. Willst du Alkoholikerin werden?« Ich fing an zu heulen. »Ich muß ihm doch helfen. Ohne mich kommt er nie vom Alkohol los.«

»Mit dir erst recht nicht.« Ich wurde wütend und schleuderte ihm meine ganze aufgestaute Wut ins Gesicht: »Durch solche Leute wie dich ist er doch erst zu dem geworden, was er jetzt ist. Leute, die sportfanatisch sind wie du, die jeden Erfolg der DDR-Mannschaft zu ihrem eigenen Sieg machen, die solche Scheißbücher wie du führen, wo jeder Punkt, jede Sekunde abgerechnet wird, die leuchtende Augen kriegen, wenn wieder eines ihrer Goldkinder auf dem obersten Startblock steht. Weißt du, wie das ist, wenn du jahrelang trainierst und am Ende nichts dabei herauskommt? Soll ich dich mal mitnehmen zu den Verlierern, die in den Kneipen sitzen? Die denken immer noch, daß sie die Größten sind, weil man ihnen das jahrelang eingetrichtert hat. Hast du schon einmal auch nur eines der Mädchen gesehen, die aufgehört haben mit dem Schwimmen? Die haben Stimmen wie Männer, sind fett wie Elefanten und kriegen ihre Regel nicht mehr, weil sie irgendwelches Zeug schlucken mußten, um noch besser zu werden. Und alles nur, damit einer von hundert bei Olympischen Spielen den Exportartikel spielen kann, den ihr in der Wirtschaft nicht mehr zustandebringt.« Vater schwieg einen Moment. Dann sagte er: »Du machst dich kaputt. Du kannst nicht das ganze Elend der Welt auf dich nehmen.«

Ich nahm meine Schultasche und verließ die Wohnung. Ich fuhr zu Großmutter und sagte, daß ich bei ihr wohnen wolle. Großmutter telefonierte lange mit Vater. Als sie mir den Hörer geben wollte, winkte ich ab. Ich wollte nicht mit ihm sprechen. Als sie aufgelegt hatte, bat ich sie, mir die Schreibmaschine zu borgen, die auf dem Schrank im Schlafzimmer stand. In ihr steckte noch ein Bogen des Kälteinstitutes mit dem Datum vom 7. 10. 71. Ich drehte ihn heraus und spannte einen neuen Bogen ein. Großmutter fragte, ob sie schreiben solle, ich könne ihr diktieren. Ich sagte, daß ich da allein durch müsse. Ich schrieb einen Text über einen Jungen, der durch den Sport zum Alkoholiker wird. Es war eine einzige Anklage, ich schrieb meinen ganzen Frust auf eine Seite. Dann setzte ich meinen Namen darunter, zog das Blatt aus der Schreibmaschine und spannte den Bogen mit dem Briefkopf des Institutes wieder ein. Als ich die Maschine wieder zurückstellte, sagte Großmutter: »Du bist genau wie dein Großvater. Immer mit dem Kopf durch die Wand. Ihr seid manchmal wie Michael Kohlhaas.«

»Das hat Mutter auch immer zu deinem Sohn gesagt«, erwiderte ich, »aber es geht hier nicht um Pferde.« Am nächsten Morgen fuhr ich zehn Minuten früher in die Schule und hängte den Text an die Wandzeitung der Gesellschaft für Deutsch-Sowjetische Freundschaft. In der Pause stand eine Traube von Schülern davor, die die Wandzeitung sonst keines Blickes würdigten.

Eine Stunde später stand Kornblum in der Klasse. »Annja Kobe«, schrie er in seinem Fremdenlegionärston, den ich sonst nur vom Schulhof kannte. »Ja«, sagte ich. Ich war jetzt sehr ruhig. »Stehen Sie auf, wenn ich mit Ihnen rede.« Betont langsam erhob ich mich und stellte mich neben die Bank. »Sie gehen jetzt sofort zur Wandzeitung der DSF und entfernen dieses Machwerk. Sie haben auch schon einmal bessere Aufsätze geschrieben.« Alle schauten mich an. Ich verließ mit Kornblum den Raum. »Das hatte ich nicht erwartet von Ihnen«, sagte er, als wir auf dem Flur waren, »jetzt können Sie sich auf etwas gefaßt machen. Ein Jahr vorm Abitur.« Er begleitete mich zur Wandzeitung. Ich nahm den Text ab. Meine Wut war ohnehin verflogen. Im selben Moment kam der Direktor um die Ecke, als hätte er dort die ganze Zeit gelauert. »Her mit dem Text«, sagte er. Ich schaute ihn an, er wich meinem Blick aus. »Herr Kollege«, sagte Kornblum, »das ist meine Schülerin, und ich habe sie gebeten, den Text zu entfernen. Ich werde eine Aussprache mit ihr führen.«

»Zu spät«, sagte der Direktor, »ich habe den Schulrat schon verständigt. Wo kommen wir denn hin, wenn jeder dahergelaufene Schüler hier seine Machwerke gegen den Sozialismus aushängen kann.« Ich stand zwischen beiden und fragte mich, wo Jan jetzt war. »Ich bin hier der Direktor, also geben Sie mir den Text.« Ich schaute Kornblum an, er machte eine Kopfbewegung in Richtung Direktor. Ich händigte ihm das Blatt aus. Einen Durchschlag hatte ich nicht.

Ich habe den Text nie wiederbekommen. Vielleicht finde ich ihn ja in einer dieser Stasiakten wieder, die jetzt freigegeben werden sollen. Aber ich werde sie nicht lesen.

Ich ging in die Klasse zurück, nahm meine Sachen und ging an der verdutzten Madame Merde vorbei zur Tür. Ich hätte ihr gerne noch einen zünftigen Satz auf Französisch zum Abschied gesagt, aber ich hatte zu oft während des Französischunterrichtes im Frauenruheraum gelegen. Ich fuhr ins Thälmannwerk und schlich unter der Pförtnerloge vorbei in Richtung Lehrwerkstatt. Jan war nicht zur Arbeit gekommen. Ich fuhr zur Wohnung seiner Eltern, aber dort machte niemand auf. Ich rief seine Mutter auf der Arbeit an. Sie wußte auch nicht, wo er war. In der Nacht war er nicht nach Hause gekommen. Ich fand Jan im Stadtpark an einem toten Arm der Elbe. Er hatte ein verheultes Gesicht und konnte sich nicht mehr bewegen. Überall lagen Bierflaschen herum. Wir fielen uns in die Arme und begannen hastig, uns gegenseitig die Sachen auszuziehen. Dann sprang ich auf seine Wirbelsäule, bis es knackte, wir rannten ins Wasser und fielen übereinander her.

Langsam wird es dunkel, und ich fürchte mich ein bißchen in dem verlassenen Haus. Wahrscheinlich steht das Bad schon auf der Abrißliste. Der Denkmalschutz wird überstimmt worden sein, und statt des Bades wird hier bald ein Büroneubau stehen.

Ich konnte mir schließlich aussuchen, ob ich von der Schule flog oder zu einem Psychiater ging.

Zu einem Gespräch mit der Schulleitung wurde ich nicht eingeladen. Es gab nur eine Gewerkschaftsversammlung, auf der mein Fall verhandelt wurde. Die Hälfte der Lehrer hielt mich nur für verwirrt, schon wegen meines Aussehens und des häufigen Fernbleibens von der Schule. Am Ende stand es 50:50 zwischen Psychiater und Relegation. Kornblum ließ mich entscheiden.

Ich entschied mich für den Psychiater, denn eine Relegation hätte Vater mehr als mir geschadet. Ich wußte, wie sehr er daran hing, seinen Wählern die Eingaben zu schreiben. Ich mußte von nun an einmal in der Woche in die psychiatrische Abteilung des Stadtkrankenhauses gehen, wo eine kleine Frau saß, die mir nach der dritten

Sitzung von ihren Eheproblemen erzählte und nicht einmal bemerkte, daß meine Probleme ihren ähnelten, nur daß ihr Mann wahrscheinlich nicht schlug. Statt dessen wollte sie mir einreden, daß ich mich umbringen wolle, dabei hatte ich an Selbstmord nie einen Gedanken verschwendet. Nach der Beantwortung von 500 Fragen, unter denen meine Lieblingsfrage die war, ob ich beim Gehen darauf achte, nicht in die Ritzen der Gehwegplatten zu treten, die ich mit »Ja« beantwortete, war ich als gesund entlassen. Sie gab mir noch ein Glasröhrchen mit Beruhigungstabletten als Abschiedsgeschenk. Wenn ich mich zu sehr aufrege, sollte ich eine davon nehmen. Es sah genauso aus wie eines jener Tablettenröhrchen, die Luise Gladbeck benutzt hat.

Ich gehe auf Großmutters Haus zu und achte darauf, nicht in die Ritzen der Gehwegplatten zu treten. Es ist sinnlos, denn die Platten sind viel kleiner als meine Füße, und ich versuche, die Füße diagonal zu setzen. Auf dem Balkon steht die Nachbarin und schaut mir dabei zu. Ich muß ihr wohl vorkommen wie eine Verrückte – mit meinem Kaninchenfell und dem Kleid meiner Großmutter, das ich mir übergezogen hatte, weil ich nur mal zu meinem Auto wollte.

Daß ich Jan verließ, hatte am Ende keinen besonderen Anlaß. Meine Naivität war mir einfach verlorengegangen wie ein Schal, den man achtlos auf der Lehne eines Caféhausstuhles vergißt.

Ich sagte ihm: »Es ist endgültig aus«, drehte mich um und ging. Es half nicht mehr, daß er mir folgte und, als ich auf sein Klingeln und Klopfen nicht reagierte, an der Wohnungstür kratzte wie ein Hund. Vater, der Jan gerne viel früher losgeworden wäre, stand in der Küche und wusch selbst das saubere Geschirr aus den Schränken noch ab, weil er ratlos war, wie er mit der Situation umgehen sollte. »Keinen Schritt gehe ich vor die Tür«, sagte ich, »vielleicht schaffst du es ja, daß er abhaut.« Am Ende fiel Vater nichts weiter ein, als die Wohnungstür abzuschließen.

Am nächsten Morgen lag Jan immer noch vor der Wohnung.

Um ihn herum standen die Nachbarinnen und schauten ihn mitleidig an. Frau Deutschmann fragte mich: »Sehen Sie nicht, wie er leidet, Fräulein Kobe?« »Wer?« fragte ich und stieg über Bizeps, Trizeps und kaputte Wirbelsäule. Mich wunderte, daß der ganze Flur nicht schon mit Bierflaschen verstellt war. Aber es gab nicht eine, offensichtlich wollte er mir beweisen, daß es auch ohne Alkohol ging.

Vater rief: »Warte, ich muß auch los«, und stürzte mir hinterher. Irgendwie mußte ich meinen Frust an ihm auslassen. Schließlich war er ein Mann, und die hatte ich erst einmal gründlich über. Vor dem Fahrstuhl fragte ich ihn: »Hast du abgeschlossen?«

»Nein, hab ich in der Aufregung vergessen.«

»Und, gehst du noch einmal zurück?« Vater schwieg, ich wußte, daß er in einem großen Zwiespalt war, aber ich hatte kein Mitleid. »Papa, du kannst doch die Tür nicht unabgeschlossen lassen. Hör mal, wenn Jan dagegentritt, ratzbatz ist sie auf, und die Nachbarn spenden noch Beifall für den Ritter.«

»Dann geh du, ich kann nicht.«

Er litt! Und wie er litt! Eine unabgeschlossene Wohnung. Der Freund der Tochter, der vor eben jener Wohnungstür liegt, angestarrt von den Nachbarinnen. Vater war für solche Art von Skandalen nicht zu haben.

Der Fahrstuhl kam mal wieder nicht. Vater schaute mich flehend an. »Gib her«, sagte ich und verzog das Gesicht.

Dann ging ich in den Flur zurück und schloß ab, ohne jemanden der Umstehenden eines Blickes gewürdigt zu haben.

»Sie soll ja schon ihre Mutter aus dem Haushalt getrieben haben«, wisperte Frau Deutschbein dem Hausmeister zu, der aus seiner Wohnung gekommen war und sich jetzt auch über Jan beugte.

»Kann ich mal bitte«, sagte ich, schloß ab und ging wieder zum Fahrstuhl, wo mein Vater seit einigen Sekunden zwischen der Lichtschranke stand und die Tür blockierte.

Jetzt würden sie sagen, daß ich ein eigenartiges Verhältnis zu meinem Vater hätte, zwei oder drei würden hektisch auf die Uhr sehen, weil sie zu spät zur Arbeit kommen würden, die restlichen würden den Kopf schütteln und weggehen. Ich wußte, daß sie ihn schön fanden, wie er so dalag. Wie Jung-Siegfried mit wallenden blonden Locken.

Als ich nach Hause kam, war er fort. Zurückgeblieben waren nur die abgerissenen Rosen von der Rabatte vor unserem Haus. Frau Deutschmann hatte sie auf zwei Eimer verteilt. Ich nahm die Blumen und warf sie in den Müllschlucker.

Ich habe Jan nie wiedergesehen. Manchmal traf ich noch einen, der ihn besoffen auf der Seeterrasse liegen sehen hatte. Einer hatte mal gehört, daß er verheiratet, ein anderer, daß er in den Westen gegangen sei, ein Dritter meinte, er habe sich totgesoffen, irgendein anderer habe eine Todesanzeige gelesen. Mir war es egal.

34. Kapitel

Spargel
Spargel ist relativ empfindlich, da er sich nach der Ernte erwärmt und stark dazu neigt auszutrocknen. Wird er nach der Ernte innerhalb von 6 bis 8 Stunden in das Kühllager gebracht, so kann er für acht Wochen eingelagert werden.

Ich hatte diesen zweiten Juli 1982 herbeigesehnt wie keinen anderen Tag. Ich kam mir vor wie eine Marathonläuferin, die nach über 42 Kilometern um die Ecke rennt und das Stadion sieht. Jetzt waren es nur noch 400 Meter, bis ich das Zeugnis in der Hand halten würde. Ich hatte mir für die Abiturabschlußfeier zwei Bettlaken besorgt, aus denen ich mir ein weißes Kleid nähte, das von weitem wie ein Nachthemd aussah. Ich mußte meine Rolle zu Ende spielen. Vater kam in seinem besten Anzug. Er versuchte, sich nichts anmerken zu lassen und saß die ganze Zeit allein an einem der hinteren Tische, während die anderen Eltern miteinander schwatzten. Auch mit mir redete niemand. Als ich auf die Bühne gerufen wurde, ging ein Raunen durch den Saal. Als der Direktor zum Händeschütteln auf die Bühne kam, verschränkte ich meine Arme demonstrativ auf dem Rücken, und er machte einen großen Schritt an mir vorbei. Als ich von der Bühne ging, gab er Kornblum die Hand und sagte laut: »Ich wünsche dir, daß du nie wieder eine Schülerin wie Annja Kobe unterrichten mußt.«

Ich hatte als einzige keinen Studienplatz, obwohl ich eine der Besten war, sah man mal von den Zensuren in Mathematik und Französisch und meiner Beurteilung ab.

Meine Beurteilung hatte der Direktor verfaßt. »Ihre fortschrittliche Erziehung brachte Annja Kobe nicht immer durch eigene optimistische, positive Haltung zum Ausdruck«, stand da als letzter Satz. Kornblum meinte beim Abschied, er habe sie noch einmal durch den Weichspüler gegeben, vorher hätte dort »nicht«, statt »nicht immer« gestanden, was ein Unterschied sei. Mir war es egal. Vater hätte gerne gesehen, daß ich Kältetechnik studiere. »Bei uns ist bestimmt in vier Jahren eine Stelle frei.« Aber ich hatte keine Lust dazu. Ich nahm mein Zeugnis und verließ mit Vater den Saal.

Wir gingen ins Interhotelrestaurant »Moskwa«, in das ich in meinem Aufzug nur hereinkam, weil der Oberkellner sich noch an Großvater erinnern konnte. Wir hingen beide unseren Gedanken nach. Ich dachte an Großvater und fragte mich, wie er wohl in meiner Situation reagiert hätte. Woran Vater dachte, war nicht herauszubekommen.

Im September mußte ich mir eine Arbeit suchen. Überall, wo ich mich bewarb, wurde ich mit offenen Armen empfangen, aber nach einer Woche gab man mir jedesmal zu verstehen, daß man doch keine Arbeitskräfte brauche, obwohl am Eingang zum Betrieb unverändert die Liste mit den offenen Hilfsarbeiterstellen hing. Sie waren nicht verpflichtet, mir zu begründen, warum sie mich nicht wollten.

Nach drei Wochen bekam ich einen Brief von der FDJ-Kreisleitung. Ich sollte mich zu einem bestimmten Termin dort melden, man wolle mit mir über die letzte Kulturkonferenz reden. Ich hielt den Brief für einen Irrtum. Ich rief bei der FDJ-Kreisleitung an und bat, mich mit dem Jugendfreund Winter zu verbinden, der die Einladung unterschrieben hatte, aber die Frau am anderen Ende gab mir zu verstehen, daß sie keinen Jugendfreund Winter kenne, und ich solle mal bei der FDJ-Bezirksleitung nachfragen. Um so besser, dachte ich und hielt den Vorgang für abgeschlossen. Eines Abends kam Vater nach Hause und sagte mir etwas aufgeregt, er hätte über den Rat des Stadtbezirkes erfahren, daß ein Herr Sommermeyer von der FDJ-Kreisleitung mich am Freitag zu sprechen wünsche, es gehe um meine Zukunft. Vater machte sich offensichtlich mehr Gedanken darum als ich. Ich erzählte ihm, daß der Mann in der schriftlichen Einladung noch Winter geheißen habe. Vater sagte, ich solle ihm den Gefallen tun und dort hingehen. Ich hatte ein flaues Gefühl im Magen, als ich die Treppe zur Kreisleitung hinaufging. Ich sagte der Sekretärin, die im Blauhemd hinter einer riesigen Schreibmaschine saß, ich sei mit Jugendfreund Sommermeyer alias Winter verabredet, und sie stand auf und führte mich ins hinterste Zimmer, vor dessen Fenster sich eine riesige Brandmauer breitmachte, die dem Raum jedes Licht nahm. In der Ecke saß ein älterer Mann, der wortlos auf einen Stuhl zeigte. »Ich heiße Horst Schmidt«, sagte er, »ich bin vom Ministerium für Staatssicherheit.« Ich suchte nach einem Notausgang, aber der Stasimann war wohl den Bewegungen meiner Augen gefolgt und sagte: »Sie bleiben jetzt hier sitzen, und dann wollen wir uns mal ein bißchen unterhalten.« Ich antwortete, ich wüßte nicht, worüber ich mich mit der Staatssicherheit unterhalten soll. Er holte einen Zettel hervor, auf dem alle meine Verstöße der letzten Monate aufgezeichnet waren, einschließlich des Nachthemdes auf der Abiturfeier. Er fragte mich über die Schule aus, aber ich war noch nie sehr redselig, und das Gespräch tröpfelte vor sich hin. »Wissen Sie«, sagte er nach einer Weile, »Sie sind wirklich schlimm, und ein Teil ihrer Aktivitäten würde mit ein bißchen Nachhilfe ausreichen, um Ihnen einen Strick daraus zu drehen, aber es gibt in der Stadt noch viel Schlimmere als Sie, und es wäre ganz hilfreich für Sie und für uns, wenn Sie uns ab und zu darüber berichten könnten.« Jetzt war es heraus. Ohne nachzudenken sagte ich: »Ich mach Ihnen nicht den Spitzel« und er gab erbost zurück, das hieße Kundschafter und sei für die Sache des Sozialismus. Nach einer Weile räusperte er sich und fragte, ob ich nach Hause wolle. Ich sagte: »Ja.«

»Unter einer Bedingung«, sagte er. »Sie unterschreiben mir einen Zettel, daß Sie über das Gespräch schweigen, sonst nehme ich Sie mit, und dann werden wir uns ganz anders mit Ihnen unterhalten.« Ich hatte noch nie jemanden getroffen, der erzählt hatte, daß die Staatssicherheit ihn werben wollte. Ich war nur zutiefst beleidigt, daß dieser Typ ausgerechnet mich fragte. Ich hatte bisher die Vorstellung, alle Mitarbeiter der Staatssicherheit sähen aus wie Winter/Sommermeyer/Müller oder die Typen, die mit ihren Kutten an der Straße standen, wenn die Staatsjagdgesellschaft in unserer Stadt haltmachte. Ich zögerte, ehe ich den Stift in die Hand nahm. Aber ich wollte diesen Ort so schnell wie möglich verlassen. Er diktierte mir einen Satz, der mich verpflichtete, keinem von dem stattgefundenen Gespräch zu erzählen. Er diktierte »von den stattgefundenem Gespräch«, und ich berichtigte ihn nur deshalb nicht, weil ich Angst hatte, wegen Widerstandes gegen die Staatsgewalt doch noch mitgenommen zu werden. Ich warf ihm das Blatt über den Tisch und ging ohne Gruß. Ich eilte durch die Räume der Kreisleitung, und als ich um die Ecke war, rannte ich nach Hause und schlug die Tür hinter mir zu. Ich holte das Strafgesetzbuch aus dem Regal, das ich mir gekauft hatte, um herauszubekommen, ob es in der DDR ein Post- und Fernmeldegeheimnis gäbe, denn die Briefe, die ich bekam, waren seit einem halben Jahr aufgerissen und nur notdürftig mit Klebeband wieder verschlossen. Ich schaute nach, was auf Geheimnisverrat stand und las unter § 245: *Wer entgegen einer ihm durch Gesetz, Arbeitsvertrag oder von einem Staats- oder Wirtschaftsorgan ausdrücklich auferlegten Pflicht geheimzuhaltende Dokumente oder Gegenstände für Unbefugte zugänglich aufbewahrt oder solche*

Dokumente oder Gegenstände abhanden kommen läßt oder in anderer Weise geheimzuhaltende Tatsachen offenbart, wird mit Freiheitsstrafe bis zu zwei Jahren oder mit Verurteilung auf Bewährung oder mit öffentlichem Tadel bestraft.

Als Vater nach Hause kam, schrie ich ihn an: »Du hast mich der Staatssicherheit ausgeliefert, die wollten mich zum Spitzel machen! Sag mir, wann der Frühzug nach Berlin geht.« Und Vater antwortete: »6.12 Uhr, Bahnsteig 7, 8.35 Uhr in Berlin-Baumschulenweg«, denn Vater kannte den Fahrplan auswendig. Ich packte meinen Rucksack und ging noch einmal zu Vater ins Zimmer. Ich bat um mein Sparbuch und um meine Geburtsurkunde. Er gab mir wortlos die, auf der mein Vorname stand, ausgestellt am 7. Februar 1964, fünf Wochen nach meiner Geburt. Ich bemerkte erst am dritten Tag nach meiner Flucht, daß er zwischen die Seiten des Sparbuchs 300 Mark gelegt hatte.

Ich lag die ganze Nacht wach.

Am nächsten Morgen kam ich in Berlin an. Auf der Suche nach Mutter lief ich den ganzen Tag die Schönhauser Allee auf und ab, bis mir einfiel, daß sie vielleicht noch im Kino arbeitete. Bei der dritten Runde fragte ich die Kartenverkäuferin des »Colosseum«, ob sie meine Mutter kenne, und sie sagte mir, Barbara Kobe arbeite hier, hätte zur Zeit aber Urlaub. Ich ließ mir die Adresse geben, aber in ihrer Wohnung machte niemand auf. Durch den Briefschlitz sah ich unsere Leitermöbel, deren zweite Hälfte in Vaters Zimmer stand. Ich hatte zum ersten Mal das Gefühl, Berlin könne mein Zuhause werden. Gegenüber war ein Café. Ein Betrunkener, dessen Gesicht mich an Jan erinnerte, nahm mich mit zu sich nach Hause. Am Morgen sagte er, daß im Haus noch eine Wohnung frei sei. Der Vormieter sei in den Westen gegangen, wie fast alle seine Freunde. Er gab mir einen Dietrich, und ich brach die Wohnung auf. Vater rief ich nicht an.

35. Kapitel

Speiseeis
Der Fabrikationsvorgang durchläuft die folgenden Stationen:
a) Pasteurwanne, b) Homogenisiermaschine, c) Oberflächen- und Plattenkühler, d) Reifewanne, e) Gefriermaschine, f) Abfüllmaschine, g) Schneidemaschine, h) Couverturemaschine, i) Härte- und Lagerraum

Anfangs schlich ich mich jeden Morgen gegen dreiviertel neun an der Postfrau vorbei, die gerade auf Zeitungstour war. Schleichen mußte ich deshalb, weil sie mich jedesmal, wenn ich im Hausflur zu dicht an ihr vorbeiging, darauf hinwies, daß es nach dem Postgesetz verboten sei, so kleingeschriebene Namen an den Briefkasten zu machen. Das war natürlich Humbug, aber ich mochte ihr nicht sagen, daß es an ihrer Sehschwäche lag, daß sie meinen Namen nicht lesen konnte.

Die Postfrau unterschied zwischen den ewigen Schliemannstraßenbewohnern, die schon die Bombardierung der Nummern 7, 9 und 10 erlebt hatten, und denen, die danach gekommen waren. Die meisten der in den letzten Jahren Zugezogenen waren den ganzen Vormittag in der Wohnung und gingen erst abends aus dem Haus, weil »se nicht abeeten tun«, wie die Postfrau sich auszudrücken pflegte.

Wenn jemand der Alt-Schliemannstraßenbewohner krank war, wußte das die Postfrau als erste, denn die Alt-Schliemannstraßenbewohner schwenkten, wenn sie von der Ärztin kamen und die Postfrau auf der Straße trafen, gleich den Krankenschein wie eine Trophäe und riefen die Nummer ihrer Krankheit, meist war es die für Gastritis. Dann dauerte es mehrere Stunden, ehe die Post von Nord nach Süd und von Süd nach Nord ausgetragen war. Die Postfrau mußte nämlich erst mal zum Krankenbesuch hoch, und da verging schon mal ein Stündchen.

Man konnte sich bei ihr aber relativ sicher sein, daß sie die ankommenden Postkarten nicht las, falls nicht einer der kranken Alt-Schliemannstraßenbewohner nach dem dritten Schnaps bettelte: »Komm, Helga, hol Post für die Rothaarige von über mir raus, ich will mal wissen, was die dauernd für Karten aus'm Westen kriegt«, und sie dann der blinden Postfrau vorlas. Eines Morgens fragte sie mich mit mißtrauischem Blick hinter ihren dicken Brillengläsern hervor: »Warum sind Sie eigentlich immer so früh auf den Beinen?«

»Ich bin Eisverkäuferin«, sagte ich.

»Ah«, sagte sie, »ick hab jedacht, Sie sind ooch Künstler. Wissen Se, mein Mitschüler Atze Kowalski wäre kurz nach'm Krieg beinahe mal an 'ner Portion geschlagenem Schnee mit Vanilleersatz gestorben, weil der Vanilleersatz Seifenpulverersatz jewesen is.« Ich war nicht wegen des Ersatzstoffes, sondern wegen des geschlagenen Schnees erstaunt. Die Postfrau meinte, geschlagener Schnee habe viel besser geschmeckt als das Eis, das es heute gäbe. Ich brachte ihr am Abend ein Eis mit. Das gelbe Papier mit der Aufschrift »Moskauer Eis, 12% Fett« klebte sie kurzerhand an meinen Briefkasten, so daß sie immer wußte, daß es nur der Kasten der Eisverkäuferin sein konnte. An regnerischen Tagen sagte sie: »Iss ja heut'n bißchen trübe für Eis.« Und ich sagte dann laut »Ja«, weil sie im dunklen Hausflur ein Nicken nicht erkannt hätte, und ging durch die Dimitroffstraße zur U-Bahn, um meine Arbeit bei den HO-Gaststätten Alexanderplatz anzutreten.

Nach Arbeitsbeginn mußte ich erst eine Stunde Würstchen schälen. Man hatte sich aus Sparsamkeitsgründen einfallen lassen, die Würstchen nicht mehr im Darm, sondern in Plasteumhüllungen anzuliefern, die nicht warmgemacht werden konnten, weil sonst die Gefahr bestand, daß sie bei zu großer Erhitzung anfangen würden zu schmelzen. Ich mußte diese eine Stunde die Würstchenverkäufer unterstützen, die ja nicht erst am Stand anfangen konnten zu pellen. Außerdem waren sie bei so niederen Arbeiten allesamt ungeschickt, denn es waren ausschließlich Männer. Ich beneidete sie trotzdem nicht, um keinen Preis der Welt hätte ich warme Würstchen verkaufen mögen. Mir reichte schon der Geruch an den Händen, der auch mit Seife nicht abging und selbst abends noch zu spüren war, wenn ich in der Kneipe das Bierglas zum Mund führte. Ich war immer froh, wenn die Stunde vorbei war und ich meinen Wagen mit Eis vollpacken konnte. Es war das Eis meines Vaters, ich hatte es schon in der Versuchszeit verkosten dürfen und einige Verbesserungsvorschläge angebracht, die, wie mein Vater behauptet hatte, beherzigt worden waren. Ziemlich schnell merkte ich allerdings, daß sie sich in der Produktion mitnichten daran gehalten hatten. Das Moskauer Eis für eine Mark hatte immer noch die grauen Waffeln rechts und links, die als erstes aufweichten und am Butterpapier festklebten. Das Stieleis für 45 Pfennige war natürlich mit Pflanzenfett zubereitet. Ich hatte schon beim ersten Kosten das Gefühl, ich müsse an einem eisgekühlten und mit Zucker versetzten Würfel der Marina-Margarine lutschen. Aber leider kauften die Leute viel lieber diese Sorte, wahrscheinlich, weil der Stiel etwas Magisches hatte. So stellte man sich Eis aus dem Westen vor, und der Stiel war sogar aus Holz. Man konnte, wenn man sie sammelte, Zäune für den Spielzeugbauernhof daraus basteln oder Plastebecher damit umkleben, in die man dann kleine Blumentöpfe oder Stifte hineinstellte. Manche verzierten diese Stücke mit Brandmalereien, indem sie Rouladennadeln mit Hilfe einer Kerze am rund gebogenen Ende glühend machten und in das Holz drückten. Es gab immer wieder Bastler, die die weggeworfenen Stiele aus dem Abfallbehälter neben meinem Stand holten und sie in Dederonbeuteln wie einen Schatz nach Hause trugen. Einmal verkaufte ich zwei Stieleis an ein Pärchen, dessen weiblicher Teil schwanger war. Das war an sich nichts Besonderes, es kamen viele werdende Mütter, die Heißhunger auf Eis hatten, weil saure Gurken immer ein Engpaß waren. Sie hielten schon von weitem ihren Schwangerenausweis hoch und gingen gleich an den Anfang der Schlange, was regelmäßig Unmut hervorrief. Eine dieser Schwangeren also sagte beim Weggehen zu ihrem Mann: »Aber deinen Stiel will ich essen. Kriegst auch mein Eis dafür!«

Ich rief sie unter einem Vorwand zurück und fragte leise, daß die andern in der Schlange es nicht hören konnten, ob sie die Stiele wirklich esse. Ja, sagte sie, seitdem sie schwanger sei, habe sie einen Heißhunger darauf, es gebe ja weder Schaschlickspieße noch Mikadostäbe, die noch aus Holz seien.

Als ihr Freund mit dem Eisessen fertig war, machte sie mir dann vor, wie man Holz essen müsse, ohne daß Splitter im Hals steckenbleiben. Ich fragte, ob jemand aus ihrer Familie in der holzverarbeitenden Industrie gearbeitet habe, so daß sie vielleicht erblich belastet sei? »Nee«, lachte sie, »meine Eltern sind beide Akademiker.« Ich sah, wie die anderen in der Schlange während der Vorführung große Augen bekamen, und vor allem die Kinder konnten es gar nicht abwarten, bis das Eis vom Stiel heruntergeleckt war, damit sie es auch einmal probieren konnten. Das Paar kam dann öfter, manchmal hob ich ihr ein paar Stiele auf, die aus dem Eis gefallen waren und auf dem Boden der Kühltruhe lagen, bis das Kind, das übrigens ganz aus Fleisch war, im Kinderwagen mitkam und das Holzessenmüssen aufhörte.

In den ersten Wochen packte ich meine Kühltruhe nur bis zu den von meinem Vater in einer seiner wissenschaftlichen Arbeiten ermittelten Stapelmarken, um so die Temperatur von –18 °C in der Truhe zu halten. Das ließ ich aus mehreren Gründen bald sein. Ich mußte nämlich meine Kühltruhe von der Eisausgabestelle unter dem Fernsehturm dreißig Meter bis zur Karl-Liebknecht-Straße rollen. Die Rollen rollten natürlich nicht synchron, und es war immer ein Hin- und Hergeschiebe, bis ich sie an meinem Platz hatte und die Bremse betätigen konnte. Die Truhe war jetzt mein Verkaufsstand und ich mit meinem Kittel die Eisverkäuferin. Oben gab es rechts und links einen Schieber, den ich öffnen mußte, um das Eis herauszuholen. Das ging am Anfang Hunderte Male pro Tag so: Schieber auf, Schieber zu. Komischerweise habe ich in der ersten Woche geträumt, daß ich Vater aus der Truhe holen mußte. Im Traum wie in der Realität klemmte der Schieber, und ich mußte einen der Kunden bitten, mir zu helfen. Dann hingen wir beide am Griff und versuchten, das Fach wieder aufzukriegen. Schließlich kapitulierte ich und ließ den Deckel auch bei tropischer Hitze auf. Die Truhe war zu allem Überfluß noch durch eine lange Schnur, die bis ins Café unterm Fernsehturm reichte, mit dem Stromnetz verbunden. So manches Mal hat sich jemand einen Spaß gemacht und das Kabel entweder durchgeschnitten oder im Café den Stecker gezogen.

In der Woche stand ich erst einmal zwei Stunden herum, und niemand kaufte mein Eis. Ich dachte, wenn das dein Vater sehen könnte, der ja immer so tat, als würden sich alle um sein Eis schlagen. Ich stellte mir mit Grausen vor, daß er eines Tages zufällig an meinem Stand stehen könnte, um die Qualität des Eisverkaufs zu überprüfen, wie er es in jeder Kaufhalle machte. Er konnte sich wahrscheinlich nicht im Traum vorstellen, daß ich mir auf dieser zugigen Straße die Beine in den Bauch stand und die Praxis verkaufte, die aus seiner Theorie geworden war. Es blieb mein großes Geheimnis, daß ausgerechnet mein Vater dieses Eis im Labor zusammengerührt und in die Produktion überführt hatte.

Um elf kamen die ersten vom Einkauf aus dem CENTRUM-Warenhaus, rechts und links neben ihren Knien schlenkerten Beutel oder Kartons. Sie sagten: »Ein Stieleis!« und hielten mir mit den letzten beiden Fingern, an denen noch nichts hing, ihre Zwanzigmarkscheine hin. Ich hatte natürlich nur beim ersten Wechselgeld. Dann fing die Fragerei an, ob die anderen in der Schlange wechseln können, dann konnten sie das nicht, und um elf natürlich schon überhaupt nicht. Dann mußte ich zum Würstchenstand nebenan, die brauchten ihr Wechselgeld aber selbst. Wenn niemand mehr wechseln konnte, blieb nur noch das Café, aber da mußte ich dann den Wagen mitnehmen oder jemanden in der Schlange fragen, der mir vertrauenswürdig vorkam, ob er mal aufpassen könne. Meistens fragte ich Mütter. Denn der Schieber hatte natürlich kein Schloß, und unbewacht stehenlassen durfte ich die Truhe nicht.

Den besten Umsatz hatte ich am Sonntag, denn da gingen die Berliner spazieren, und das Geld saß locker. Ab und zu stellte sich auch mal ein Ausländer in die Schlange, der das Eis kosten wollte und zum Glück schnell wegging, man mußte sich ja schämen, manchmal. Die aus dem Westen nahmen immer das Moskauer Eis. Die Hiesigen schreckte der Name wohl eher ab, obwohl es besser schmeckte als das Stieleis. Das habe ich bei meinen seltenen Kundenberatungen immer wieder betont, aber dann meinten welche: »Du willst ja nur dein teures Russenzeug loswerden.« Dabei wurde das Eis hundert Meter weiter im Backwarenkombinat hergestellt.

Nur die Punks aßen, wahrscheinlich aus Abneigung gegen die russenhassenden Kleinbürger, konsequent Moskauer Eis. Als sie das erste Mal auf mich zukamen, haben mir die Beine geschlottert. Ich war ja noch neu in Berlin, und solche Art von Verkleidung kannte ich nicht. Die wollten nicht wissen, was es kostet, und, so nahm ich an, eigentlich auch nicht bezahlen. Sie stellten sich nicht an, sondern kamen völlig cool von hinten und sagten: »Zwanzig Moskauer.« Die Leute traten zur Seite. Ich legte das Eis stumm auf den Schieber, und jeder nahm sich eins; beim ersten Mal dachte ich, das war's, und jetzt hast du Scherereien, aber der letzte Punk drehte sich dann doch noch einmal um und legte mir die zwanzig Mark hin.

Das Eis war am Anfang noch schön sortiert in Kartons, die hielten aber nicht lange. Wenn sie leerer wurden, fielen sie um, weil an der Pappe gespart worden war, und dann lag das Eis unten kreuz und quer. Wenn das 45er alle war, habe ich mein Schild »Stieleis ist alle« rausgeholt, und also gab es nur noch Moskauer Eis. Gegen Nachmittag wurden es immer mehr Leute. Und dann kam der schlimme Moment, vor mir standen zehn Leute, und ich wußte genau, das werden im nächsten Moment noch mal zehn, und das Eis reicht nicht mehr. Ich habe die Kasse unter den Arm geklemmt und meine Kühltruhe vor mir hergeschoben und bin neues Eis holen gegangen, an all den wartenden Leuten vorbei. Dem ersten habe ich immer gesagt, daß ich gleich wiederkomme. Das war die lächerlichste und zugleich erhebenste Situation meines bisherigen Lebens. Die Verkäuferin geht mit ihrem Stand weg, und die Schlange bleibt im Nichts stehen. Es konnte ja keiner sehen, worauf sie eigentlich warteten. Vielleicht auf Autos oder irgend etwas anderes Wichtiges, da mußten sich gleich noch mehr anstellen. Und die standen tapfer, der erste so im Leeren, meistens den Blick starr auf die Gehwegplatten gerichtet, bis ich nach zwanzig Minuten wiederkam. Unterm Fernsehturm in der Verteilerstelle wurde eingepackt und ausgezählt, und am Ende mußte ich für den Posten mehrere umständlich auszufüllende Formulare unterschreiben. Zwischendurch schaute ich um die Ecke. Die Schlange war noch länger geworden, ich hätte die Leute auch eine Stunde lang stehenlassen können, sie wären wahrscheinlich geblieben. Ich hätte auch warten können, bis sie wegen der unerlaubten Ansammlung von mehr als fünf Leuten verhaftet worden wären, aber ich fuhr dann doch wieder mit einer vollen Truhe zu ihnen, blieb vor dem ersten stehen und stellte die Ordnung wieder her. Denn manchmal war die Schlange zu einer Traube geworden, und ich mußte mit einem strengen Ton in der Stimme sagen: »Jetzt stell'n Se sich aber mal wieder der Reihe nach an, sonst verkoof ick nich!« Und das machten sie dann auch. Manche haben rumgemeckert, aber stehengeblieben sind sie doch. Dann dauerte es fast zwanzig Minuten, bis ich die Schlange abgearbeitet hatte.

Die Truhe war im Sommer schlimmer als alles, was ich bei den Streifzügen meines Vaters in den Kaufhallen kennengelernt hatte. Ich habe mir spaßeshalber einmal ein Thermometer mitgenommen. In der Truhe waren über Null Grad, das Eis war nach einer halben Stunde zwischen aufgelöst und wieder fest geworden und hatte seine Konsistenz erheblich verändert. Ganz unten waren die Verpackungen plattgedrückt und die Schokoladenumhüllungen in viele kleine Einzelteile zerbrochen. Das konnte ich durch das Papier fühlen, und wenn die Klebestelle des Papiers nicht gehalten hatte, konnte ich es sogar sehen. Aber bis auf einen Mann wollte mir das keiner wieder zurückgeben. Ich hatte mich schon daran gewöhnt, die, die mit Hundertmarkscheinen ankamen, um ein bis zwei Mark zu bescheißen. Dem hatte ich auch zu wenig gegeben, aber der kam zurück: »Also hier fehlt 'ne Mark, und außerdem weiß ich nicht, ob ich das, was ich hier in der Hand halte, als Eis bezeichnen soll.« Bei dem Eis, was er in der Hand hielt, war der Stiel herausgebrochen, und es war auch schon ein bißchen matschig. Aber sollte ich ihm lang und breit erklären, daß es in der Natur des Systems lag? Jedenfalls wollte er sich beschweren. Ich nahm die Haltung der Verkaufsstellenleiterinnen an. Erst mal zuhören und nichts sagen, dann alles auf die schlechte Qualität der Kühltruhen zurückführen und mit der Schulter zucken. Und es hat funktioniert. Ich habe ihm seine Mark gegeben, und er ist losgegangen mit seinem Eis, ohne sich bei der Leitung zu beschweren. Hinterher schalt ich mich, nicht schon beim Verkauf gesehen zu haben, daß der wie mein Vater ist.

Nach einer Woche Arbeit hatte ich mich beim Leiter der HO Alexanderplatz beschwert. Über die schlechten Kühltruhen, die miesen Arbeitsbedingungen und die Qualität des Eises. Eines vom Grund der Truhe hatte ich zum Beweis mitgenommen. Er sagte lakonisch: »Wir haben sie hier eingestellt, weil wir annehmen, daß Sie sich bewähren sollen.« Ich wurde stutzig. »Ich habe hier gelesen, daß Sie Ihr Abitur mit ›Sehr gut‹ gemacht haben. Man pflegt mit solchem Abitur zu studieren, schließlich hat der Staat viel Geld für Sie ausgegeben. Warum stehen Sie dann hier am Alex?«

Ich mußte irgendwie reagieren, das war eine gefährliche Frage. Ich sagte spontan: »Ich will mich erst einmal in der Praxis bewähren, ehe ich mein Studium des Kälteanlagenbaus aufnehme.« Er musterte mich länger, konnte aber offensichtlich weder in den Akten noch an mir etwas finden, was meine Aussage sofort widerlegt hätte. »Ihre Verkaufstechnik scheint noch nicht die beste zu sein. Schauen Sie sich Ihre Kolleginnen an, da beschwert sich keine und macht auch keinen Regreß, also kehren Sie an Ihren Arbeitsplatz zurück!«

Ich nahm mir vor, mir in der nächsten Saison eine andere Arbeit zu suchen, bevor sie noch herausbekamen, wer mein Vater war, und mich für eine Detektivin des Forschungsinstitutes oder etwas noch Schlimmeres hielten. Im Lebenslauf für die Bewerbung hatte ich mich, was meinen Vater betraf, sehr vage ausgedrückt; er sei Abteilungsleiter in einem Forschungsinstitut. Jedes weitere Argument gegen die miesen Arbeitsbedingungen hätte verraten, daß ich mehr vom Fach verstand, als man von einer normalen Verkäuferin im allgemeinen erwartete. Das Eis war mir während des Gesprächs vollständig in den Händen zerflossen. Er gab mir deshalb mit süffisantem Lächeln den guten Rat, mich erst einmal zu waschen, bevor ich wieder an meine Arbeit zurückkehre. Am anderen Morgen sagte mein Verkaufsleiter zu mir: »Stell dich nich so blöde an, das bißchen Eis wirste doch wohl unter die Leute kriegen.« Und das hat auch gestimmt, man wurde das immer los, denn wenn die Leute die Wahl hatten, ein halbaufgetautes Eis zu nehmen oder zwanzig

Minuten auf ein frisches zu warten, dann nahmen sie das, was sie sofort kriegen konnten. Allerdings habe ich nichts von ernsthaften Vergiftungen durch das von mir verkaufte Eis gehört, die mein Vater bei unsachgemäß gelagertem Eis prophezeit hatte.

Im Oktober war die Saison zu Ende, und ich hatte genug Geld, um über den Winter zu kommen. Ich mußte mir dann aber doch schnellstens wieder eine Arbeit suchen, denn eines Tages flüsterte die Postbotin mir zu: »Der Abschnittsbevollmächtigte hat nach Ihnen gefragt. Ich konnte aber nur Gutes über Sie sagen. Vielleicht schenken Sie seiner Familie auch mal ein Eis. Er wohnt in der Nummer 9, Vorderhaus. Da hat er schon als Kind gewohnt. Sein Vater ist 45 von der Frauenschaftstante, ich hab leider ihren Namen vergessen, verpfiffen worden. Den haben die Russen mitgenommen. Man sagt, sie haben ihn in den Keller der Kapelle in der Prenzlauer gebracht, da wo jetzt die Stasi drin ist, und von da nach Sibirien, von wo er nich wiederjekommen is. Wieso der Sohn zur Polizei jejangen is, is hier allen 'n Rätsel. Sei'n Se vorsichtig, aber ham Se keene Angst, der is ooch nur'n Mensch.«

Einen Tag später klopfte es an meiner Tür, und als ich aufmachte, stand da der Abschnittsbevollmächtigte Helmholtzplatz mit seinem, wie er mir vorstellte, Kollegen und bat, eintreten zu dürfen. Sie fragten dann nur nach meinem Ausweis und waren erstaunt, daß ich in der Wohnung gemeldet war, aber mein Nachbar war ein paar Tage vorher mit mir zur Polizei gegangen und hatte mich als seine neue Freundin vorgestellt, die bei ihm wohne, und sie hatten die Adresse anstandslos in den Personalausweis eingetragen. Als die Polizisten mich fragten, wo ich denn beschäftigt sei, log ich, daß ich in der Eiskremproduktion arbeite. Am nächsten Morgen ging ich zum Backwarenkombinat.

36. Kapitel

Telefonzentrale
Bewetterung
Besonders unter tropischem und feuchtem Klima +20 bis +22 °C bei 50 bis 55 % rel. Feuchtigkeit.

Vierzehn Augenpaare starrten mich an, als ich mit meiner nagelneuen Arbeitskleidung in den Raum kam, in dem der Rundgefrierer stand, für den ich eingeteilt worden war. »Das ist Annja Kobe, sie wird uns am Rundgefrierer helfen«, sagte Karla Simon, die Brigadierin, die man hier Brigadeuse nannte, wie sie mir gleich in der ersten Minute unseres Kennenlernens erklärt hatte. »Das ist so wie Friseuse, nur wesentlich schwieriger.«

»Wohl wieder eene, die se zur Bewährung inne Produktion jeschickt ham«, sagte höhnisch eine Kleine, die hinter der riesigen Maschine stand. Die anderen lachten und zogen ihre Haarnetze über die Dauerwellen. »Das ist Carmen Patschulla«, sagte Karla, »mit dem Mundwerk immer frech vorneweg, nur mit dem Saubermachen hat sie es nicht so.« Ich bekam den Spitznamen »die Studierte« und man fragte mich, warum ich nicht in die Verwaltung gehe, ich hätte doch sicherlich eine Eins in Rechtschreibung gehabt, aber ich hatte keine Lust, mich zwischen zwei Lieferscheinen immer über dieselben Themen wie Kinder, Männer und Versorgungsprobleme zu unterhalten. Davon bekam ich in den Pausen schon genug, denn drei meiner Kolleginnen, Carmen, Margot und Paula, hatten jeweils ein Kind von einem Mann, der im Betrieb »der Stecher« hieß. Er war Schlosser und ein rotes Tuch für Karla, denn er kümmerte sich nicht um seine Kinder. Wenn Zahltag war, fing sie ihn regelmäßig im Lohnbüro ab, und er mußte erst seine Runde von Carmen über Margot bis zu Paula machen und die Alimente auf Heller und Pfennig zahlen, bevor er in die Kneipe konnte. In den Pausen veranstalteten die drei Frauen Ähnlichkeitswettbewerbe anhand verwackelter Schwarzweißfotos oder beschwerten sich, daß eines der Kinder in der Betriebskrippe das andere geschlagen habe, was ein Beweis dafür sei, daß der Stecher diesem einen Kind mehr vererbt habe, als gut sei. Manchmal bekamen sie sich bei solchen Diskussionen in die Haare, und Karla mußte dazwischengehen, aber dann hielten sie wieder zusammen wie Pech und Schwefel und warnten jede Neue vor dem Vater ihrer Kinder.

Manchmal, wenn ich am Rundgefrierer stand und das Eis in den Tüllen durch die Bahnen lief, fragte ich mich, was ich eigentlich hier wollte. Vielleicht war ich die ganze Zeit auf der Suche nach meinem Vater, aber alles, was ich in diese Richtung unternahm, brachte mich jedesmal auf die andere Seite der Eiskrembarrikade.

Auf der einen Seite stand mein Vater und pries die neuesten wissenschaftlichen Errungenschaften, und auf der anderen Seite stand ich an der Maschine, die die neuesten wissenschaftlichen Errungenschaften nicht vertrug, denn sie war in Dänemark und nicht für eine Mangelwirtschaft gebaut worden. Mal fehlte das Milchfett, und die Mixerinnen mußten zusehen, wie sie aus der steinharten Margarine eine Paste machten, ein anderes Mal war die Schokolade so hart, daß sie nicht aus den riesigen Eimern floß. Ich habe nie wieder so viele Fäkalienausdrücke hintereinander gehört wie in diesem Lebensmittelbetrieb, und ich war ganz froh, daß ich zuerst als Eisverkäuferin und dann als Produzentin gearbeitet hatte, sonst hätte ich beim Verkaufen an all die Flüche denken müssen, die in jedem Stieleis steckten, von denen Pisse, Kotze und Scheiße noch die harmlosesten waren.

Alle zwei Stunden wechselten wir uns ab, nur Karla oder ihre Stellvertreterin Magdalene, die schon vierzig Jahre im Betrieb arbeitete, hatten ihren Stammplatz an den Knöpfen, damit sie bei Aus- oder Notfällen die Maschine rechtzeitig abstellen konnten. Vom problemlosen Betrieb der Maschine hing unsere Prämie ab, aber es lief nie problemlos, und das Ergebnis war dann das Eis, das ich am Alexanderplatz vom Truhenrand gekratzt hatte. Ich konnte das im nachhinein gut zuordnen. Wenn die Verpackungen wie eine Kette aneinanderhingen, hatte die Schnittmaschine nicht funktioniert. Dann stand ich, wenn ich zum Verpacken eingeteilt war, am Ende des Systems und riß die einzelnen Eisverpackungen mit der Hand auseinander, während die Maschine immer mehr Eis ausspuckte. Bald kam ich nicht mehr hinterher und legte am Ende ganze Schlangen Eis in die Kartons. Ich sah noch im Traum die sich drehenden Segmente, in denen das Eis durch die Gefrierbahn lief. Oder ich träumte von Unmengen Schokolade, die ich mit einem Quirl in die Masse rühren mußte. Ich rührte und rührte, aber die Schokolade verklumpte immer mehr. Am schlimmsten war der Traum, in dem ich beschuldigt wurde, nicht sauber gearbeitet zu haben und daß wegen mir die Charge versaut war. Dann sah ich meine Kolleginnen vor mir stehen und mit dem Finger auf mich zeigen: »Du hast unsere Prämie versaut, und nun bekommen unsere Kinder keine Strumpfhosen.«

Der Rundgefrierer stand oft für Stunden still, weil irgendein Teil der Belastung nicht standgehalten hatte. Die Schlosser kamen und schimpften uns nichtsnutzige Trinen, bevor sie sich unter die Maschine legten. Aber eines Tages, mitten in der Saison, blieb der Rundgefrierer einfach stehen und ließ sich nicht durch Fluchen oder gutes Zureden dazu bewegen, noch ein einziges Stieleis zu produzieren. Im Betrieb tüftelten die Ingenieure schon seit einiger Zeit an einem Eigenbau. Sie hatten die alte Maschine tausendmal auseinandergenommen und wieder aufgebaut, sie kannten jedes Schräubchen und jedes Rädchen, und beinahe hätten sie es auch geschafft, aber da die Tüllen wegen der Wärmeleitung aus Chromnikkelstahl sein mußten und der nicht zu beschaffen war, gab es in Ostberlin fortan kein Stieleis mehr. Vater besorgte über dunkle Kanäle eine Sonderzuteilung Plastebecher.

Ein paar Tage später sah ich, wie Carmen Patschulla, während sie an der Deckelmaschine für die Eisbecher stand, völlig selbstvergessen auf einem der kleinen Plasteeislöffel herumkaute. Das war an sich nichts Ungewöhnliches, wenn man den ganzen Tag an der Maschine stand und sich langweilte. Ziemlich schnell knackte es, und der Stiel war vom Löffel getrennt. Den Stiel ließ man auf den Fußboden fallen und kaute auf dem Rest weiter, bis auch die kleine Mulde des Löffels nachgab und zersplitterte. Man konnte dann noch eine Weile auf den Splittern herumkauen, bis es langweilig wurde und man den Rest ausspuckte. Carmen aber schluckte ihn seelenruhig herunter. Zwar hatte ich meine Erfahrungen mit der Schwangeren am Alexanderplatz gemacht, die die Holzstiele gegessen hatte, aber Carmen war nicht schwanger, und sie aß Plaste, und etwas Anorganisches zu essen, kam mir viel merkwürdiger vor, als Holz zu schlucken. Dann nahm sie den nächsten Löffel, und die Prozedur begann von vorn. Abgesehen davon, daß es jetzt einige Kinder geben würde, die erwartungsfroh ihren Eisbecher nach Hause tragen würden, in der Hoffnung, ihr Name sei auf dem Stiel, und enttäuscht feststellen müßten, daß gar kein Löffel im Eis war, machte ich mir vor allem Sorgen um die fragile Carmen Patschulla. An dem Tag, als ich ihre Obsession bemerkte, trugen alle Löffel den Namen Uwe, und ich mußte annehmen, daß sie Liebeskummer wegen eines männlichen Subjekts dieses Namens hatte, denn so gut kannte ich Carmen – sie war leicht entflammbar, aber die Kerle nahmen sich ihrs und ließen sie dann seelenruhig herunterbrennen und waren verschwunden, ehe Carmen es noch bemerkt hatte. Zwei Kinder hatte Carmen auf diese Weise schon bekommen, und der Betriebsarzt hatte ihr prophezeit, ein drittes würde sie umbringen, weswegen ich, wenn ich in der Frühschicht mit Carmen eingeteilt war, dafür zu sorgen hatte, daß sie ihre Pille rechtzeitig einnahm, denn abtreiben, hatte Carmen gesagt, würde sie nie, und keiner hätte es übers Herz gebracht, sie dazu zu überreden. Bald war der Vorrat an Plastebechern aufgebraucht, und wir produzierten eine Weile nur Moskauer Eis in Butterverpackungen, deren Papier man, ohne Schaden zu nehmen, mitessen konnte und manchmal auch mußte, wenn sich das Papier in der Eismasse verklebt hatte. Eine Zeitlang hatte Carmen noch einen kleinen Vorrat an Löffeln in ihrem Umkleideschrank deponiert, aber irgendwann waren sie aufgebraucht. Ich behielt meine Beobachtungen für mich, denn offensichtlich nahm Carmen keinen Schaden. Aber eines Mittags beobachtete ich sie in der Kantine, wie sie den Kompottlöffel aus Aluminium mit den Zähnen verbog. Carmen besann sich dann aber und steckte den Löffel in die Kitteltasche. Eines Morgens wurde uns mitgeteilt, daß unsere Kollegin Carmen Patschulla ins Krankenhaus eingeliefert und notoperiert worden sei. Karla kam nach ein paar Stunden mit der Nachricht aus der Klinik, daß Carmen einen Aluminiumlöffel verschluckt habe. Sie kam nicht wieder zurück in den Betrieb, und ich weiß nicht, wer ihr fortan die Pillen zuteilte.

In meine Zeit in der Eiskremindustrie fiel auch das Experiment mit Alkohol im Eis. Vater und Luise hatten für das gehobene delikat-Sortiment Rezepturen für Schokoladeneis mit Eierlikör oder Vanilleeis mit Kirschlikör entwickelt. Die Idee ging auf Vaters Hausrezept zurück, jeden Samstag über unseren Nachtisch noch vier Zentiliter Eierlikör zu kippen. Schließlich bekam er grünes Licht vom Ministerium, die Experimente in die Produktion zu überführen. Karla stellte vor jeder Schicht zehn Flaschen Likör neben den Eismix, und die dafür eingeteilte Kollegin sollte, bevor der Mix portioniert und endgefroren wurde, den Alkohol untermischen. Das Ergebnis war, daß die Frauen, die am Mix gestanden hatten, nach der Schicht alle etwas angetrunken, wenn nicht sternhagelvoll waren und selten unbeschadet die schmale Wendeltreppe des Produktionsgebäudes herunterkamen.

Vaters Kollektiv wurde damit betraut, den Alkoholgehalt im Versuchseis nachzuweisen und schließlich mit dem Endprodukt im Betrieb zu vergleichen. Aber auch in dem Eis, in das man die vorgeschriebene Menge Alkohol untergerührt hatte, ließ sich der Alkoholgehalt nicht ermitteln. Er ließ sich überhaupt nicht nachweisen. Man erwog, die Arbeiterinnen nach jeder Schicht in ein Röhrchen blasen zu lassen wie Autofahrer, aber Karla beschwerte sich bei der Gewerkschaft, denn sie befürchtete, daß noch mehr Kolleginnen kündigen würden. Aber ehe das ausdiskutiert war, war die Produktion schon wieder eingestellt.

Im vierten Jahr kündigte ich. Ich hatte es satt, jeden Tag Teil einer großen Improvisation zu sein. Vater schien mir dafür geeigneter. Kurz nach meiner Kündigung besuchte er mich zum ersten Mal in meiner Wohnung. Vorher hatten wir uns manchmal kurz am Alexanderplatz getroffen, und er hatte mich zum Essen eingeladen. Er hatte nur selten von seiner Arbeit erzählt. Diesmal hatte ich das Gefühl, daß er reden wollte, aber nicht wußte, wo er anfangen sollte. »Was hast du zu tun in Berlin?« fragte ich in die Stille hinein.

»Ich muß zum Professor für Ur- und Frühgeschichte in die Humboldt-Universität.«

»Willst du das Fach wechseln?«

»Ich renne dem Weltstand hinterher. Unser Institut hat sich für den Bau einer Gemüsegefrieranlage in Griechenland beworben. Vielleicht kannst du mir ja sagen, was in diesem Jahr in Griechenland an Gemüse angebaut wird.«

»Keine Ahnung, aber was hat dieser Professor damit zu tun?«

»Er ist Reisekader und war in diesem Jahr schon zweimal in Griechenland. Er ist der einzige, der mir sagen kann, was es da so für Gemüse gibt.«

»Komm, mach keine Witze.« Ich glaubte ernsthaft, er wolle mich veralbern. »Das kann man doch in jeder Fachzeitschrift nachlesen.«

»Wir dürfen keine westlichen Fachzeitschriften mehr lesen.«

»Das glaub ich nicht.«

»Doch, wenn ich es dir sage. Zuerst hatten im Institut noch Luise und ich die Genehmigung. Du mußtest die Zeitschrift jeden Abend in den Panzerschrank einschließen, damit kein anderer sie lesen konnte. Und die Reklame wurde vorher rausgeschnitten. Da konntest du manchmal nicht eine Seite lesen. Aber jetzt ist es ganz verboten.« Der Vorgang kam mir lächerlich vor, aber ich sagte nichts. Um mir nicht in die Augen sehen zu müssen, begann Vater, schweigend mein Geschirr abzuwaschen. Alles, was ich besaß, war dreckig und vom längeren Stehen verkrustet. »Weißt du«, sagte er zu mir und hielt einen Augenblick inne, »die im Westen sollten nur einen Tag lang mal die Arbeit machen müssen, die wir tun. Die würden schreiend wegrennen.«

37. Kapitel

Verputz
Geruchsbildung
In Kühlräumen darf Kalk oder Kalkzusatz nicht verwendet werden, da er Veranlassung zu Geruchsbildung gibt.

Am Morgen werde ich durch das Knallen von Raketen geweckt. Großmutter hat die ganze Nacht unruhig geschlafen und nach Günther gerufen. Ich mußte ihr wieder eine Tablette geben. Ihr Atem ist flach. Das Knallen bemerkt sie nicht mehr. Ich würde zu gern wissen, ob Mutter am Silvesterabend immer noch in den Keller rennt.

Ich hatte sie in den Jahren in Berlin ein paarmal gesehen, wir besuchten uns manchmal, und wenn ich bei ihr war, kochte sie mir etwas. Auf die Geschichte ihrer Flucht kamen wir nie zurück. Auch machte sie mir nie den Vorwurf, daß ich sie vertrieben hätte. Mutter hörte bald im Kino auf und ging an die Uni, wo sie ihren Doktor in Kulturwissenschaften machte. Sie war die erste, die mit einem feministischen Thema promovierte. »Die Frau in der sozialistischen Arbeitswelt« war der Titel, und ich arbeitete ihr ein bißchen zu, indem ich ihr von meinen Erfahrungen in einem Frauenbetrieb berichtete, die von Mutter als empirische Fallbeispiele in den Anhang eingearbeitet wurden. Als die Wende kam, gründete sie einen unabhängigen Frauenverband. Sie stand auf der Bühne und las ein ellenlanges Manifest vor, das sie auf Computerendlospapier geschrieben hatte, das am Ende ihres Vortrags als Haufen Papier auf der Bühne zurückblieb. Es ging dabei viel um Frauenunterdrückung unter sozialistischen Verhältnissen und um die zwei Schichten im Leben einer Frau, die im Betrieb und die zu Hause. Ich mußte dabei an meinen Vater denken, der vor der Spüle stand und sich mit Messern und Gabeln unterhielt.

Am Ende waren die anwesenden Frauen so begeistert von ihr, daß sie sie einstimmig an den Runden Tisch delegierten, aber nach zwei Monaten ging Mutter wieder an die Uni zurück, weil sie die demokratischen Spielchen haßte.

Karla sah ich erst zwei Jahre nach meiner Kündigung wieder, als ich am 10. November 1989 auf der Oberbaumbrücke stand. Ich war eingekeilt zwischen Tausenden Menschen. Die Tür zum Westen war so schmal, daß immer nur einer abgefertigt werden konnte.

Ich war seit einer Stunde keinen Schritt weitergekommen, selbst drehen konnte ich mich nicht. Ich starrte immer auf das Kühlhaus neben der Brücke mit seiner weiß-gelben Verkleidung, in das Vater immer nur mit einem Passierschein der Grenztruppen gekommen war. Das würde nun überflüssig sein. Ich dachte, wenn jetzt alle im Gleichschritt auf der Stelle treten würden, käme die Brücke zum Einsturz. Ich wollte augenblicklich zurück. Aber hinter mir standen die Menschen wie eine Wand. »Einmal den Westen sehen und sterben«, sagte eine Stimme hinter mir, »aber erst den Westen sehen.« Es war Karla Simon, die mit den anderen aus der Schicht unmittelbar neben mir auf der Brücke stand. Als sie mich sah, schrie sie: »Annja, ist das nicht traumhaft. In den Westen! Daß ich das noch erleben darf.« Und sie brach mitten auf der Brücke in Tränen aus. Die anderen heulten ebenfalls und lagen sich in den Armen, nur ich stand daneben wie ein Eisblock und konnte mich nicht freuen. Karla war der Meinung, daß jetzt alles anders würde und sie bald mit den Maschinen Eis herstellen könnten, die sie sich schon immer gewünscht hatten. »Und nichts geht mehr kaputt«, sagte Karla im Brustton der Zufriedenheit. »Wir können in den Westen gehen, so oft wir wollen, keiner haut mehr ab, und wer nicht arbeiten will, der kann ja gehen.« Ich schwieg dazu. Wahrscheinlich würde sich viel mehr verändern, als wir ahnten.

Nach zwei Stunden waren wir im Westen. Die Frauen aus meiner Brigade kniffen sich gegenseitig in den Arm, weil sie es nicht glauben konnten. Wir liefen langsam in Richtung Schlesisches Tor, und als wir am U-Bahnhof waren, sagte Karla: »Eigentlich sieht's hier genauso aus wie bei uns.« »Nur bunter«, gab Margot zu bedenken und zeigte auf eine Eisreklame, auf der glückliche Menschen ein Stieleis aßen. »Das kaufen wir uns, wenn wir das Begrüßungsgeld haben«, beschloß Karla, und sie gingen zur nächsten Bank, um sich anzustellen. Fünf Stunden später sah ich sie auf dem Kudamm wieder. Sie leckten alle an einem quietschroten Stieleis, und als sie mich sahen, schwenkten sie das bunte Eispapier wie eine Trophäe.

Am Abend des 18. März 1990, nachdem die ersten Hochrechnungen bekanntgegeben worden waren, rief ich Vater an und fragte ihn, wie es ihm gehe. »Das kannst du dir ja denken«, sagte er. Viel mehr war nicht aus ihm herauszubekommen, und ich legte dann auf, weil hinter mir eine Schlange von Leuten stand, die wahrscheinlich auch die Wahlergebnisse diskutieren wollten. Die Stimmung in der Schliemannstraße war eindeutig gegen die Allianz für Deutschland, nur die Postfrau erzählte jedem, der zu nah an ihr vorbeiging, daß sie sich auf die Wiedervereinigung freue. In den folgenden Monaten kam Vater öfter nach Berlin, weil er versuchte, seine Eiskrembetriebe zu retten. Es gab auch ein paar vage Verabredungen über Joint Ventures, aber als die Währungsunion kam und die Treuhand ihre eigentliche Arbeit aufnahm, waren die Verträge hinfällig, und ein Betrieb nach dem anderen schloß. Im Frühjahr 1991 sagte er scherzhaft am Telefon, daß er mir verbiete, das Eis der Firmen zu essen, die im Hintergrund dafür sorgten, daß die Produzenten aus dem Osten keinen Fuß auf den Markt bekämen. »Da laufen Sachen ab, das kannst du dir nicht vorstellen.« Er wollte mir das später alles mal in Ruhe erzählen. Im Moment sei er damit beschäftigt, das Kälteinstitut mit den Forschungseinrichtungen der Ölwerke, der Fleischwerke und der Konservenfabrik zu einem Ernährungsinstitut zu vereinigen. Wir verabredeten, daß ich ihn zu Weihnachten besuchen komme. Was ich auch getan habe. Aber leider war Vater da schon eingefroren.

Es vergingen siebzehn Monate, ehe ich Karla wiedersah. Es war der Ostersonnabend des Jahres 1991, als sie mit einer Kühltruhe vor der Kaufhalle in der Schönhauser Allee stand. »Kauft, kauft, Leute«, schrie sie und schwenkte das Moskauer Eis den Vorübergehenden entgegen, die keine Notiz von ihr nahmen. »Jetzt jibt's eben wat bessret«, sagte ein Mann mit Lederolhütchen im Vorübergehen. Ich sah, wie das Eis an Karlas Arm langsam heruntertropfte. Sie sah traurig aus. Ich wollte mich schon an ihr vorbeidrücken, als sie mich sah und rief: »Annja, willst du nicht wenigstens ein Moskauer Eis? Kostet nur 'ne Westmark.« Ich kaufte zwei und gab ihr eins ab. Wir aßen mit der gleichen Geste, wie wir früher immer im Treppenhaus geraucht hatten, den rechten Ellenbogen mit der linken Hand abgestützt. »Schmeckt doch gar nicht so schlecht, oder?« fragte Karla. »Ich finde, es schmeckt wunderbar«, sagte ich ehrlich, »nicht so süß wie das Westeis.« – »Und die viele Schokolade immer drumherum, da ist man sofort satt«, sagte Karla. »Entweder es ist zuviel Fett drin oder gar keins«, sagte ich. »Und dann der eklige Süßstoff im Diäteis, das schmecke ich sofort«, sagte Karla. »Das Moskauer Eis taut wenigstens noch. Das Cremeeis schmeckt ja nicht einmal richtig kalt, das kann man nicht mal lecken, das muß man kauen«, sagte ich.

»Aber was sollen wir machen?« fragte Karla. »Die Leute lassen sich eben von der Reklame verführen, und wir werden in den Supermärkten gar nicht erst gelistet. Die wollen uns einfach nicht mehr. Die gleichen Verkaufsstellenleiter, die uns vor einem Jahr noch jede verdorbene Charge mit Kußhand abgenommen haben, sagen jetzt: ›Wir mußten vierzig Jahre euer Eis essen, jetzt wollen wir mal was Richtiges.‹ Dabei buckeln die schon wieder genauso wie vor zwei Jahren, nur diesmal vor ihren neuen Chefs. Wir machen jetzt irgendwelche Aufträge für zwielichtige Firmen. Da müssen wir die ganze Charge mit Farbe auffüllen, damit es schön rot aussieht. Das mußt du dir mal vorstellen. Die Treuhand hat uns verraten und verkauft. Wir wollten alleine weitermachen, aber dann haben sie uns die Kredite von einem auf den anderen Tag gestrichen, weil unser Grundstück keine Sicherheit darstellt. Es gibt irgendeinen Rückübertragungsanspruch. Und jetzt hat uns so ein komischer Typ aufgekauft, und der Betriebsrat fürchtet, daß der die Eiskremproduktion so schnell wie möglich loswerden will.« Zwischendurch schrie sie: »Moskauer Eis, Leute, das gute Moskauer Eis!«

»Und was willst du machen, wenn es zu Ende ist?« Karla zuckte mit den Schultern. Nach einer Weile sagte sie: »Keine Ahnung. Ich bin zu alt, um noch einmal neu anzufangen.« In diesem Moment kam ein Mann mit wehendem Kittel aus der Kaufhalle. »Wer hat Ihnen erlaubt, sich hier hinzustellen und noch dazu den Strom unseres Supermarktes zu benutzen?«

»Wer sind Sie denn überhaupt?« fragte ich. Der kleine Mann machte sich etwas größer und sagte: »Ich bin der neue Verkaufsstellenleiter und ich untersage Ihnen hiermit den Verkauf fremder Waren im Einzugsbereich des Supermarktes. Wenn Sie nicht gleich verschwunden sind, hole ich die Polizei.« Er drehte sich um und ging. »Arschloch«, sagte Karla. »Was mach ich denn jetzt mit dem ganzen Eis?«

»Laß es uns verschenken«, sagte ich und hielt eine Packung hoch. »Lassen Sie sich noch einmal vom Geschmack des Moskauer Eises verführen, bevor Ihnen nur noch die Erinnerung bleibt. Kostenlose Eisabgabe.« Plötzlich blieben die Leute stehen. Manche nahmen gleich einen ganzen Karton mit. Kinder trommelten in Windeseile ihre Kumpels aus der Umgebung zusammen, und nach einer Viertelstunde war alles alle. Ich half Karla noch, die Truhe über den Berg ins Backwarenkombinat zu schieben, das jetzt Backwunder hieß. Am Eingang fielen wir uns in die Arme. »Du kannst dir sicher sein«, sagte ich zu ihr, »in zwei Jahren werden dir die Leute vorschwärmen, wie gut unser Eis war.«

»Dann ist es leider zu spät«, sagte Karla, und ich sah, daß sie Tränen in den Augen hatte.

Ich fuhr in den Baumarkt und kaufte eine Büchse Neonfarbe. In der Nacht darauf habe ich den Satz »Veruntreuhand abhacken« an die Mauer des Backwarenkombinates gesprüht. Einen Tag später wurde der Direktor der Treuhand ermordet.

38. Kapitel

Zwiebel
Gefrierverfahren
Zum Gefrieren ungeeignet.

Auf der Straße stehen Männer in kleinen Gruppen vor den Hauseingängen. Sie haben Weinflaschen auf die Straßen gestellt, aus denen an langen Stangen Raketen herausragen. Ab und zu zünden sie eine, und die Straße ist für einen Moment in rotes oder grünes Licht getaucht. Die Standuhr zeigt 22.03 Uhr. Ich sitze auf dem Sofa im Wohnzimmer und versuche mir vorzustellen, wie es Mutter vor 28 Jahren erging, als sie im Abstellraum der Landesfrauenklinik lag und auf meine Geburt wartete. Ich warte auf den Tod. Vielleicht kommt er heute, klingelt mit seiner Sense auf der Schulter an der Tür und fragt über die Wechselsprechanlage nach Annja Kobe, weil sie in der Zentrale die Namen verwechselt haben.

Auf der kleinen Ablage der Eckbank steht noch immer die Brandyflasche mit der Ballettänzerin in ihrem Inneren. Sie hat die Arme erhoben, als warte sie auf das Zeichen, den sterbenden Schwan zu geben. Ihr Körper ist auf einer kleinen Stange aufgespießt. Unter ihrem wie vom Wind aufgebauschten weiten Rock hängen die Beine, die mit metallenen Ösen am Körper befestigt sind. Die Flasche ist schwer und verstaubt. Als ich sie von der Ablage nehme, bleibt ein staubloser Kreis zurück. Schon lange muß sie niemand mehr aufgezogen haben. Wahrscheinlich war ich selbst die letzte. Die Beine der Tänzerin zittern bei jeder Bewegung der Flasche. »Nun, meine Liebe«, sage ich zu ihr, »werde ich dich von deiner Untätigkeit erlösen.« Um den Mechanismus der Spieluhr in Gang zu setzen, muß ich die Flasche umdrehen. Dabei löst sich der feine Goldstaub vom Grund und bewegt sich federleicht durch den Brandy zum Flaschenhals. Dabei spreizt die Tänzerin ihre Beine unnatürlich und willenlos bis zum steifen Rock. Sie trägt keinen Schlüpfer, aber das ist auch unnötig, denn sie hat kein Geschlecht, noch nicht einmal eine Fuge. Auch ein Gesicht hat man ihr nicht gegeben. Sie soll nur tanzen und nicht auf dumme Gedanken kommen. Ich ziehe den Mechanismus bis zum Anschlag auf und stelle die Flasche wieder auf die Ablage zurück. Die Tänzerin ohne Gesicht und Geschlecht macht einen kleinen Knicks, ihre Ballettschuhe berühren mit den Spitzen den Boden, dann streckt sie sich wieder, deutet eine Drehung an und beginnt ihren Tanz nach der Melodie »Komm, kleines Schwedenmädel, tanz mit mir«. Der Goldstaub schwebt durch die Flüssigkeit wie Schnee, die ersten Flocken fallen auf den Boden zurück. Die Tänzerin wird davon nicht berührt. Sie tanzt in einer kleinen Glasglocke immer um sich selbst herum. Sie ist unberührbar und hat alles um sich herum vergessen, aber vielleicht hat sie auch nie etwas gewußt.

Sie macht den Knicks, sie hebt das Bein, sie streckt es aus, sie dreht sich, läßt das Bein wieder fallen, macht einen Knicks und dreht sich wieder, immer rechtsherum, bis ihre Bewegungen gleichzeitig mit der Melodie langsamer werden, bis der Mechanismus am Boden nur noch schnurrt und zum Schluß das Bein für einen Moment ohne Melodiebegleitung in der Horizontalen verharrt, bis es kraftlos herunterfällt.

»Nichts da«, sage ich, »hier wird nicht schlappgemacht, hier wird getanzt, tu, was ich dir sage.« Ich ziehe den Mechanismus erneut auf, und die Tänzerin dreht sich noch einmal für mich um ihren Spieß. Ich könnte sie die ganze Nacht tanzen lassen, niemanden würde es stören. Das ist der Vorteil der Einsamkeit. Früher, als hier noch Leute um den Tisch saßen, fühlten sie sich gestört durch die Melodie. Sie sprachen immer nur von abwesenden Dingen, Dinge, die es nicht gab, Dinge, die es irgendwann mal gegeben hatte, und manchmal sprachen sie auch über Menschen, die gerade nicht da oder schon längst tot waren. Mich interessierte das nicht. Ich vermißte nichts und niemanden. Wenn ich die Flasche zum zweiten Mal aufzog, machten die Erwachsenen Großvater Vorwürfe, daß er dem Kind jeden Wunsch erfülle und vor allen Dingen diejenigen, die Erwachsenen auf den Geist gehen. »Laßt sie doch«, sagte Großvater, »wenn es ihr gefällt.«

Die Flasche hat die gleichen Umrisse wie die Ballettänzerin, einen schmalen Kopf, einen schlanken Hals, einen großen Brustumfang, eine enge Taille und einen breiten Rock. Der Flaschenboden ist so schwer, daß ich als Kind immer Mühe mit dem Umdrehen der Flasche hatte. Mutter sagte jedesmal: »Komm, gib sie her, ich zieh sie auf, und dann ist Ruhe.« Ich gab sie ihr nie, denn ich befürchtete, daß Mutter sie mit Absicht fallen lassen würde. Sie hatte beim Staubwischen meinen Gartenzwerg aus dem offenen Fenster gewischt. In ihren Händen war die kleine Tänzerin in Lebensgefahr.

Eines Sonntagnachmittags sagte sie: »Warum trinken wir die Flasche nicht einfach aus? Es ist doch schade um den schönen Brandy, und das Gold waschen wir vorher heraus, ich werde mal ein Sieb holen gehen.« Aber die anderen gaben vor, keinen Appetit zu haben. Großmutter meinte sogar, sie würden sich daran vergiften. »Was solls«, sagte Mutter, »dann ist Annja eben ein Waisenkind.« Ich war den Tränen nahe. Großmutter nahm mir die Flasche aus der Hand und sagte leise, daß die Tänzerin jetzt mal Ruhe brauche. »Wenn das Ding aus dem Osten wäre«, sagte Mutter, »würde der Mechanismus schon lange kaputt sein.«

Irgendwann habe ich die Flasche vergessen. Sie blieb an ihrem Platz, und Großmutter wischte sie regelmäßig mit einem feuchten Staublappen ab, bis das Etikett nicht mehr zu lesen war.

Eigentlich wäre es Zeit, sie zu öffnen. Ich möchte zu gern wissen, ob die Tänzerin auch ohne Alkohol ihre Pflicht erfüllt. »Komm, mach noch einmal einen Knicks und dreh dich, und dann bin ich dran.« Sie tanzt noch einmal für mich, die Melodie ist wirklich scheußlich, und wenn ich ein Kind hätte, würde ich wahrscheinlich ähnlich reagieren wie Mutter. Der Deckel läßt sich keinen Millimeter drehen. Meine rechte Hand wird langsam feucht und rutscht immer wieder ab. Ich muß ein Handtuch aus dem Badezimmer holen und die Flasche zwischen die Beine klemmen. Endlich gibt der Verschluß nach. Die Tänzerin hat ihre Contenance verloren und vibriert. Ich führe den Kopf der Flasche, der jetzt ein großes Loch hat, zum Mund, und die Tänzerin wirft ihre Beine an den Rock. Vom faden Geschmack des Brandys überrascht, stelle ich sie schnell wieder auf die Füße. Ich kann mich nicht erinnern, jemals Brandy getrunken zu haben. Meistens war es Bier oder billiger Weinbrandverschnitt. Mich stören die Krümel auf der Zunge, ich hatte mir den Geschmack von Gold aufregender vorgestellt, es ist schließlich die reine Verschwendung, Goldstaub zu trinken, wenn kein Pfennig im Haus ist. Nach dem dritten Schluck ist die Enttäuschung verflogen und weicht einer angenehmen Wärme im Bauch. Wenn man schon nichts zu essen hat, dann soll man wenigstens gut trinken. Nach dem zehnten Schluck merke ich, wie die ganze Anspannung langsam von mir abfällt. Vater in seiner Kühltruhe kann mir egal sein. Er ist alt genug, um zu wissen, was er tut. Nach dem fünfzehnten Schluck ist Großmutter eine verschwommene Erinnerung, die aufgebahrt auf einem Bett liegt. Beim zwanzigsten Schluck sage ich zur Tänzerin: »So, kleines Schwedenmädel, krieg ma so een richtjen Drehwurm.« Sie tanzt, und ich singe laut. Nach dem nächsten Tanz und dem nächsten Schluck versuche ich, es der Tänzerin nachzutun, aber ich kann schon nicht mehr auf einem Bein stehen, und meine Mutter sagt in abfälligem Ton in mein Ohr: »Aus dir wird nie eine Ballettänzerin. Du kannst ja noch nicht einmal Spagat.« Das Feuerwerk, das hinter dem gegenüberliegenden Haus in den Himmel steigt und die Straße in ein gespenstisches Licht taucht, ist bunter als damals, als ich jedes Jahr hier am Fenster stand, weil Vater und Mutter in der Juanita-Bar tanzten und ich mit Großmutter und Großvater die Silvesterfeiern im Fernsehen ansehen mußte, wo Erwachsene mit lustigen Hüten Kindergeburtstag feierten. Das unsichtbare Gesicht der Tänzerin ist schon über der Alkoholoberfläche. »Siehst du«, sage ich zu ihr, »das ist der Tag der Befreiung. Du weißt nur noch nicht, daß du mit der Freiheit nichts anfangen kannst, weil du dafür nicht gemacht bist. Du wirst eine doppelt freie Tänzerin sein.« Ich nehme das schönste Glas aus der Anrichte und wanke mit der Flasche ins Schlafzimmer.

»Elsa«, sage ich, »ich habe eine Überraschung für dich, heute darfst du mal Gold trinken.«

Ich gieße das Glas randvoll und flöße es Großmutter in den zahnlosen Mund, aber sie kann nicht mehr richtig schlucken, und ich muß sie schnell umdrehen, damit sie mir nicht erstickt. Für einen Augenblick bin ich wieder vollkommen nüchtern und entschuldige mich bei ihr. Als sie sich beruhigt hat, ziehe ich mich wieder ins Wohnzimmer zurück.

»Nun, kleine Tänzerin, tanzen wir noch eine Runde«, sage ich und drehe die Flasche um. Ich habe vergessen, den Deckel zuzuschrauben, und ein Teil des Brandys fließt auf meine Hose. Er ist unangenehm kalt auf der Haut. Die Tänzerin steht augenscheinlich nur noch bis zu den Kniekehlen im Brandy, das heißt, augenscheinlich sehe ich zwei Röcke über zwei Alkoholspiegeln, als ich beschließe, Vater in seiner Truhe einen Besuch abzustatten. »Papi«, schreie ich schon an der Tür, »ich habe dir Magenbitter mitgebracht, nein, nicht vom VEB Abtshof, es ist echter Thüringer.« Ich öffne mit vier Händen die zwei Deckel der beiden Kühltruhen und sehe zwei eingefrorene Väter vor mir.

»Das ist ja eine Überraschung. Du Schlingel. Erst scheißt du auf die Thermodynamik, und jetzt klonst du dich. Und morgen seid ihr zu viert, was? Das wird dann aber ein bißchen eng in der Küche und ein echtes Entsorgungsproblem.« Ich halte die Flasche über die Truhe und kippe einen Schluck über die Väter. »Wacht auf, Verdammte dieser Erde«, singe ich laut, aber die Väter rühren sich nicht. »Ist ja gut, seid weiter beleidigt über den Zustand der Welt, aber ich sage euch gleich, er wird sich nicht bessern, da könnt ihr noch tausend Jahre gefrieren. Münder auf, Jungs, trinken wir auf das neue Jahr und meinen Geburtstag, falls ihr euch erinnert.«

Ich gieße einmal mit zwei Händen gleichzeitig zwei Gläser ein und gieße sie auf die Münder meiner beiden Zwillingsväter, die in derselben Haltung übereinanderliegen, wobei es scheint, als ob der obere durchsichtig wäre. Kleine braune Rinnsale laufen ihnen über die Gesichter. »Jetzt werde ich euch noch eine schöne Geschichte erzählen, die ich erlebt habe auf einer Vernissage. Wißt ihr, was eine Vernissage ist? Wißt ihr natürlich nicht, ihr Kunstbanausen. Gut, ich verrate es euch. Es war eine Ausstellungseröffnung, die Ausstellung hieß ›Die Kunst der Kälte‹, nicht weiter erwähnenswert, alte Kühlschränke in überraschendem Ambiente und so 'n Zeugs eben. Aber die Performerin war nicht schlecht. Die Frau saß auf einem Stuhl und strich sich mit den Fingern der rechten Hand langsam an der Innenseite des rechten Schenkels entlang, bis sie an den Strapsen angelangt war, die ihre Seidenstrümpfe hielten. Sie hatte keinen Slip an, und man konnte durch den netzartigen Rock, der die Schenkel nur knapp bedeckte, das rosa Fleisch ihrer Möse sehen.« Ich muß erst einmal einen Schluck aus der Flasche nehmen, weil ich nicht mehr genau weiß, wie es weiterging. »Dann holte sie aus dem Ausschnitt ihres Spitzenbodys ein Feuerzeug raus. Mit den Fingern zupfte sie an den Strümpfen, zog sie ein wenig über die Haut, bis das Nylon einen Zipfel bildete, und zündete ihn mit dem Feuerzeug an. Dann nahm sie den nächsten Zipfel und wiederholte den Vorgang so lange, bis die Strumpfhose zerlöchert war. Die Haut unter den Löchern war durch die Hitze des Feuers leicht gerötet. Dann nahm sie ein Stieleis, wickelte es aus der Verpackung und strich sich mit dem Eis über die Wunden. Zuerst über das rechte Bein und dann über das linke, von unten nach oben. Tja, das hättet ihr nicht gedacht, daß Eiskrem die Wunden lecken kann. Dann schloß sie die Augen und leckte an dem Eis wie an einem Penis, stand auf, spreizte die Beine wie bei einer Yogaübung und führte das Eis langsam in Richtung Möse. Das männliche Publikum johlte, ein paar Frauen wandten sich ab. Sie steckte sich das Eis zwischen die Beine, wobei sie stöhnte und immer wieder ›Jaja!‹ rief. Als sie das Eis wieder herausziehen wollte, hielt sie nur den Stiel in der Hand. Die Vanilleschokoladenbrühe floß ihr langsam an den Schenkeln entlang bis in ihre hochhackigen Schuhe. Dann ging sie zu einer Stange und hob ihr rechtes Bein, daß man das Vanilleeis mit der Schokolade vermischt aus ihrer Möse sickern sehen konnte. Sie fragte mit tiefer Stimme: ›Wer traut sich, das Eis aufzuessen?‹ Es meldeten sich spontan fünf Männer, und sie suchte den schönsten aus. Er kam nach oben und leckte ihr das Eis aus der Möse, bis das Licht ausging und nur noch das Stöhnen der beiden zu hören war. Gut, nicht? Nun sagt doch mal was.« Meine beiden Väter ziehen es vor, vornehm zu schweigen.

»Scheißkerle«, schreie ich und knalle den Deckel zu. »Nicht mal saufen tut ihr mit eurer Tochter. Ich schicke euch auf den Sperrmüll, alle beide, da könnt ihr frieren, bis ihr Gefrierbrand kriegt. Zur Gefrierhölle mit euch. Und nun zu dir, kleine Tänzerin, deine Schritte sind gezählt, jetzt kommt das Finale, der sterbende Schwan.« Ich trinke den letzten Schluck und ziehe noch einmal die Spieluhr auf. Beim Anblick der sich drehenden Figur wird mir kotzübel, und ich muß die Augen schließen, aber auch bei geschlossenen Augen drehen sich zwei hintereinanderstehende Frauen, deren weiße Röcke hervorstechen. Vor dem Fenster wird es lauter. Offensichtlich hat das neue Jahr angefangen. »Herzlichen Glückwunsch, Annja, daß alles in Erfüllung geht, was du dir für das nächste Jahr wünschst.«

»Ja, danke«, sage ich zu mir, »den Zuspruch kann ich gut gebrauchen.« Und zur Tänzerin gewandt: »So, Grande Finale, Hüpfkuh, jetzt befreie ich dich aus deinem Gefängnis. Eine neue Zeit bricht an, du kannst jetzt tanzen, was du willst, Flamenco, Ausdruckstanz, Bauchtanz oder Tango. Es ist nie zu spät für einen Neuanfang. Diese Gesellschaft gibt dir die Chance zu einem Neuanfang, nutze sie.«

Ich zerschlage die Flasche an der Wand, sie zersplittert, aber der Boden mit der Spieluhr und der Glasglocke, in der die Tänzerin mit verrenkten Beinen gefangen ist, bleibt unversehrt. Durch die Erschütterung fängt sie wieder an zu tanzen, langsam jetzt, den Knicks ausgedehnt wie in Zeitlupe, als wolle sie sich mir, ihrer Befreierin, gleich zu Füßen legen. Überall aneckend bahne ich mir einen Weg zum Werkzeugkasten und nehme den größten Hammer. Ich schlage so lange auf die Glasglocke ein, bis sie zerspringt.

»So, ab mit dir. Was, du kannst nicht? Jetzt habe ich dich befreit aus deiner Glasglocke, und jetzt willst du nicht.«

»Die Kundin Kobe bitte in die Tiefkühlabteilung. Ich wiederhole: Die Kundin Kobe bitte in die Tiefkühlabteilung.« Nun bin ich an der Reihe, das Experiment am eigenen Körper auszuprobieren, indem ich über ein kleines Bühnentreppchen in die Kühltruhe namens Grönland steige und es mir in ihrem Inneren bequem mache.

»Und jetzt der große Augenblick, der Deckel schließt sich über der Kundin Kobe. Wird sie auch so neugeboren sein wie ihre Vorgängerin? Warten wir es ab. Einundzwanzig, zweiundzwanzig, dreiundzwanzig. Frau Kobe, wie fühlen Sie sich?«

»Wunderbar, wunderbar, ich habe keine Worte dafür. Mir ist auch gar nicht kalt. Meine Cellulitis ist am Verschwinden. Ich glaube, ich werde von Minute zu Minute jünger.«

»Sehen Sie, auch die Kundin Kobe ist mit unserem Produkt Grönland-Tiefkühltruhe rundum zufrieden. Erwerben auch Sie unser Produkt. Testen und mitnehmen ist die Devise. Jeden Tag eine Minute schockgefrieren und in der Zwischenzeit die Soßenfonds und die Eiskrem in der Truhe lagern. Aber jetzt wollen wir doch einmal sehen, welche Verwandlung Frau Kobe durchlebt hat. Frau Kobe, bitte kommen Sie! Da ist sie ja. Es ist Ihr Applaus!«

Frau Kobe steigt strahlend aus der Tiefkühltruhe.

»Und Frau Kobe, haben Sie Ihre Geschichte abgelegt?«

»Mir ist, als habe ich nie eine besessen.«

»Applaus, Applaus, Kundin Kobe, wollen Sie unseren Zuschauern daheim an den Fernsehapparaten noch etwas sagen?«

»Ja, ich grüße meinen Vater in Magdeburg. Hallo Papi, wenn du das nächste Mal zu mir kommst, kannst du auch schockgefrieren. Sie müssen nämlich wissen, mein Vater war Abgeordneter der Demokratischen Bauernpartei.«

»In diesem Falle, Frau Kobe, sollten Sie es mit fünf Minuten probieren. Fünf Minuten Schockgefrieren, und die Vergangenheit fällt ab wie eine alte Haut.«

»Ja, und dann möchte ich noch kostenlos und völlig unverbindlich für zwei Monate die »Wirtschaftswoche« abonnieren, um herauszubekommen: Wie beeinflußt die Politik meinen Erfolg? Wie kann ich mich am besten für mein neues Leben qualifizieren? Wie komme ich an Fördermittel? Wie entwickle ich erfolgreiche Konzepte? Wie verdiene ich an Dienstleistungen? Wie sehen die wichtigsten Anlagestrategien aus?«

»Danke, danke, Frau Kobe, Sie sehen, in Frau Kobe ist eine große Veränderung vorgegangen. Auf Wiedersehen, Frau Kobe, die Tiefkühltruhe wird Ihnen dann in einer Woche frei Haus geliefert. Bitte gehen Sie noch zu meiner Kollegin hinter die Bühne, unser Team benötigt noch eine kleine Unterschrift. So, meine Damen und Herren, das war es für heute aus unserem Super! Super! Kaufhaus. Bis morgen! Tschüß und winkewinke.«

Ich wache auf dem Fußboden neben Scherben auf. Irgend etwas kratzt im Hals. Ich schwanke zum Bad und stecke den Finger in den Mund, damit es aufhört. Es kommt eine Menge brauner Schleim. Was soll ich sonst auch erbrechen, ich habe tagelang nichts Richtiges gegessen. Unter der kalten Dusche fällt mir ein, daß ich heute 28 geworden bin und ein neues Jahr angefangen hat. Die Tänzerin liegt mit verrenkten Beinen zwischen lauter Scherben. Sie ist nicht mehr an dem Stab befestigt, der ihrer Haltung etwas Gerades gab. Ich lege die Tote vorsichtig auf den Tisch. Die Spieluhr hat meinen Ausbruch überstanden. Der Mechanismus läßt sich immer noch aufziehen und immer noch erklingt die scheußliche Melodie. Ich singe laut »Partisanen vom Amur«, bis Ruhe ist. Dann fege ich die Scherben zusammen und werfe sie zusammen mit der Spieluhr in den Mülleimer. Als sie auf dem Boden des Mülleimers aufschlägt, höre ich noch ein letztes Mal die ersten Takte.

Vater liegt wieder allein in seiner Kühltruhe. Es kommt mir vor, als sei sein Lächeln deutlicher als in den Tagen zuvor. Es kann aber auch sein, daß die Spur des Brandys, die immer noch feucht ist, seine Gesichtszüge verzerrt. Ich wische mit einem Lappen darüber. Das Lächeln bleibt.

Aus dem Schlafzimmer höre ich einen kurzen Schrei. Ich klappe den Deckel herunter und renne über den Flur. Großmutter hat sich im Bett aufgerichtet und starrt auf den Spiegel, der an der gegenüberliegenden Wand hängt. Als sie mich sieht, fällt sie wieder ins Kissen zurück.

»Bleib ganz ruhig, ich bin ja da«, sage ich und streichle ihr über das Gesicht. »Bin ich in Erfurt«, fragt Großmutter mit geschlossenen Augen. »Ja, du bist zu Hause in der Oststraße, und alle sind da: Dein Vater, deine Mutter, deine Schwester, dein Bruder. Und in der Wohnstube sitzen Paul und Günther. Hörst du? Jetzt klopft es. Das sind Klaus und Annja, die haben sich ein bißchen verspätet, weil Annja sich mit ihrem Vater gestritten hat, welches Kleid sie anzieht.«

»Annja«, sagt Großmutter, und zum ersten Mal, seitdem ich sie aus dem Krankenhaus geholt habe, huscht ein Lächeln über ihr Gesicht, das dem von Vater ähnelt. Es bleibt noch, als sie aufhört zu atmen.

Am Abend gehe ich zur Telefonzelle und rufe Doktor Messerschmidt an.

Anhang

Protokoll

Berlin, den 8. Mai 1995

Betrifft: Nachforschungen zum Verbleib der Bürgerin Annja Kobe, geboren am 1. Januar 1964 in Magdeburg, Beruf: ohne, in Zusammenhang mit der Räumung der Wohnung 9387, 1. Seitenflügel, 4. OG rechts, Schliemannstraße 4, Berlin-Prenzlauer Berg

Am 24. April 1995 wurde der Polizeiabschnitt 7, Schönhauser Allee 22, von der Firma Trachtenbrodt, Räumungen und Entrümpelungen, informiert, daß es im Falle der Wohnungsräumung der Bürgerin Annja Kobe (Personalien s.o.) in der Schliemannstraße 4 Unregelmäßigkeiten gegeben habe. Nach einem Urteil des Amtsgerichtes Berlin-Wedding war Annja Kobe am 3. April 1995 in letzter Instanz zur Räumung ihrer Mietwohnung im Hause Schliemannstraße 4, Eigentümer Eugen Karwelat, Mommsenstraße 6, Berlin-Charlottenburg, verurteilt worden. Der Eigentümer plante seit längerem eine Sanierung des Hauses. Annja Kobe war die einzige Mieterin, die sich einem Auszug widersetzte. Auch das Angebot einer kostenlosen Umsetzung in eine andere Wohnung bei Zahlung einer Abfindung wollte sie aus persönlichen Gründen nicht annehmen. Nach Abschluß des Gerichtsverfahrens wurde die o.g. Firma vom o.g. Eigentümer mit der Räumung beauftragt. Da die Mieterin an besagtem Tag nicht aufmachte, wurde die Wohnung bei Anwesenheit der herbeigerufenen Polizei geöffnet.

Die Wohnung machte einen unaufgeräumten Eindruck. Kleidungsstücke waren aus den Schränken gerissen, Bücher und Papiere lagen in der Wohnung verstreut. Die Räumungsklage war mit Stecknadeln an der Wand des Zimmers befestigt. Quer über das Papier hatte die Kobe mit rotem Filzstift »Das ist das Ende« geschrieben. Einziges auffälliges Möbelstück war die in der Mitte der Küche stehende Kühltruhe, Marke »Grönland« (DDR-Produkt), Herstellungsjahr 1960, die abgetaut war. In ihr fanden sich eine Brieftasche mit einem Personalausweis der Deutschen Demokratischen Republik, ausgestellt am 1. Juli 1972 in Magdeburg auf den Namen Klaus Kobe, geboren am 7. Februar 1937 in Erfurt, Berufsangabe Kälteingenieur, letzte Meldeadresse Badstraße 2 in Magdeburg, ein Ehering mit dem eingravierten Datum 13. 8. 61 sowie ein handgeschriebener Zettel mit dem Titel: »Die ideale Eiskrem«. Auffällig war, daß sich die Brieftasche unter einem eingebauten Zwischenboden aus Sperrholz befand, der ursprünglich verschraubt gewesen war (die Schrauben befanden sich am Boden der Truhe). Aufgrund dieser Tatsache wurde ich von den Kollegen des Kontaktbereichs benachrichtigt, da die Anwesenden der Meinung waren, daß der Verschlag unter der Kühltruhe Platz für einen Menschen ließe, was einer der Arbeiter mir gegenüber vorführte, indem er sich in die Truhe legte. Nachforschungen ergaben, daß Klaus Kobe seit Ende November 1991 nicht mehr an seiner Meldeadresse gesehen worden ist. Eine Nachbarin, Elisabeth Deutschmann, geb. am 18. März 1929, wohnhaft Magdeburg, Badstraße 2, hat der Kripo Magdeburg gegenüber angegeben, daß die o.g. Annja Kobe, leibliche Tochter des Klaus Kobe, um die Weihnachtszeit des Jahres 1991 noch einmal in der Wohnung ihres Vaters gewesen sei und ihr gegenüber behauptet habe, ihr Vater befinde sich für längere Zeit auf Forschungsreise in Grönland. Nach Prüfung aller Listen Grönlandreisender im Jahre 1991 müssen wir zu dem Schluß kommen, daß es sich dabei um die Unwahrheit handelte. Die Nachfrage bei der Wohnungsbaugesellschaft »Aufbau 1949« ergab, daß die Miete bis heute per Einzugsermächtigung vom Konto des Klaus Kobe an die WBG überwiesen wird. Einspruch gegen die zahlreichen Mieterhöhungen hat er nicht erhoben. Auf dem Konto befinden sich noch 5783 DM, seit dem 25. 11. 91 gibt es außer der Überweisung der Miete und einer Lebensversicherung über monatlich 100 DM keine Kontobewegungen mehr. Eine Wohnungsbesichtigung wurde bei der zuständigen Staatsanwaltschaft beantragt. Frau Deutschmann gab an, daß Annja Kobe zur selbigen Zeit eine Kühltruhe, deren Beschreibung zu der genannten paßt, aus dem außerhalb der Wohnung befindlichen Abstellraum an einen unbekannten Ort transportieren lassen habe. Elisabeth Deutschmann war damals schon der Meinung, daß es bei dem Transport nicht mit rechten Dingen zugegangen sei. Sie habe mitgehört, daß die Transportarbeiter sich über das Gewicht der Truhe wunderten und nachfragten, ob sich noch Lebensmittel darin befänden. Annja Kobe habe geantwortet, die Truhe sei ein DDR-Produkt und deshalb schwerer als die üblichen Kühltruhen westeuropäischer Hersteller. Weitere Nachforschungen ergaben, daß sich Annja Kobe bis Mitte Januar 1992 in der Wohnung ihrer Großmutter Elsa Kobe, geb. am 20. Juni 1906 in Erfurt, wohnhaft in Magdeburg-Stadtfeld, Schneeglöckchenstr. 8, aufgehalten habe. Die damalige Nachbarin, Andrea Kieseritzky,

24. März 1958, z.Zt. Landtagsabgeordnete, heute Mieterin der Wohnung der Elsa Kobe, gab an, daß Annja Kobe ca. einen Monat ihre Großmutter gepflegt habe, die im Sterben lag. Andrea Kieseritzky habe Ende November die gebrechliche alte Frau aus ihrer Wohnung ins Krankenhaus geschafft, woher sie von Annja Kobe eine Woche später wieder in die Wohnung zurückgebracht worden sei. Annja Kobe habe, entgegen Andrea Kieseritzkys ursprünglichem Verdacht, sie kümmere sich nicht genug um ihre Großmutter, diese aufopferungsvoll bis zum Tag ihres Ablebens am 1. Januar 1992 gepflegt. Abenteuerlich sei nur der Aufzug der Annja Kobe gewesen, die die ganze Zeit ein altes Kaninchenfelljäckchen getragen habe, was aber darauf zurückzuführen sei, daß Annja Kobe offensichtlich wenig Geld besaß, denn Frau Kieseritzky habe ihr noch Kohlen schenken müssen. Nachforschungen im Stadtkrankenhaus Magdeburg ergaben, daß Annja Kobe per Telegramm von der Krankheit ihrer Großmutter benachrichtigt worden sei, da der Sohn der Elsa Kobe, Klaus Kobe, sich trotz mehrerer Telegramme im Krankenhaus nicht gemeldet habe. Annja Kobe nahm die Großmutter entgegen des Vorschlags des Arztes, sie in einem Pflegeheim unterzubringen, mit nach Hause. Nach dem Tod der Großmutter habe sie sich um die Formalitäten gekümmert und bis ca. Mitte Januar 1992 die Wohnung aufgelöst, die Andrea Kieseritzky und ihr Ehemann danach übernahmen. Andrea Kieseritzky gab noch an, daß Annja Kobe mit einem alten Mercedes angereist sei, abgereist sei sie aber Mitte Januar mit einem Barkas mit offener Ladefläche, auf der sich eine Kühltruhe, die nach Beschreibung mit der o.g. identisch war, befunden habe. Die männlichen Nachbarn hätten ihr beim Transport von der Wohnung zum Auto geholfen. Die Befragung des Rolf Kieseritzky, geb. am 21. Mai 1957 in Dessau, z.Zt. persönlicher Referent des Ministerpräsidenten Sachsen-Anhalts, ergab, daß die Truhe sehr schwer gewesen sei, er sich aber deswegen keine Gedanken gemacht habe, denn man wisse ja, daß DDR-Produkte nicht den üblichen europäischen Normen entsprachen. Viel mehr als diesen Gegenstand habe Annja Kobe nicht aus der Wohnung mitgenommen, vielleicht noch ein, zwei Kisten, der größte Teil der Sachen wurde auf den Sperrmüll transportiert, auch liefen an einem Samstag auffällig viele Leute durch die Nachbarwohnung und verließen das Haus mit vollen Taschen bzw. Kleinmöbeln. Die Nachbarn erinnerten sich übereinstimmend noch an eine große, offensichtlich schwere Schreibmaschine, die die Kobe alleine zum Auto geschafft habe.

Im folgenden wurden sämtliche Autohändler der Stadt Magdeburg befragt. Es ergab sich, daß der Autohändler Ingo Maaß, Industriestraße 2, Magdeburg-Grünheide, am 12. 1. 92 einen grünen Mercedes mit zerstochenen Reifen, Bj. 1978, Kennzeichen IE 27–30, gegen einen Barkas, Baujahr 1976, eingetauscht habe. Annja Kobe behauptete ihm gegenüber, sie müsse einen Umzug nach Berlin organisieren, und der Mercedes sei dafür zu klein. Für den Tausch bekam Annja Kobe 2000 DM. Es liegen korrekte Belege vor, auch die Zulassungspapiere seien nach Aussage des Händlers vollständig gewesen.

Weitere Nachforschungen nach Klaus Kobe in Magdeburg hatten wenig Erfolg, da Klaus Kobe offensichtlich wenig Außenkontakte besaß. Die Befragung ehemaliger Kollegen des Kälteinstitutes (letzte Arbeitsstelle des K.) ergab, daß Kobe ein Eigenbrötler gewesen sei. Einzige Bezugsperson sei seine Kollegin, Luise Gladbeck, geb. 13. April 1937 in Breslau, gewesen, sie verstarb am 28. November 1991. Todesursache Selbstmord. Die Kollegen gaben übereinstimmend an, daß sie alle am 1. 11. 91 entlassen worden seien und danach nichts mehr von ihren Kollegen gehört hätten, sieht man von der Todesanzeige für Luise Gladbeck in der Zeitung ab. Luise Gladbeck und Klaus Kobe seien von der Treuhand mit der Auflösung des Institutes betraut worden und wären noch zwei Monate länger beschäftigt gewesen. Die Nachfrage bei den Kollegen der K in Magdeburg ergab, daß Gladbecks Selbstmord im Zusammenhang mit dem Verlust des Arbeitsplatzes gestanden habe. Ein Fremdverschulden lag nicht vor. Einziges Lebenszeichen des Kobe nach Auflösung des Forschungsinstitutes war ein Brief an die Treuhand vom 27. 12. 91, in dem dieser mitgeteilt wird, daß Kobe das Gebäude des Kälteinstitutes Magdeburg, Badstraße 3, vereinbarungsgemäß übergibt. Nach genauer Prüfung des Schreibens muß ich jedoch zu dem Schluß kommen, daß es sich bei dem Brief offensichtlich um eine Fälschung handelt, denn schon eine oberflächliche Unterschriftenanalyse ergab erhebliche Differenzen zur Unterschrift des Kobe in seinem Personalausweis. Der Brief wurde mit einer Schreibmaschine verfaßt, deren Buchstabe e stark verschmutzt war. Der Vergleich des Schriftbildes der Schreibmaschine im Besitz der Annja Kobe, Marke Optima, Baujahr 1957, ergab, daß es sich um diejenige handelt, mit der der Brief an die Treuhand geschrieben wurde, und wahrscheinlich dieselbe ist, die sich im Besitz von Elsa Kobe befand, bevor sie von Annja Kobe nach Berlin mitgenommen wurde. Es besteht der Verdacht, daß Annja Kobe den Brief verfaßt und die Unterschrift gefälscht hat.

Nachforschungen zum Tode der Elsa Kobe ergaben, daß ein Dr. Joachim Messerschmidt, wohnhaft Kleinestraße 6 in Magdeburg, den natürlichen Tod der Elsa Kobe am 1. 1. 92, 19.27 Uhr, festgestellt habe. Auffällig seien nur zwei große Hämatome im rechten Rippenbereich gewesen, die aber laut Annja Kobe auf einen Sturz der Großmutter aus dem Bett zurückzuführen seien. Er habe dem keine weitere Bedeutung beigemessen, weil die Todesursache eindeutig Herzversagen war. Elisabeth Kobe ist eingeäschert und am 12. Januar 1992 auf dem Westfriedhof in der Grabstelle ihres Mannes Paul Kobe beigesetzt worden. Anwesend, außer Annja Kobe, war nur ein Angestellter der Friedhofsverwaltung, der die Urne ordnungsgemäß in der Erde versenkte. Auffällig ist, daß laut Testament der Elsa Kobe, das sich als Kopie in den Hinterlassenschaften der Annja Kobe befand, 25000 DM an Annja Kobe vererbt wurden. Der Sohn der Elsa Kobe, Klaus Kobe, findet im Testament keine Erwähnung. Da bei Lage der Indizien von einem Mord an Klaus Kobe ausgegangen werden muß, ist das Testament zur weiteren Prüfung an die Abteilung Verbrechensbekämpfung übergeben worden, da anzunehmen ist, daß auch dieses Testament wie der Brief an die Treuhand gefälscht ist. Meine These ist, daß, wenn der Sohn als Alleinerbe eingesetzt worden wäre, Annja Kobe nach dessen Verschwinden über das Geld nicht hätte verfügen können. Andere Dokumente, die das Verschwinden des Kobe erklären könnten, wurden nicht gefunden, allerdings befand sich im Ofen der Wohnung Schliemannstraße 4 jede Menge Asche, die der Farbe nach auf das Verbrennen von ganzen Stößen Papier hindeutet.

Nachforschungen im Berliner Umfeld der Annja Kobe ergaben folgendes: Durch Befragung der ehemaligen Mieter des Hauses, Schliemannstraße 4, Vorderhaus, wurde ermittelt, daß Annja Kobe nach langer Abwesenheit Mitte Januar 1992 mit einem Barkas mit Überführungsnummer angereist sei, auf dem sich eine alte Kühltruhe befand. Die Truhe sei von vier Arbeitern der Firma Marx, Schliemannstraße 4, in den vierten Stock getragen worden. Eine Befragung des Transportarbeiters Horst Seefeld, geb. 14. April 1935, Lychener Straße 27, Angestellter der Fa. Marx, ergab, daß, nachdem die Truhe nicht auf normalem Wege in die Küche zu transportieren gewesen sei, die Arbeiter vorgeschlagen hätten, sie hochkant um die Ecke in die Küche zu befördern. Das sei von Annja Kobe vehement abgelehnt worden mit der Begründung, daß, wenn die Truhe hochkant gestellt werden würde, das Kühlmittel auslaufe. Sie ließen die Frau daraufhin mit der Kühltruhe im Flur allein. Ihm, Horst Seefeld, habe das aber keine Ruhe gelassen, weil ihm in einem unbeobachteten Moment aufgefallen war, daß der Deckel der Kühltruhe nicht zu öffnen gewesen sei. Er sei in die vierte Etage zurückgegangen und habe an der Tür gehorcht, wo Annja Kobe immer auf einen »Papi« Genannten einredete, der keinen Scheiß machen solle. Dann habe er es krachen gehört und kurz danach einen Aufschrei. Er habe angenommen, daß der Vater der Kobe sich mit in der Wohnung befand und die beiden versuchten, das Ungetüm in die Küche zu befördern. Eine männliche Stimme hörte er aber nicht. Seefeld machte nicht den Eindruck, als daß er sich die Geschichte nur ausgedacht hätte, und war auch bereit, sie vor Gericht zu beeiden.

Aufgesucht wurde auch die geschiedene Frau des Klaus Kobe, Dr. Barbara Kobe, geb. am 20. Juni 1942 in Magdeburg, wohnhaft Schönhauser Allee 41. Sie gab an, daß sie weder über den Verbleib ihrer Tochter, Annja Kobe, noch über den ihres geschiedenen Mannes, Klaus Kobe, etwas wisse. Ihren Mann habe sie seit ihrem Verlassen der gemeinsamen ehelichen Wohnung im Jahr 1976 nicht mehr gesehen, ihre Tochter habe sie zuletzt am 1. Januar 1995 anläßlich ihres 31. Geburtstages besucht. Aufgefallen sei ihr die Kühltruhe in der Küche, die sie noch aus der gemeinsamen Wohnung kannte, auf Nachfrage habe ihre Tochter behauptet, ihr Vater habe sie ihr geschenkt, als sie begonnen habe, mit Eiskrem zu experimentieren. Barbara Kobe habe in einem von ihrer Tochter unbeobachteten Augenblick einen Blick in die Kühltruhe geworfen, in der sich mehrere Kartons mit dem Eis der Marke »Moskauer Eis« befanden. Ihre Tochter betreibt seit ca. einem Jahr eine Firma, die diese Sorte Eis produziert und an Naturkost- und Ökoläden vertreibt. Nachforschungen ergaben, daß im Handelsregister seit dem 27. 11. 93 eine Firma Kobe GmbH eingetragen ist, die sich mit der Herstellung und dem Vertrieb von Eiskrem befaßt. Sitz ist eine Etage des Gebäudes 36a auf dem Gelände der Firma Aschinger, zu DDR-Zeiten Backwarenkombinat, Saarbrücker Str. 36–38. Im Finanzamt Friedrichshain-Prenzlauer Berg liegt gegen die Firma nichts vor, bei der letzten Steuerprüfung gab es keine Beanstandungen. Aktenkundig ist eine juristische Auseinandersetzung mit einem bekannten Eiskremkonzern, der die Firma der Kobe verklagt hatte, ein noch nicht in Produktion befindliches Eiskremrezept des Konzerns widerrechtlich in ihren Besitz gebracht zu haben. Der Prozeß wurde von Annja Kobe gewonnen, da sie beweisen konnte, daß das Eis ihrer Firma nach einem anderen Rezept als dem der klagenden Partei hergestellt worden sei. Befragungen der Geschäftsführerin Karla Simon, geb. 29. April 1941, wohnhaft Straßburger Str. 24, ergaben nichts Nachteiliges gegen Annja Kobe. Sie weile im Moment zu einem vierwöchigen Erholungsurlaub auf Zypern, als Urlaubsort wurde Polis angegeben. Nachforschungen ergaben, daß Annja Kobe weder einen Flug noch einen Aufenthalt auf Zypern gebucht hat.

Der Betrieb machte einen sauberen und modernen Eindruck. In ihm sind fünf Arbeiterinnen und ein Schlosser beschäftigt. Die Geschäftsführerin ist im Besitz einer von Annja Kobe unterschriebenen und notariell beglaubigten Generalvollmacht, die sie berechtigt, in Abwesenheit Annja Kobes die Geschäfte alleine abzuwickeln.

Weitere Nachforschungen im Umfeld ergaben, daß Annja K. keine festen Beziehungen pflegte. Sie hat offensichtlich fast jeden Abend in der Gaststätte Torpedokäfer, Dunckerstraße 69, verkehrt und des öfteren in der Nacht Männer mit nach Hause genommen. Die in der Kneipe Anwesenden weigerten sich jedoch, über ihre Beziehungen zu der Kobe Auskunft zu geben. Eine Umfrage unter den Stammgästen ergab nur, daß Annja Kobe vor ca. drei Wochen das letzte Mal in der Kneipe gesehen worden sei. Ein Betrunkener erzählte mir, als wir auf der Toilette allein waren, an jenem Abend habe die Vermißte zum ersten Mal laut in der Kneipe herumgeschrien (vorher war sie im Gegensatz zu anderen notorischen Schlägern und Randalierern nie aufgefallen). Sie regte sich über den Ausverkauf der Gegend und insbesondere über die rüden Methoden der Hausbesitzer auf, die die angestammten Mieter der Gegend durch Luxussanierungen verdrängen würden. Da die Kneipe vorwiegend von Linken und dem anarchistischen Umfeld Nahestehenden besucht wird, pflichtete ihr ein Großteil der Gäste bei, und man diskutierte den Rest des Abends über Möglichkeiten des Widerstandes. Am Ende soll Annja Kobe gesagt haben: »Für mich ist es leider zu spät.« Sie habe die Kneipe in Begleitung eines Mannes namens Ernst verlassen, den sie alle nur den Pfaffen nannten. Nachfragen bei der evangelischen Kirche Berlin-Brandenburg ergaben, daß ein Ernst Palluschek, geb. am 25. Juli 1962 in Magdeburg, die Pfarrstelle in Mühlenbeck bei Berlin innehat. Eine Befragung des Ernst Palluschek ergab, daß er Annja Kobe seit seiner Schulzeit an der EOS »Johann Gottfried Herder« in Magdeburg kennt. Palluschek hielt sich mit Aussagen über die Vermißte auffällig zurück. Erwähnenswert ist nur, daß bevorzugte Themen ihrer Diskussionsabende Zukunftstechnologien gewesen seien. Auf Nachfrage, um welche Zukunftstechnologien es sich gehandelt habe, gab er an, es seien vor allem Themen im Umfeld der Kryo-Konservierung gewesen, ohne daß er in der Lage bzw. willens gewesen wäre, mir gegenüber diese Technologien genauer zu erklären. Er erwähnte nur, daß solche Art der Konservierung von ihm als Theologen aus ethischen und moralischen Gründen abgelehnt würde, während die Vermißte der internationalen Diskussion eher neutral bzw. mit Interesse folgte. Eine Recherche nach den von Ernst Palluschek angegebenen Themen wurde in Auftrag gegeben, Ergebnisse liegen nur dahingehend vor, daß es sich bei der Kryo-Konservierung um ein vorwiegend in Amerika betriebenes Gefrieren von Menschen unmittelbar nach ihrem Tod handele, die in Behältern aufbewahrt werden, bis die Wissenschaft soweit sei, sie wieder zum Leben zu erwecken.

Weitere Freunde konnten nicht ermittelt werden, da auch kein Adreßbuch, Kalender oder ähnliches in der Wohnung der Kobe gefunden werden konnten. Einziges verwertbares Dokument ist das Manuskript eines Textes, der in einem Briefumschlag neben der Schreibmaschine lag und offensichtlich von Annja Kobe beim Verlassen der Wohnung vergessen wurde, denn es stand auf dem Deckblatt der handschriftliche Satz in der Handschrift der Kobe: »Dringend mitnehmen!« Der Text ist offensichtlich literarischer Natur. Die recht mühselige Lektüre der ersten fünf Schreibmaschinenseiten, deren erste Seite den Briefkopf des Kälteinstitutes Magdeburg und das Datum 7. 10. 71 trägt, ergab, daß es sich hierbei wohl um eine Beschreibung des letzten Jahres der DDR handelt. Der Rest des Manuskriptes ist, bis auf zehn Typoskriptseiten, die sich mit der Utopie des Jahres 1968 befassen und in denen von einem nicht näher bezeichneten Großvater die Rede ist, in einer vollkommen unlesbaren Handschrift verfaßt. Das Konvolut von ca. 400 Seiten wird hiermit zur weiteren Prüfung übergeben. Neben der Schreibmaschine lag außerdem ein Zettel mit folgender Aufschrift: »Nimm zum tausendsten Mal die tausend und abertausend Eisstücke und bilde aus ihnen das Wort EWIGKEIT. Gelingt es dir, sollst du dein eigener Herr sein und bekommst außerdem ein Paar Schlittschuhe.«

Für die Flucht der Kobe wurden keine Zeugen gefunden, da das Haus zu diesem Zeitpunkt schon leergeräumt war. Der graue Barkas mit dem Kennzeichen B-DM 3360 wurde am 17. 12. 1992 abgemeldet.

Fazit: Nach Lage der Dinge erhärtet sich der Verdacht, daß Klaus Kobe (Personalien siehe oben), Opfer eines Verbrechens wurde, ohne daß die Leiche des Kobe bisher gefunden wurde. Dringend verdächtigt ist seine Tochter Annja Kobe (Personalien siehe oben), zur Zeit vermißt, wahrscheinlich auf der Flucht. Die Kühltruhe wurde der Spurensicherung übergeben. Internationale Fahndung ist eingeleitet.

Gez. Hauptkommissar Hagen Klein
Polizeiabschnitt 7, Berlin-Prenzlauer Berg, Abteilung Verbrechensbekämpfung

Die Texte der Kapitelüberschriften sind dem Buch von Dr.-Ing. J. H. Dannies, Lexikon der Kältetechnik, Mühlhausen/Th. – Berlin 1950, entnommen.